JACEK MELCHIOR

DOJ RZA ŁĄ POZNAM

Świat Książki
wydawnictwo

Wydawca
Joanna Laprus-Mikulska

Redaktor prowadzący
Katarzyna Krawczyk

Redakcja
Anna Landowska

Korekta
Michał Markiewicz
Irena Kulczycka

Świat Książki
Warszawa 2017

Świat Książki Sp. z o.o.
02-103 Warszawa, ul. Hankiewicza 2

Księgarnia internetowa: swiatksiazki.pl

Łamanie
Piotr Trzebiecki

Druk i oprawa
OZGraf S.A.

Dystrybucja
Firma Księgarska Olesiejuk sp. z o.o., sp. j.
05-850 Ożarów Mazowiecki, ul. Poznańska 91
e-mail: hurt@olesiejuk.pl tel. 22 733 50 10
www.olesiejuk.pl

ISBN 978-83-8031-769-7
Nr 90090187

TAK BARDZO go kochała, że chciała, by już nigdy mu się nie powiodło.

Żeby przeżywał porażkę za porażką, garnąc się do ludzi, których nie będzie obchodził, szukając większych pieniędzy, których nie zdobędzie, goniąc za czymś, co mu się nagle wymknie z rąk. I oczywiście brzydnąc, tak, koniecznie brzydnąc: tracąc młodzieńczy wdzięk na rzecz dorosłej kanciastości, szeroki tors na rzecz masywnej pulpy, płaski brzuch na rzecz rozdętego balona, wypełnianego ulubionym, przypadkowym jedzeniem. By, jeśli nie ma żadnej innej, zadziałała sprawiedliwość genów, które może wykrzywią mu regularne rysy twarzy, rozwodnią błękit oczu w zwykłą szaroburość, zaostrzą nos i podbródek lub przeciwnie, zaokrąglą, w każdym razie wyczarują z nich coś, co już nie będzie doskonale piękne. Geny lubią takie harce, dość popatrzeć na wielu amantów filmowych kiedyś i obecnie. Czy też skrócą, zwężą, no, po prostu zmniejszą t o, z czego był dumny, a co wypełniało ją dwa, trzy razy w tygodniu przez pięć lat, czyniąc z niej królową bez korony, zdolną zaplanować i wygrać każdą wojnę, nie mówiąc o pomniejszych bitwach.

Tak bardzo go kochała, że chciała, by już nigdy nie był wspaniały.

Wstydziła się tej chęci, ale czym jest wstyd wobec pierwotnych instynktów, do których nie należy? Przecież pierwsi ludzie się nie wstydzili. Ani swej nagości, ani w ogóle niczego, co w sobie odkrywali. Czym jest wstyd wobec nieludzko czystej kartki papieru, do zapisania tylko wspomnieniami? Wobec poczucia, że nie będzie już, jak było? Czym wobec niezamierzonej śmieszności, której chichot słyszała w sobie, ilekroć pomstowała na niego, całkiem poważnie życząc mu impotencji, bo co, jeśli geny jednak mu t e g o nie zwężą ani nie skrócą?

Tak bardzo go kochała, że chciała, aby spotkało go najgorsze: by pozostając przy życiu, rozczarowywał się nim wzdłuż i wszerz, na każdym kroku, co godzina, co dzień, co tydzień, co miesiąc, aż do końca w jakimś późnym wieku, czyli jeszcze bardzo długo. Chciała więc, żeby zapomniał o wszystkim, czego go nauczyła. By doszedł do wniosku, iż kłamała, przysięgając, że życie jest cudowne, a wszystko zależy od nas samych.

❧

Zamknięte osiedla są gorsze niż kołchozy. Tam przynajmniej nikt nie udawał, że czegoś nie widzi, przyglądali ci się wszyscy, komentując od razu, a kto, a co. Brat przyjechał? A może kochanek, ej, przyznaj się, he, he!

Tutejsza spółdzielnia „Ucho i oko" mogłaby reklamować białe rękawiczki i czarne okulary, nikt o nic nie pyta, nikt się specjalnie nie przygląda, po prostu widać. Na wzorcowo wytyczonej i oświetlonej ścieżce, na perfekcyjnie przystrzyżonym trawniku z perfekcyjnie wrzeszczącymi bachorami, na przepisowo bezpiecznych schodach i pod przepisowo bezpieczną fontanną.

Zjechała do garażu. Szybciej by doszła na ów róg za płotem, niż dojedzie, ale wówczas musiałaby go przeprowadzać przez całe osiedle. Ścieżka, trawnik, schody, fontanna, ile oczu, niewidocznych za szybami okien, widziałoby, że go prowadzi? Nie obchodziłoby jej to, gdyby prowadziła swego syna, którego przecież nikt tu nie zna, podobnie jak nikt nie zna chłopaka, po którego zaraz pojedzie. Równie dobrze mogłaby zresztą przyprowadzić ogrodnika do zielska na tarasie, sprzątacza, teraz firmy sprzątające zatrudniają także mężczyzn, albo hydraulika urodziwego jak „polski hydraulik", którego wizerunkiem niedawno oplakatowano pół Europy, by nie myślano o nas, że buraki i oszuści. A jednak siada za kierownicę. Zerka we wsteczne lusterko: tak wygląda ilustracja porzekadła „na złodzieju czapka gore".

Gdy pierwszy raz zobaczyła ten dom, kaskadowa konstrukcja apartamentowca wydała się jej zjawiskowa niczym chiński pałac, a samo mieszkanie, dwupoziomowe, pełne krzywizn i okien pozaginanych jak czapki kubistycznych pajacyków – spełnieniem marzeń o luksusie. Jej kubistyczne, szklane czapeczki wchodziły jednak w cudze czapeczki, żaluzje nie wystarczyły, zamontowała jeszcze rolety: dziś z pewnością bardzo się przydadzą. Z drugiej strony roztaczał się taras, na którym z wyższych poziomów była widoczna jak środek tarczy strzelniczej. Na ów taras w związku z tym wychodziła rzadko, zagnieździły się tam kaczki, pewnego razu, gdy wróciła z pracy, powitała ją kaczka matka, prowadząc przez salon siedem kaczuszek. O tak, miała szczęście, że Jarek w małżeństwie dorobił się na tyle, by na pożegnanie musieć kupić jej to lokum. I teraz to szczęście wymusiło na niej dwustumetrową podróż samochodem za najbliższy róg, by nikt nie widział, jak kaczka matka prowadzi kaczorka, zupełnie niespokrewnionego i nie ogrodnika.

Jedzie powoli jak w kondukcie, brak tylko marsza Chopina, nie da się szybciej, to spokojne, mieszczańskie osiedle ze spokojnymi, ospałymi ochroniarzami w budce przy szlabanie.

– Dobry wieczór, pani Keller!

Warszawa jest cudownie anonimowym miastem, lecz nie tu.

– Dobry wieczór – odpowiada przez otwarte okienko w ciepłe, październikowe powietrze.

Tak, jest wieczór. Dobry, ale ma być lepszy. Najlepszy od kilku miesięcy, od przedwiośnia, gdy tak beznadziejnie dała się wkleić w ramiona dawnego znajomego. Znajomy wydawał jej się bezpieczniejszy niż obcy. Znajomy lek na znajomą samotność i na jakiś nagły przypływ cielesnych potrzeb, zupełnie nieznajomy. Wcześniej, przez całe wieki, to ona miała tylko męża. Niesłyszalnie hamuje na rogu za autobusowym przystankiem. Ten wieczór będzie zupełnie inny bez względu na to, co się zdarzy. Już jest zupełnie inny, podszyty cieniutką perwersją jak dżins jedwabiem. Ten chłopak ma przecież dwadzieścia dwa lata! Ten chłopak został poznany w internecie, na czacie! Ten chłopak zaczepił ją, bo... I już się spóźnił, ale autobus nie przyjechał, a przecież nie podjedzie taksówką.

Na czat przygnało ją to samo, co wczesną wiosną kazało nie odtrącić końskich zalotów podpitego dawnego znajomego. Nieśmiało i z przymusem klikała w kolejne kamerki oznaczone męskimi ksywkami, bawiąc się... bawiąc się? Zabawa nie zakłada wprost celu do realizacji, ale niech będzie: bawiąc się oglądaniem kolejnych mężczyzn i ocenianiem ich pod wiadomym kątem, ale tak, by nie przyłapać się na tej ocenie. Oceniać – znaczy już przecież trochę wybierać. Nie robiła tego pierwszy raz, ale też nigdy nie posunęła się dalej, wciąż pod neutralnym nickiem XYZZZ, by nikt jej nie zaczepiał. I nikt tego nigdy nie zrobił. Czuła się w ten sposób jakoś wyżej od wszystkich SłodkichKasiekGorącychAsiek, nie mówiąc o MiękkichPuszkachTwardychCycuszkach. Nie była wyżej, lecz niżej, poniżej wszelkich szans.

Gdy wczoraj wyskoczyło jej w okienku: *cześć czy jesteś kobietą?*, odpowiedziała machinalnie: *tak*. Gdy ten ktoś spytał: *masz ochotę się zabawić?*, odpowiedziała natychmiast: *tak*, jakby na to czekała. Czy gdyby nie czekała, wdałaby się w rozmowę, w której on nawet nie dociekał, jakie są jej wymiary? Gdyby poszła po rozum do głowy... lecz w tym momencie miała go gdzie indziej, razem z ręką wciśniętą między uda. Gdyby jednak się zastanowiła, od razu musiałaby uznać, że do jej komputera wdarł się napaleniec, któremu wszystko jedno z kim, byle to zrobić. Spytał tylko o wiek. 46, wystukała i wykasowała. 44, nacisnęła klawisz. Odpowiedział na to: *super, ja 22*. W pierwszej chwili pomyślała o *dwudziestodwucentymetrowej maczudze*, którą jakiś dzikus przechwalał na planie ogólnym sekczatu. *To wiek*, dodał z nawiasem uśmiechu, *niewiele, ale nie pożałujesz. Mógłbyś być moim synem*, napisała zaskoczona, lecz nim wcisnęła klawisz, by wysłać wiadomość, na ekranie pojawiła się informacja, by kliknąć w prywatny podgląd, bo rozmówca uruchomił obraz.

Wtedy go zobaczyła. Nie mógł być jej synem. Jej syn... W każdym razie tak prezentują się tylko dzieci mitologicznych bogów z waz i płaskorzeźb zbieranych przez gejów. Wyglądał poważniej niż na swoje 22, dałaby mu więcej, choć oczywiście tylko trochę, może przez to masywne ciało, do którego jasnoniebieskie, wręcz błękitne oczy zdawały się właśnie jakimś nieludzkim, więc boskim dodatkiem. Pomachał do niej ręką w za dużej, kraciastej koszuli, jakby wyszedł z roli i pozdrawiał ją z wakacji, po czym wyłączył obraz.

Pasuje?

Wytarła z ekranu zdumienie, że mógłby być jej synem. Teraz była zdumiona czym innym, bo odpowiedziała: *pasuje*. *A ty jak wyglądasz? Szczupła z biustem*, napisała z ulgą, że wreszcie się zaciekawił. *Fajnie, ale ja za dwie stówki...* Wpatrywała się w te dwie stówki, jakby były dwoma milionami, za jakie też nie kupi już własnych dwudziestu dwóch lat ani czterdziestu dwóch, ani nawet czterdziestu sześciu. Co da się kupić? Zapomnienie Okamgnienie? Rozkosz nagle rozbudzonej nastolatki? Rozkosz jest zawsze nagle rozbudzoną nastolatką. Rozkosz jest... To dlatego, zażenowana, nie uciekła, wylogowując się z czatu.

Pasuje?

Ręka nad klawiaturą spociła się jak ta między udami. W jej kręgach pytano: Odpowiada ci? *Pasuje*, wystukała znów. Ale jeszcze nie pasowało, jak powinno. *Często to robisz za?*, spytała, mając nadzieję, że zaprzeczy. Że nie jest zblazowaną męską dziwką, że nie jest profesjonalistą, lecz przypadkowym amatorem, od jakich roi się w internecie, który musi zapłacić za stancję, studencki semestr, nowe, sportowe buty, że łączy przyjemne z pożytecznym. I zaprzeczył. Padło na studencki semestr. *Pasuje?* Prawdziwy profesjonalista też by zaprzeczył, bo która klientka chciałaby być jedną z wielu? I też wybrałby studia, bo sportowe buty świadczyłyby tylko o próżności.

Mogła w to wejść i uwierzyć. Wejść i nie uwierzyć. Mogła też oczywiście nie skorzystać, wyłączyć się, zniknąć, rozpłynąć, ustąpić miejsca innej, podstarzałej, ustawionej, zdeterminowanej. I do świtu hulać po własnym łóżku jak wiatr po bezsennej pustyni, z coraz bardziej spoconą ręką, porzuconą na piasku gałęzią bez drzewa, coraz bardziej gardząca sobą za to, że się nie zdecydowała i że jutro… Bo czas ucieka, przyszłość to fatamorgana. *To jak z nami będzie?* Wyszło mu, jakby Romeo zaniepokoił się o Julię. *Pasuje.* Ale bez wymiany telefonów. Będę czekała tu i tu, róg był neutralny, o tej i o tej, godzina była konkretna.

Teraz obie ręce pociły się na kierownicy, zwłaszcza że wreszcie podjechał autobus. Chłopak… jak ma na imię ten chłopak… szedł ku niej sprężystym krokiem. Czerwone volvo stało tu tylko jedno, a on był jedynym, który wysiadł z autobusu. Wszyscy mieli samochody.

❦

TAK BARDZO chce myśleć, że wtedy była szalona, na początku, gdy szaleństwo jest uzasadnione, potem, gdy normalne, i jeszcze później, gdy wymagane, że przez pięć lat była szalona i że ma teraz za swoje szaleństwo, bo co sobie roiła? Że zostanie z nią na zawsze, by pchać jej wózek inwalidzki, gdy ona nie będzie w stanie iść? Tak, właśnie to sobie roiła, ponieważ mijały kolejne lata, a co odchodził – wracał, więc dlaczego nie miałby dalej odchodzić i wracać aż do momentu, w którym ze starości nogi odmówią jej posłuszeństwa? Lecz przecież oszalała, dopiero gdy sobie poszedł na dobre. Znaczy na złe, bo przecież nic dobrego ma się mu nie wydarzyć.

Nic dobrego, czyli ciągłe wiązanie końca z końcem aż po przekonanie, że wszystko polega tylko na wiązaniu, że cała reszta istnienia to tylko dodatek do tego wiązania, dodatek do znoju, w jaki nie uwierzy żaden dwudziestoparolatek, licząc na cud, na coś oczywistego, skoro tyle ludzi żyje dostatnio, spełniając swoje kaprysy, podróżując, romansując, tańcząc nocami i śpiewając w dzień... Oto co dla niego przewiduje: rozczarowanie. Niemożnością podróżowania lub widokiem niespełniającym oczekiwań, wymarzonymi piramidami w smogu. Romansem z kimś, dla kogo będzie tylko zabawką, lub podchodami, z których nigdy nic nie wyniknie. Tańcem przy kiepskiej muzyce. Śpiewaniem, jakiego sam by nie chciał słuchać. Rozczarowanie. Rozbite oczarowanie. Raz, drugi, trzeci, piąty i gorzkniejesz na zawsze. Obyś jak najszybciej zgorzkniał i jak najdłużej żył w jak najlepszym zdrowiu!

Zatem oszalała, gdy sobie poszedł na złe, lecz nie od razu. Człapanie w jego adidasach, jakieś osiem numerów za dużych, szuranie dzień w dzień o poranku z sypialni do łazienki, nie, to jeszcze nie było szaleństwo. Powieszenie koszuli na kuchennym krześle, tak, tej kraciastej, w której machał do niej z okienka internetowego czatu, tej kultowej, mającej przypominać, o czym powinna zapomnieć, i jedzenie d o n i e j śniadań i kolacji, także jeszcze nie było prawdziwym szaleństwem. Fetyszyzm jest zabawny i żałosny jednocześnie, ale logiczny i rozumny. Oto jego kawałek, resztki zapachu, fragment realnej całości, część słownika. W tych adidasach żłobił dziurę w greckiej plaży, pytając z powątpiewaniem: Czy wyobrażasz nas sobie za rok? Wówczas mieli przed sobą jeszcze cztery.

Nie, jeśli faktycznie oszalała z całym bagażem robienia sobie przeciw sobie, to jeszcze nie wtedy, gdy przy porannej kawie wpatrywała się w kraciastą koszulę, jakby to on wciąż siedział na tym krześle.

❧

Adam. Tak samo miał ponoć na imię pierwszy mężczyzna. Kim byłaby, gdyby jej pierwszy mężczyzna i nie tylko pierwszy, także drugi i trzeci, a potem mąż, gdyby którykolwiek z nich sprawił to, co Adam? Kim byłaby, bo że kimś innym, nie miała wątpliwości. Wiedziałaby od razu coś, czego przez wszystkie wcześniejsze lata nie brała pod uwagę. Że dobrze to nie świetnie, a świetnie to wciąż jeszcze nie doskonale. I że doskonałość, przynajmniej ta zmysłowa, jest osiągalna. Czy, by ją osiągnąć, musiała dobiegać pięćdziesiątki i zakupić... wspomóc dwudziestodwulatka? Wszystko ma swój czas, mawiał jej ojciec i nie znosiła go za to, bo znaczyło, że trzeba poczekać – na nową sukienkę, czekoladki, kino, koniec roku szkolnego, na dorosłość, a kto lubi czekać? Wszystko ma swój czas, mawiał ojciec, chłopski filozof. Albo nie ma, dodawała matka, zawsze kwaśna jak kapusta zbyt długo przetrzymana w beczce.

Tej nocy miała wreszcie swój czas. Rozciągnięty w długim rozbieraniu, rozpinał ją, rozsuwał, rozsupływał w nieskończoność. I kurczony w sekundy jej westchnień, brzmiących jak bity dodane przez kreatywnego didżeja do ballad Eriki Badu, które włączyła na zapętleniu, by nagle nie zapadła krępująca cisza. Wypsikana luksusowymi perfumami przy powtórce płyty pachniała już całkiem inaczej, tylko nim. Nawet najdroższe pachnidła nie wytrzymują takiej konkurencji. Wcześniej prawie nie rozmawiali, w aucie było, że eleganckie osiedle, w windzie z garażu, że wypasiony budynek (wypasiony jak wieprz, zażartowała), w korytarzu, że posadzka jak z muzeum, a w przedpokoju, gdy zamknęła drzwi, nie padło ani jedno słowo, bo zaczął ją całować. Niezły jest w tym ośmielaniu, skonstatowała ośmielona, prowadząc go za rękę do salonu.

– Siebie ośmielałem! Taka elegancka babka... ze mną... – wyzna jej za dwa tygodnie, gdy już nie będzie musiał tego mówić. Zresztą, czy gdyby było inaczej, komplementowałby apartamentowiec, a nie ją? Lecz trudno, by wówczas prowadziła psychologiczne śledztwo.

A kiedy wyczołgała się wreszcie z łóżka po sok pomarańczowy z małą wódką i wróciła, jej adonis chrapał w najlepsze, zasłaniając szeroką łapą swój wymęczony szczegół, masywny jak cała jego sylwetka. Siadła na brzegu, wypiła obie wódki i cicho załkała. Nocą, przytrzymując się skały, przywierając do niej z różnych stron i usiłując schować się w jej meandrach, uratowała się z jakiejś morskiej katastrofy w poczuciu, że ocalała tylko ona jedna. Teorie odczytywania snów są, jak wiadomo, dwie. Jedna babcia, Szkoła Pilawska, radziła rozumieć je dosłownie, druga, ze Szkoły Otwockiej, odwrotnie. Hasło do krzyżówki: przeciwieństwo ocalenia.

– K o c h a n i e? Mogę wziąć prysznic? – Usłyszała rano nad sobą.

Zatem uratowała się, by usłyszeć, że mówi do niej: *kochanie*. Wielokrotnie, ciągle, jakby żyli ze sobą od dawna. Przepraszam cię, kochanie, że tak wczoraj nagle zasnąłem. Zrobisz, kochanie, jakieś śniadanie? Kochanie, masz może rozkład autobusów, czy jedziesz do miasta i podrzucisz mnie do centrum? Najpierw uznała to za żarty. Potem za sposób bycia. Na chwilę przyszło jej do głowy coś okropnego: że to kontynuacja maskarady za pieniądze, że on tak sobie wyobraża eleganckie wywiązanie się z umowy! Aż wreszcie dotarł do niej ów wyjątkowy ton. Dziecka, które odnalazło matkę. Brata, który odnalazł siostrę. Męża po powrocie z kopalni, w której cudem uniknął zawału. Ton kogoś pławiącego się we wspólnym bezpieczeństwie. Kogoś, kto schwycił iluzję i troskliwie schował pod klosz. Poczochrała go po gęstych, lekko falujących włosach.

– Oczywiście, kochanie, że cię podrzucę do miasta. – Usłyszała samą siebie, absurdalnie szczęśliwa.

Za poczochranie pocałował ją w policzek. I w tym muśnięciu nie było nic erotycznego, choć spodziewała się, że będzie. Oniemiała. I że go poczochrała, i że ją cmoknął tak mimochodem, jak na co dzień znaczy się najgłębsze, niewidoczne przywiązanie. Pasażerka ocalała z katastrofy promu i górnik, który cudem uniknął zawału. Kochanie, kochanie... O samym kochaniu się, o wieczorze i nocy nawet się nie zająknęli, tematu nie było. W samochodzie włączyła radio, *Four Hundred Dragons*[1], śpiewał ktoś w starej piosence. Liczba z refrenu uruchomiła matematykę ciekawości.

– Naprawdę masz tylko dwadzieścia dwa lata? – Nie mogła uwierzyć, lecz zabrzmiało jakoś twardo, więc szybko zmiękczyła. – Czy też już zacząłeś się odmładzać, zgodnie z duchem czasów?

– A jeśli mam dziewiętnaście? – Zaśmiał się przez nos.

Dobrze, że musiała akurat stanąć na światłach.

– Ale żartujesz?

Cmoknął ją w policzek.

– Nie żartuję. A ty naprawdę masz czterdzieści cztery?

– A jeśli...

Uznał to za potwierdzenie.

– To zajebiście! – Ucieszył się. – Piękny wiek!

– Co ty możesz o tym wiedzieć? – Zachichotała.

– No, coś już mogę... – Tak, teraz klepnął ją w udo jak swoją samicę.

To było bardzo przyjemne. A jeśli mam czterdzieści osiem?, pomyślała, wciskając gaz.

– Wyskoczę tam na rogu, jeśli można.

– Zaraz zobaczymy...

Musiała się przecież zatrzymać na dłużej niż sekundę. Trzeba się było jeszcze rozliczyć. Skręciła w boczną uliczkę i zahamowała. Czekał, nie chwycił za klamkę, i patrzył przed siebie. Wyjęła portfel i podała mu trzy setki.

– Widzę, że z napiwkiem...

– Nie mów tak. – Odwróciła się, by jeszcze raz spojrzeć w te oczy.

– Oj, kochanie, dowcip!

Ton, ten ton. Bo to nie brzmiało jak „ej, malutka, nie obrażaj się".

– Wymiana komóreczek? – Wyjął aparat.

Czekała na to, nie czekając.

– Sześć zero sześć... – na jednym oddechu wymieniła dziewięć cyfr i on na jednym oddechu wstukał je do swego telefonu.

Ktoś z tyłu zatrąbił. Blokowała ruch. Blokowała samą siebie, by nie wpić mu się w usta. Cmoknął ją szybko, jakby się mieli zobaczyć wieczorem.

– Odezwę się, kochanie! Pa!

Kochanie, pa. Pa, kochanie. Dawno zniknął gdzieś w ulicy, ktoś nadal trąbił, a ona przepowiadała sobie te dwa słowa w zapamiętaniu dziwnym jak ich konfiguracja. Kochanie, pa. Pa, kochanie. Samo *pa*, osobne *kochanie*, nie miały w sobie takiej siły, ale razem obudziły w niej nagłą tęsknotę, do jakiej musiała się przyznać, nawet nie nazywając jej po imieniu. I nie była w stanie wcisnąć pedału sprzęgła, bo wszystko się sprzęgło przeciw niej. Jak portfel, który wciąż trzymała w ręku, z którego coś trajkotało bezlitośnie: uspokój się, wariatko, przecież musiałaś za to zapłacić, kupiłaś to, kupiłaś go, kupiłaś na jeden wieczór chłopaka, który w dodatku okazał się nastolatkiem, więc oczywiste, że nie wie, co mówi i jak mówi, nie ma pojęcia, ile ważą ładne słowa w powiązaniu z miłymi gestami i innymi słowami, ile ważą na cudzej, w tym przypadku twojej wadze, wyjętej nieoczekiwanie, by zważyć nagromadzone kilogramy twych przysypanych, niezasypanych potrzeb. No dobrze, piękny jest, ma wdzięk, i może trochę samotny, lecz przecież nic o nim nie wiesz, młodziak, szczeniaczek przyjaźnie zamerdał ogonkiem, bo wyciągnęłaś dłoń, szczeniaczki zawsze czują się samotne i lgną do każdej czułości, liżąc na oślep każdego, kto się nad nimi pochyli. Nie masz dwudziestu lat ani nawet trzydziestu, zamierzasz dać się nabrać na tę czułość?

Zamknęła portfel, wrzuciła do torby. W kompletnej ciszy, bo trąbiący chyba ją jednak ominął, poczuła ból wszystkich mięśni i kości, ordynarny, fizyczny, zachwycający ból po nocnej jeździe przez prerię niczym Jane Fonda z pradawnego westernu. Wcisnęła wreszcie cholerne sprzęgło. Nie miała dwudziestu ani trzydziestu, ani czterdziestu ośmiu lat. Zapłaciła za seks i uczepiła się paru miłych słówek i ogólnej serdeczności. Stara idiotka, miała teraz lat siedemdziesiąt.

❧

TAK BARDZO chciałaby jeszcze raz.

Obliczyła, że przez pięć lat, odejmując te tygodnie, kiedy go nie było, spała z nim około pięciuset razy.

Nie zawsze nurkował, zanurzając się głębiej i głębiej aż po samo dno, choćby miał nie wypłynąć. Czasami osiadał na płyciźnie, leniwie jak mors moszcząc się przy brzegu. Z czasem z płycizny zrobiła się mielizna, coś, w czym już się nie mościł, coś, na czym utykał jak poeta piszący tylko sonety, coraz bardziej znużony opiewaniem tej samej bryzy nad tą samą falą. Lecz nawet gdy utykał, wciąż utykał na niej.

Około pięciuset razy.

I tylko jeszcze raz. Tylko jedna około pięćsetna całości. Nawet najpłytsza. Że niby tak, chociaż już nie. Niechby ta, która upodliła ją jak nigdy, przedostatnia, żart z koszmaru o pożądaniu i miłości. Stał wtedy nad nią, leżącą, chętną i gotową. Zawinęła rękę wokół jego kolana w oczywistym zaproszeniu. Ściągnął koszulkę i rzucając się na łóżko, zakrzyknął wesolutko:

– Ech, miejmy to już za sobą!

❖

Tylko jeszcze raz, obiecała ścianom, sufitowi, meblom, sofie, stolikowi, bo chyba jednak nie sobie. Tylko raz? Tak czy inaczej, gdy nazajutrz napisał esemesa: *cześć jak tam* – jak gdzie? dlaczego dopiero nazajutrz? czym, kim był zajęty w nocy i skąd w ogóle w niej takie pytania? – zaproponowała spotkanie. *Na tych samych warunkach*, dopisała. Nie chciała, by poczuł się wykorzystany, i w ogóle by nie było zbyt... prywatnie, jeśli mogło nie być, poza tym, że jeśli faktycznie potrzebuje pieniędzy, lepiej, by dostał je od niej. *Maja, już nie mogę się doczekać!*, odpisał niemal natychmiast. Maja. Stała się nią trzy dni temu na czacie i niech tak zostanie. Dla niego jest Mają, lat czterdzieści cztery, czy to nie zabawne, że nie musi być Danutą lat czterdzieści osiem? Nigdy nie lubiła swojego imienia, a ta Maja cudownie dwuznaczna, Maja naga i Maja ubrana, jak na słynnych obrazach Goi, jak w jego rękach jutro wieczorem.

Winda do garażu, droga przez osiedle powolna jak w kondukcie bez żałobników i marsza Chopina, budka ochroniarzy, dobry wieczór, pani Keller, dobry wieczór, a jednak inaczej.

Ciekawość, czy mu się spodoba, ustąpiła miejsca chęci potwierdzenia, no i to k o c h a n i e. Oczywiście, miło, bardzo miło usłyszeć, jak ktoś zwraca się do ciebie per *kochanie* i nie jest to ojciec, matka, syn, były mąż, który powinien mówić: słuchaj, byłe kochanie, bo w przeciwnym razie brzmi protekcjonalnie i za każdym razem, na szczęście rzadkim, ma ochotę dać Jarkowi w łeb. Co jednak kryło się za *kochaniem* w ustach Adama, brzmiącym jak bądźmy, a przynajmniej pobądźmy razem. Chciała w nie zagrać raz jeszcze, zagrać w to „kochanie", w pobądźmy razem, w p o u d a w a j m y, jakże dawno nawet nie udawała! Cała ta otoczka, słodka dziecinada, była równie kusząca jak perspektywa ponownego oddania mu się, poprzedzonego długim rozbieraniem. Gdy zobaczyła go wysiadającego z autobusu i idącego w stronę jej auta, poprawiła na sobie miękki, szary kardigan.

Może i nieco za szary na taką okazję, ale zapinany na jedenaście srebrzących się guziczków. Niczego zapinanego na więcej guzików w garderobie nie miała.

– Cześć, kochanie. – Wsiadł i cmoknął ją na przywitanie, jakby właśnie czekała, aż wyjdzie ze szkoły czy pracy, a teraz pojadą do galerii handlowej po zakupy.

– Cześć, kochanie. – Poczochrała go.

Pocałował ją mocno już w windzie z garażu, nie czekając, aż wejdą do mieszkania. I znowu, za zamkniętymi drzwiami. I do kuchni za nią poszedł, obcałowując szyję, gdy przygotowywała drinki. Ucieszyło ją to, zatem miał na nią ochotę, nawet większą niż poprzednio, lecz potem, gdy już usiedli, zauważyła, że jest rozedrgany, nabuzowany w ogóle, nie tylko jej obecnością, jakby od wielu godzin biegł i nie zatrzymywał się. I jakby w tym biegu, szybciej niż poprzednio, rozpinał ją z guziczków, których też było więcej niż poprzednio. Nie dopili drinków, *tak się cieszę, że cię widzę, tak się cieszę, że cię widzę*, powtórzył dwukrotnie, i już byli w łóżku, już wchodził w nią bez zawiązania intrygi w prologu, bez żadnych wstępów, od razu grali trzeci, finałowy akt… Może się gdzieś spieszy, przeszło jej przez myśl, gdy ciężko opadł na poduszkę, lżejszy o cały ten pośpiech i wyprostowane rozedrganie. Nie spieszył się, a nawet gdyby, w tej chwili już tego nie wiedział, śpiąc mocnym snem sprawiedliwego, choć ona sama poczuła się jednak potraktowana trochę niesprawiedliwie.

Nie przez niego, przez Los. Czyż mogła mieć cokolwiek za złe temu pięknemu chłopakowi, śpiącemu w jej łóżku, któremu się przyglądała, o ramionach jak... i włosach jak... Studiowała przez trzy lata historię sztuki, na tyle długo, by zbrzydło jej to wieczne porównywanie, że coś jest niczym coś albo nie jest. Lecz tak jak w przypadku owej Mai nagiej i ubranej na obrazach Goi, od której wzięła sobie imię, choć po hiszpańsku Maja to nie żadne imię i znaczy po prostu „ładna", tak i teraz nie mogła się powstrzymać od porównań. *Śpiący Mietek*! Portreciki obu synów Wyspiańskiego miała nad tapczanem przez całe dzieciństwo i młodość, sentymentalna matka kupiła w Empiku reprodukcje. Sławny *Śpiący Staś* spał przy stole, a mniej popularny Mietek, w fioletowej pidżamce na szarożółtej poduszce, z głową na wyciągniętej ręce. Całkiem jak teraz Adam, bez pidżamki, z jasnym meszkiem na szerokim torsie. Wyjęła komórkę. Przed tym, by zrobić mu kilka sekretnych zdjęć, też nie mogła się powstrzymać. Śpiący Mietek, śpiący Adaś, śpiący Mietkoadaś I, śpiący Mietkoadaś II, trochę bliżej, śpiący Mietkoadaś III, już tylko sama głowa i niedokończony zarys ramion, śpiący Mietkoadaś IV, jedynie oczy, zamknięte, a przecież i tak jasnoniebieskie. Gdy położyła się przy nim, a właściwie za nim, widziała te oczy poniżej włosów, filuternie skręcających się na szyi, patrzyły na nią z karku i z pleców, spod luźno rozłożonych łopatek i z pośladków, cóż z tego, że przykrytych jej dłonią i kołdrą, skoro stamtąd też na nią patrzyły?

– K o c h a n i e? Mogę wziąć prysznic? – Usłyszała rano nad sobą dokładnie to samo, co za pierwszym
razem.

Dzień zaczynał się jak tamten, lecz to był już inny
dzień.

– Przepraszam – powiedział przy kawie. – Prawie
nie spałem dwa dni, trochę się zakręciłem, no wiesz,
czasem tak bywa...

Wielkie, wypoczęte oczy krążyły nad, pod, obok,
wokół dzbanka z kawą i dzbanuszka z mlekiem, nie
patrząc na nią jak te w nocy z pleców. Nie spytała, co
robił, gdzie był, dlaczego nie spał, młodość, czasem tak
bywa, no bywa... Wlepił w nią wreszcie te oczyska.

– A co dziś będziemy robić, kochanie?

– Dziś? – odbiła piłeczkę, by nie okazać zaskocze-
nia.

Był czwartek, nie sobota, nie mógł wiedzieć, że nie
szła do pracy, odbierając sobie wolne za zeszłą niedzie-
lę spędzoną na szkoleniu, a może sądził po eleganckim
mieszkaniu, że bogaczką jakąś jest, nudzącą się w życiu do znudzenia?

– Tak, dziś, zobacz, kochanie, jakie słońce!

– A ty, k o c h a n i e... nie masz dziś nic do roboty?

– No właśnie nie...

– A na co dzień? Co w ogóle robisz? Uczysz się?
Pracujesz?

Zaśmiała się, bo jak się nie zaśmiać. Młody mężczyzna drugi raz wyszedł z jej sypialni, drugi raz
usiadł z nią przy kawie, drugi raz grają sobie w to

„kochanie" jak w romantycznego chińczyka, a ona pyta: Co w ogóle robisz? Nie wie, czy się uczy, czy pracuje, czy bumeluje. To, że mu zapłaci, nie oznacza, że to jego praca, wspominał, że musi opłacić semestr, co znaczy, że jednak się uczy.

– Trudny temat. – Uśmiechnął się do niej.

Nie drążyła. Zwłaszcza że już planował im dzień.

– Może pojechalibyśmy do Łazienek, zjedli śniadanie, pospacerowali jak ludzie? – Przeciągnął się. – Co ty na to, kochanie?

Słońce było piękne, ale propozycja absolutnie księżycowa. Kiedy była na spacerze z facetem, który jej się podobał, jak ludzie? Kiedy ostatnio ktoś ją w ogóle zapraszał na spacer poza matką? Kiedy zrobiła coś szalonego, coś znacznie bardziej szalonego niż umówienie się na seks przez internet? Kiedy poszła w biały dzień, w ciepłe, jesienne złoto, na randkę j a k   l u d z i e? Kiedy gdziekolwiek zebrała się w piętnaście minut, a nie w pięćdziesiąt?

W Łazienkach było prawie pusto. I liście klonu: jego dłonie. I łuk mostka nad strumykiem: wygięta szyja śpiącego Mietkoadasia. I przemykające wiewiórki: spojrzenia nie wprost, jakby nie chciał, by wiedziała, że ją obserwuje. I ptaki: słowa nie wiadomo skąd i dokąd, to lecące, to przysiadające gdzieś bez kontekstu i powodu, układające się w zadowolenie z chwili, a nie w historię, jaką miało każde z nich.

– Mogę zrobić ci zdjęcie? – teraz prosiła o pozwolenie.

Dostała je. Wśród liści klonu. Na mostku. Z wiewiórką w tle.

– A ja mogę? – Wyjął swój telefon.

– Nie jestem fotogeniczna...

– Kochanie...

Odmawianie: coś, co wobec niego nigdy nie było przewidziane.

Po śniadaniu, które już było obiadem, zapłaciła oba rachunki. Drugi, gdy przy stoliku zostali sami.

– To dla ciebie. – Wręczyła mu dwie setki.

Westchnął, przecinając ją jednym, mętnym spojrzeniem.

– Nie masz pojęcia, ile ta forsa dla mnie znaczy.

Nie miała pojęcia i nie zdążyła się zastanowić, czy w ogóle chce je mieć. „Trudny temat" pojawił się nagle, wysnuty z owych dwustu złotych. Szli pod górę do wyjścia z Łazienek i jego życie było pod górę, choć z jej perspektywy jedynie pod górkę. Fakt, że tej matury nie zdał głupio. Zaliczyć prawie wszystko i nie pójść na poprawkę z polskiego, bo poległ na gramatyce? Tylko dzieciaki oddają rok walkowerem. Wyjść z domu i nie wrócić? Ucieczkę z zapyziałego Radomska do metropolii doskonale rozumiała, ale żeby tak zwiać kompletnie w ciemno i trzeci miesiąc nie odzywać się do najbliższych? Tylko dzieciaki nie liczą się z nikim i z niczym... Nie, nie tylko dzieciaki, podobnie jest ze starymi. Jej matka też od jakiegoś czasu myśli i mówi tylko: ja, ja, ja.

Słuchała w milczeniu, kiwała głową; jego historia, jego góra pozostawała tylko górką wobec Giewontów czy innych Matterhornów wyrastających przed nami potem, jeszcze się przekona. A jednak czuła się coraz cięższa, jakby górskie kamienie upychał jej po kieszeniach, zaszytych w sukience, by nie deformowały sylwetki. Gdzie zatem nocuje? Z czego żyje? Na czym spędza całe dnie, skoro nie studiuje i nie chodzi do pracy? Nie spytała. Za to on wreszcie pytał. Gdzie w ł a ś c i - w i e pracuje? Co w ł a ś c i w i e robi? Całkiem jakby gdzieś obok żyła jeszcze niewłaściwie, na przykład ten spacer, czy był właściwy? Pytał ją z ciekawości, ale tak jak się pyta o nakręcony film, w którym nic już nie można zmienić, a tylko biernie obejrzeć, mniej lub bardziej się przejmując, lecz jednak nie do końca. Dla niej to, co opowiedział, nie było skończonym filmem do biernego oglądania. Troską było, rosnącą w co najmniej Giewont wraz z kolejnymi kamieniami, nie kinem, ale interaktywną grą, zależną od naszego wpływu. Od jej wpływu.

Podwiozła go do centrum.

– To pa, kochanie! – Cmoknął ją w ucho. – Tu wyskoczę, umówiłem się ze znajomą... Dziękuję. – Już z zewnątrz wsadził głowę w okno. – Nie, to nie to, co myślisz!

O czym myślała, skoro ufnie wykreśliła wyobrażoną kobietę, z którą miał się spotkać, aby może zarobić kolejne pieniądze? To wciąż nie były myśli, które dałoby się na tyle sprecyzować, by zapisać je w notesie. Podjechała pod bramę osiedla.

– Dzień dobry, pani Keller!

Dzień bardzo dobry, zupełnie wyjątkowy, chciała odpowiedzieć, ale tylko skinęła głową. Jechała powoli żwirową alejką, może i w tempie żałobnego marsza, ale przygrywał jej jakiś weselny, radosny, coś jak figlarny marsz elfów, które sobie idą, idą i nie wiadomo, kiedy podskoczą, a kiedy się zatrzymają. I ta podskakująca niewiadoma była czymś, o czym marzyła od dawna, wcale o tym nie wiedząc. Kamienie w zaszytych kieszeniach też podskakiwały, marakasy w elfich łapkach.

TAK BARDZO dokładnie pamięta te pierwsze spotkania, jakby je, klatka po klatce, filmowała. Jesteśmy wtedy gąbką, której nie trzeba wyżymać, bo wchłania więcej, niż na to pozwala fizyka. Jesteśmy ukwiałem, który nie umie żyć pojedynczo. Pławikonikiem wypuszczającym mgiełkę, przez którą wszystko widać nieostro, a przecież wyraźniej.

Pierwsze, drugie, trzecie spotkanie, weszła wtedy do niego pod prysznic i słodko wyglądał na skrępowanego, choć przecież dopiero co wstali z łóżka. Czwarte, gdy znów pojawił się bardzo zmęczony i rano uspokoił ją, że nie mieszka pod mostem, ale wynajmuje pokój i nawet ma pieniądze, bo najął się w nocnym klubie jako szklankowy. Szklankowy?, nie zrozumiała. No, sprzątam ze stołów. Więcej zarobiłbyś jako striptizer, kochanie, powiedziała, przyglądając się gibkiemu, seksownemu ciału. I że zdumiał się, też doskonale pamięta, bo striptizerzy to przystojniacy, a on przecież zwykły... A potem stanął przed nią przy stole w samych slipkach i wsadził do środka dłoń, kołysząc biodrami. Czy tak?, roześmiał się, by pokryć zażenowanie własnym pomysłem. Tak, zakrzyknęła, cykając mu jedno ze swych ulubionych zdjęć, właśnie tak! Lecz to nie perwersyjna poza Adasia striptizera była najbardziej pociągająca, ale jego brak pewności siebie. Jego poczucie zwyczajności, jego wyznanie: *taka elegancka babka... ze mną!* To było na piątej randce, od którego ze spotkań to już była randka? Siedzieli na podłodze, na futrzaku, kupionym, gdy tylko zamieszkała w apartamencie bez męża i syna, i czuła się cudownie wolna, a zarazem tak samotna, że postanowiła sprawić sobie psa, zaczynając od futrzaka na jego legowisko. Pies nigdy się nie pojawił, Adaś nie był jej psem, choć lubił siedzieć w legowisku i właśnie tam padły te słowa, dokładnie pamięta...

Nie zrobiła mu wtedy zdjęcia, nie utrwaliła tej miny zdziwienia i zachwytu jednocześnie. Nie utrwaliła? Przecież ma ją teraz przed oczami, nie, nie przed oczami, w oczach, nie, nie w oczach, w głowie, z tyłu głowy, tam, skąd nie da się niczego wyjąć, nie dokonując lobotomii. Z obrazami w tyle głowy jest najgorzej, są i już. Nie wymażesz ich jak setek zdjęć zrobionych przez pięć lat, przenoszonych potem z komórki na dysk komputera. A jednak chce przynajmniej zniszczyć te, które są. I przegrywa teraz wszystkie na płytki, robiąc coś, co obiecywała sobie za każdym razem, ilekroć komputer odmawiał posłuszeństwa, a czego nie zrobiła, nawet gdy je straciła i znajomy komputerowiec przez tydzień odzyskiwał życie z martwej maszynerii. Przecież zawsze można zrobić nowe! Można b y ł o.

Klika powoli, w jedno po drugim, choć mogłaby zaznaczyć cały plik i skopiować go w sekundę. Robi to tak powoli, jakby kolejno darła każde z nich, jak darła papierowe zdjęcia Jarka i Michała, bo razem ze zdjęciami byłego męża podarła przecież i zdjęcia syna, choć nie stał się jej byłym synem. Powolutku, żmudną metodą na zabijanie każdej muchy pojedynczo zamiast powieszenia lepu, klik, klik, klik. Masochistyczne odcinanie palca w plasterkach, plasterek po plasterku, a potem palec po palcu z dłoni, której już dawno nie ma, z ręki, której nie ma od miesięcy. Potem wyjmuje z szafy drabinę, przystawia do regału – nowe, małe mieszkanie jest bardzo wysokie – i wkłada komplet płytek na najwyższą półkę. Teraz, dopiero teraz będzie n i s z c z y ć. Klik, klik, klik, każde zdjęcie z komputera won, do kosza i w niebyt. Od początku do końca, do niezniszczenia. Przecież nie mogłaby inaczej. Zostało już tylko jedno zdjęcie, nie anonimowo oznaczone kodem, ale podpisane przez nią: ADAŚ MARZNIE, bo akurat marzł na mrozie, w niebieskiej kurtce, niebieskim kapturze na głowie i szaliku, też niebieskim, zakręconym po sam nos, nad którym zawadiacko lśniły uśmiechnięte, niebieskie oczy. ADAŚ MARZNIE. Ktoś mógłby pomyśleć, że w tytule brak jednej litery. Że

w pośpiechu zgubiła E. Że miało być ADAŚ MARZE-
NIE. Nie miało być. To się rozumiało samo przez się.

Otwiera je, klikając w znaczek i łamiąc dany sobie zakaz. Niebieskie spojrzenie nie działa. Czyżby po
ośmiu miesiącach zaczęła się wreszcie odkochiwać?
Wcześniej, niż obliczyli uczeni ze Szkoły Otwockiej,
a obliczyli, że odkochiwać zaczynamy się po roku od
porzuce... od rozstania? A jeśli spojrzenie nie działa
z zupełnie innej przyczyny, jeśli rację ma Szkoła Pilawska, twierdząca, że odkochać nie da się w ogóle, więc
nie ma co próbować? Otwock i Pilawa, i Haiti z nakłu-
wanymi laleczkami, wycięła artykuł o voodoo, i studio
telewizyjne z telefonem do tarocisty, zapisała numer,
i Pani Jadwiga Powie Ci Wszystko, ulica Stołeczna, zerwała karteczkę z latarni, i okno w nowym mieszkaniu, które nagle z impetem otworzyło się bez wiatru,
bez siły sprawczej, bez wiatru, ale bez siły sprawczej?
Patrzy w te oczy, w rzekomo niedziałające spojrzenie.
Śpiewała o nim Ewa Demarczyk:

Gdy się miało szczęście, które się nie trafia:
czyjeś ciało i ziemię całą –
A zostanie tylko, tylko fotografia
To – to jest, to jest bardzo mało...[2]

❧

Na szóstej randce... A może to już była siódma lub
dziewiąta? Od szóstej nie potrafiłaby ich już zrekon-
struować detalicznie, za dużo działo się nowego. Nowe

były zapiekanki z serem i kiełbasą po cztery złote sztuka, po które stanęła z nim w podziemnym przejściu, pyszne, choć jeszcze niedawno nie mogła się nadziwić, jak można to jeść: biała buła i kiełbacha? Nowe było włóczenie się bez celu po Starówce, nowe i szokujące, bo od wieków nie miała na to czasu, jak to bez celu? A tu nagle proszę! Nowe były... nie, nie kałuża wody i zachlapane lustro, gdy wychodził po kąpieli. Jarek też tak potrafił wyjść z łazienki, nowa była ona, bez słowa wycierająca podłogę i lustro zamiast warknąć jak do ówczesnego męża: Hola, może by się hrabia wreszcie nauczył i opamiętał?! Gdy po rozwodzie wprowadziła się do apartamentu, wyremontowanego, jak sobie życzyła, i zobaczyła nowoczesną wannę w kształcie gruszki, prysznic z baterią jak rakieta oraz lustro w starej ramie, zaskakująco współbrzmiące z tą odyseją kosmiczną, pomyślała od razu: Nigdy więcej kałuż i zachlapań, nigdy więcej burz i tsunami, po jakich trzeba doprowadzać krajobraz do porządku! Hola, może by się hrabia wreszcie nauczył i opamiętał?! Ba! Nowe było całe jej nieopamiętanie, jakby przez długie, przez wszystkie lata kumulowało się gdzieś, czaiło się w nieoczekiwanym miejscu, w lewej albo w prawej piersi, a może raczej w nerkach niemających połączenia z sercem, opatrzone znakiem ujemnym, krzykliwie czerwonym minusem. Nieopamiętania nie było i nie miało prawa być, ale się zbierało.

– Jeśli chcesz do czegoś dojść, być szanowana, być porządnym człowiekiem, nie wolno ci siebie n i e p r z e w i d z i e ć! – chrypliwy głos matki wkręcał w nią tę przewidywalność nad kołyską, dziecinnym łóżeczkiem, półkotapczanem nastolatki, a potem nad jej wielkim małżeńskim łożem, bo obok stał telefon, przez który matka wsysała jej dalej umiar i odpowiedzialność.

Była więc zupełnie opamiętana, gdy w przedstudenckie wakacje starszy kolega pokazał jej, co ze sobą robią dorośli ludzie, a nie przyszło jej to trudno, ponieważ starszy kolega miał temperament niepodlewanej rośliny doniczkowej. Opamiętała się, zacałowywana przez drugiego, niewiele zwinniejszego egoistę, który przestał ją zacałowywać, gdy już nie musiał, bo mu się oddała. Opamiętanie królowało w jej małżeństwie, w końcu, za radą matki, wyszła przecież za „świetną partię" w biznesie, nie w sypialni. Wydawało się jej, że jest dobrze, gdyż lepiej niż poprzednio, i przecież było dobrze, zwłaszcza że nie miała pojęcia o doskonałości. W opamiętaniu, wcale niepomylonym z zapamiętaniem, dała się wiosną uwieść pijanemu znajomemu. Podszepnęła jej to odpowiedzialność za własne ciało, rozum nakazał, karmiony cieleśnie, bo ile można... W absolutnym opamiętaniu niegdyś pozbyła się syna, wysyłając dwunastolatka do teściów na resztę jego dzieciństwa, uważając, że ma powody, i opamiętała się, obserwując degrengoladę swojego związku z Jarkiem, widoczną jeszcze bardziej, gdy w domu nie było Michałka: dość! A to coś, nieopamiętanie, czające się w lewej albo w prawej piersi, a może raczej w nerkach niemających połączenia z sercem, namnażało się niczym wirus, który wreszcie miał zaatakować.

Zaatakowana, na szóstej, siódmej lub dziewiątej randce, usłyszała to, co chciała usłyszeć.

– Nie musisz mi już pła... dawać pieniędzy po każdym spotkaniu. Na razie jakoś sobie radzę, a gdy naprawdę będę w potrzebie, to się zgłoszę – powiedział, zapalając papierosa.

Poczuła się szczęśliwa, choć oczywiście wcale nie chodziło o pieniądze, wpisała je w wydatki na najbliższe miesiące, dodatkowe dwa tysiące w grudniu, dwa w styczniu, dwa w lutym, bo szacowała mniej więcej dziesięć spotkań w miesiącu, a potem... Gdy się projektuje Wieczność, nie myśli się o jakimś małym „potem" za kilka miesięcy. Zresztą miała oszczędności, a gdyby nie miała, pożyczyłaby, a gdyby nikt nie pożyczył, to było trochę biżuterii, a gdyby nie było, to co, ukradłaby? Nieopamiętanie. Zamierzała tę Wieczność spłacać w ratach jak dożywotni kredyt? Przyjdzie jej to do głowy za pięć lat. Teraz poczuła się zwyczajnie szczęśliwa, czyli nieopamiętana, bo to, co powiedział, oznaczało... Niestety, mówił dalej.

– Po prostu lubię cię i nie chciałbym nadużywać...
Tego akurat słyszeć nie chciała.

– Za co mnie lubisz? – przerwała mu, jakoś dziwnie, nielogicznie i napastliwie akcentując pytanie.

Bo przecież pytała go o co innego: Dlaczego mnie jeszcze nie kochasz?

– Za to, że jesteś taka spokojna, dojrzała, elegancka, że zawsze masz mi coś do powiedzenia... No, za to, że ty też mnie lubisz, kochanie. – Roześmiał się z nieoczekiwanej puenty.

Lubienie. Kochanie. Kocham cię, moja luba. Lubię cię, kochanie. Granice mojego języka są granicami mojego świata. Przez dociekania Wittgensteina oblała egzamin z filozofii na historii sztuki, nie zdała poprawki i nie skończyła studiów. Cholerny Wittgenstein wrócił do niej w glorii i chwale, głównymi drzwiami. I znów jako problem. Chłopak, w którym się zakochała, mówił do niej *kochanie*, co w jego języku nie oznaczało miłości. Grając z nim w słodkie udawanie, pozwoliła mu na to od początku, gdy zaskakujące w jego ustach słowo jeszcze nic więcej oznaczać nie mogło poza wielką potrzebą przywiązania. Oboje ich potrzebowali, i słowa, i przywiązania, lecz każde inaczej. Jeszcze wtedy nie miała pojęcia, że...

On polubił ją i grał dalej, nie udawał, grał z nią w życie pełne sympatii, podziwu i nadal niesłabnącego pożądania. Ona na tej siódmej czy dziewiątej randce mówiła doń per kochanie bez żadnego cudzysłowu i w nieopamiętaniu, jakby nagle zapomniała wszystko, co wiedziała o nieobliczalnej, niecelowo fałszywej młodości, wszystko, przed czym sama kilka tygodni wcześniej ostrzegała się, gdy po pierwszej nocy wysiadł z jej samochodu, ona, niespokojna, niedojrzała, choć prawda, elegancka, nagle i bezrozumnie oczekiwała wzajemności.

TAK BARDZO chciałaby zbudować to miasto od nowa.

Zasypać przejście podziemne z zapiekankami po cztery złote i przekopać inne gdzie indziej, pod nieznaną ziemią. Wyciąć Starówkę z beztroskim chodzeniem dookoła, wyjąć niczym makietę z gabloty i sprzedać temu amerykańskiemu milionerowi, który zamierzał ją kupić i przenieść do Teksasu czy Alabamy na swoje podwórko. Zburzyć Chmielną z lokalem, w którym kelnerka podała im kawę rozlaną na spodku i nawet nie przeprosiła. Na Zamek Ujazdowski spuścić bombę, skoro już nie usiądą z widokiem na Wisłę przy mrożonej herbacie z wielkim jak parasol liściem mięty. Przejechać walcem po Żelaznej, gdzie odbierała go z salonu tatuażu, gdy zrobił sobie wymarzoną dziarę na łydce. I po gabinecie dentystycznym w pawilonie na Puławskiej, w którym trzymał ją za rękę, obolały po zabiegu... Czyż nieśmiertelna, bohaterska Warszawa nie powstawała już niczym Feniks z popiołów? Tak przez całą podstawówkę i ogólniak paplały trzy kolejne baby od historii na lekcjach jak spod sztancy, a ona nie mogła się nadziwić, jaki Feniks i dlaczego z popiołów. Feniks był przecież kanarkiem sąsiadki, a popiół spadał tylko gdzie popadnie z papierosa ojca i matka syczała wtedy: *popiół, Edziu, popiół!*

Jakie miasto powstałoby na gruzach jej zabijającej, detalicznej pamięci, niepozwalającej wyjść z domu, by nie natknąć się na ślady tamtego w nowym życiu po życiu?

Popiół, Edziu, popiół.

❧

Czekała na niego w kawiarni w galerii handlowej, były mikołajki. Nie, nie spóźniał się, to ona przyszła znacznie wcześniej. Kupiła, co zamierzała, a nawet więcej, bo kolejnej bielizny w tym miesiącu już nie planowała. Siadła przy stoliku w alejce, przyglądając się krzątaninie rodziców wokół dzieci i dzieci wokół rodziców: prezenty, prezenty! Oczywiście miała dla niego drobiazg i już cieszyła się, że się ucieszy, przecież trafiła w dziesiątkę, płyta jego ulubionej kapeli Happysad była jeszcze ciepła! Zajrzała do papierowej torebki, jakby się chciała upewnić, że kompakt nie zniknął, że przy kasie nie wsunięto tam czegoś innego, że nic nie zakłóci chwili, w której wytrzeszczy na nią z radości jasnoniebieskie oczyska. *Mów mi dobrze*, głosił tytuł płyty. O tak, mówił jej dobrze, robił jej dobrze.

– Super, ale... kompakt? – Faktycznie wytrzeszczył oczyska. – Co ja z nim zrobię? To burżujski wynalazek i w ogóle starożytność, korzystam przecież z empetrójki. – Pociągnął za sznurek kosteczkę wiszącą mu u szyi.

Starożytność. Dopiero co była nowoczesna, zmieniając longplaye na kompakty. Na żadne kostki nie zamierzała się przerzucać, słuchała muzyki tylko w domu i w samochodzie z odtwarzacza. A jednak robiła się archaiczna jak jej matka, która nigdy nie nauczyła się korzystać z komputera ani komórki. Teraz, dzięki Adamowi, jej oknu na świat zmieniającym się w tempie ponaddźwiękowego samolotu, nie będzie jak jej matka. Czy inaczej poznałaby wpadające w ucho, sympatyczne piosenki Happysad o inteligentnych tekstach, które Adaś cytował jak własne? Bynajmniej, pozostałaby przecież przy tym, co już zna i co lubi, jak matka przy Irenie Santor, i w oczywistej pewności, że kapela to tylko jazgotliwa góralszczyzna, koniec, amen, szlus, dalej nie jedziemy. Spojrzała na jego młodość. Nie jedziemy? Ona jedzie! Od tygodni wylatuje w nieznane prosto przez to okno o jasnoniebieskim wejrzeniu, na świat, który się do niej uśmiecha. Lecz chyba z tą starożytnością wyglądała niewyraźnie, bo postanowił ją rozbawić.

– Dziękuję, mamo. – Zarechotał i cmoknął ją w policzek.

– Nie mów tak do mnie. – Zesztywniała.

– Oj, żarty, nie wyglądasz aż tak staro. – Był w doskonałym nastroju. – Zresztą wcale nie jestem do ciebie podobny!

– Miałam syna. Zginął w wypadku.

Czyż to nie załatwiało sprawy? Czy nie blokowało jego kiepskiego dowcipu na zawsze?

– Przepraszam... a wiesz – pogłaskał płytę, jakby to ją pogłaskał – moja mama nigdy mi nie zrobiła żadnego prezentu...

Oboje niemal mieli w oczach łzy. Oboje tak wzruszająco kłamali, współczując sobie nawzajem. Prawdziwą więź można budować także na nieprawdzie, pod warunkiem że wzruszenia nie są udawane.

– Będziemy tego kompaktu słuchać u ciebie, dobrze? – Szybko otrząsał z siebie to wzruszenie, tak jak szybko pił kawę i pochłaniał ulubioną szarlotkę. – Ale trochę mi głupio, bo ja nie mam nic...

– Co ty mówisz? – Wzruszyła ramionami i teatralnie potrząsnęła głową w jednym wielkim „no nie!", jakby powiedział, że od jutra z Dworca Centralnego będą odpływały wodoloty. – Sam jesteś dla mnie najlepszym prezentem!

– Oj, wiesz, o co mi chodzi, o jakiś drobiazg... – Spojrzał na nią zdezorientowany.

Drobiazg? Zamiast ramy stoiska z tandetną biżuterią, połyskującą vis-à-vis kawiarnianego stolika, zobaczyła nagle szeroko otwarte okno na świat, w którym wisiała, a raczej tkwiła jego naprężona męskość, walec na tle nieba, zawieszony między parapetem a futryną wbrew prawom fizyki: surrealny obraz, jakiego nie powstydziłby się Max Ernst, tak jak ona nie zawstydziła się teraz swej biologii, naturalnej i suczej. Ów obraz, skrót, emblemat tego, co nazwała AWJŻ, Adasiem W Jej Życiu, otwarte okno, przestrzeń, możliwości i powiew świeżego powietrza, zawsze błękitne niebo i zawsze naprężony walec, ustawiony w pionie sterowiec, przelatująca rakieta, którą można dotrzeć wszędzie, na planetę najbardziej odległej rozkoszy, ów obraz miał prześladować ją już zawsze, najpierw w wyobraźni, a potem całkiem realnie, z płótna na ścianie w jej mieszkaniu.

Tymczasem szli już jedną z galeryjnych alejek, ulicą pod dachem, zatłoczoną w grudniu, gdy na Marszałkowskiej chłód i plucha. Opowiadał właśnie jakieś swe szkolno-podwórkowe anegdoty, w tak niewiele jeszcze obrósł prócz szkoły i podwórka, gdy na którejś z panoramicznych wystaw dostrzegła elegancki męski kurtkopłaszczyk, taką dłuższą i cieplejszą granatową marynarkę.

– Przymierz! – Była już za bramką przy wieszaku.

Zadowolony, od razu zdjął podniszczoną kurtczynę z kapturem. O tak, szata z pewnością zdobi człowieka. Lecz przede wszystkim go zmienia. Stał przed nią młody mężczyzna, na pierwszy rzut oka około trzydziestki, na drugi jednak trochę młodszy, ale mężczyzna, nie dorosły chłopak, stał facet o nieokreślonym statusie, ale bez wątpienia nie jej metrykalny syn, jak jeszcze przed chwilą mógłby ktoś pomyśleć. Kupili, to znaczy ona kupiła, starą kurtkę zostawiając w sklepie.

– Ale... – mruknął, spojrzał w lustro raz jeszcze i nie dokończył.

Podobał się sobie, a jej się podobało, że on się sobie podoba, i jeszcze coś: w jego lustrzanym odbiciu dostrzegła jedyną w swoim rodzaju aurę, wycinającą z tła tych, którzy doświadczają czegoś po raz pierwszy, i z tej aury wzięła pewność, że jeszcze nigdy wcześniej Adam się sobie nie spodobał. Szczęściarz, wciąż przecież był nastolatkiem, nad nią aura zamajaczyła nieśmiało, gdy miała koło czterdziestki. Długo czekała, choć może to nieodpowiednie słowo, bo czeka się, nic nie robiąc, zatem długo pracowała, by widok kobiety w lustrze wzbudził jej aprobatę bez interwencji psychologa i chirurga plastycznego. Teraz, gdy młody mężczyzna, facet o nieokreślonym statusie, ale bez wątpienia nie jej metrykalny syn, jak jeszcze przed chwilą mógłby ktoś pomyśleć, uśmiechnął się do niej z lustra, teraz podobała się sobie najbardziej, jak jeszcze nigdy w życiu. Uśmiech od ucha do ucha: z aury do aury.

Wkrótce miał kilka par markowych dżinsów, sportowe buty podszyte futerkiem, amerykańskie flanelowe koszule, sweter na modne skobelki i oczywiście bieliznę. Gdy tak stał nad nią w białych slipkach z szeroką, połyskującą gumką w pasie, wszystko wokół połyskiwało jak ta gumka, a różne Beckhamy z reklamowych posterów mogły mu czyścić buty. Gdyby to ona ich nie czyściła, w czym odkryła jakąś dziwaczną przyjemność na pohybel wszystkim feministkom.

– Dlaczego to wszystko dla mnie robisz? – spytał podczas kolejnych zakupów bez cienia kokieterii, nagle autentycznie zaintrygowany, jakby dociekał przed jakąś cudowną machiną: Jak to działa?

Nie odpowiedziała i nie puściła mimo uszu. Zupełnie jakby nic nie rozumiał albo się przed nią bronił, jednocześnie przyzwalając, albo faktycznie nigdy niczego od nikogo nie dostał. Wybrała sobie trzecie, najprostsze i najbardziej uspokajające wyjaśnienie.

TAK BARDZO jest z tą pustką sama. Nawet gdyby wokół byli życzliwi ludzie, których przez te lata zaniedbała, też byłaby sama. Podzielić się pustką, wykroić zero z zera i pchnąć jak balonik, by ktoś nie wiedział, jak się ma zachować, bacząc tylko, żeby się przypadkiem głupawo nie uśmiechnąć, nie kiwnąć głową, że rozumie, nie palnąć w najlepszej wierze idiotycznego „współczuję"? Pustka jest zawsze tylko nasza, osobiste Nic wyplute przez osobistą żmiję.

Wpatruje się w puste miejsce na ścianie po obrazie *AWJŻ*. Eryk, znajomy malarz, nie wiedział, co oznacza, gdy poprosiła, by na dole płótna wpisał te cztery litery. Od dawna był jej winny jakiś obraz, obiecał, gdy ulokowała jego oszczędności na wyjątkowo dobrej lokacie, a potem przeniosła do świetnie prosperującego, bezpiecznego funduszu, w końcu od dwudziestu lat pracowała w bankowości.

– Więc co ci namalować?

– Namaluj mi szczęście.

– Ha, to jest dopiero wyzwanie! Ale gdy namaluję ci swoje szczęście, możesz je uznać za tragedię.

– Dlatego namaluj mi moje.

– Nie znamy się aż tak dobrze, a nawet gdybyśmy się przyjaźnili, też mógłbym trafić kulą w płot, i to jeszcze większą! Więc, no… nie chcę być niedyskretny, lecz co miałbym namalować? Masz jakieś wyobrażenie?

– Namaluj mi otwarte okno, z błękitnym niebem w tle i walec w tym oknie, zawieszony między parapetem a futryną, coś jakby sterowiec, tylko w pionie.

Eryk, zdumiony jej błyskawiczną precyzją, odezwał się dopiero po chwili.

– Lubisz... surrealizm?

– To realizm jest.

– A ten... sterowiec w jakim kolorze? Jak Hindenburg? Stalowy?

– Czarny, sterowiec ma być czarny.

To realizm był. Jej chłopak, kochanek, cel życia, zabawa i zabawka, niepotrzebne skreślić, niezbędne dopisać, używał tylko czarnych prezerwatyw. Największe na rynku były tylko czarne. AWJŻ. Adaś W Jej Życiu. BAWJŻ. Bez Adasia W Jej Życiu. Pustka. Zamknięte okno, w oknie zamknięte drzwi, na drzwiach pudełko, też zamknięte, i gdy na nie patrzysz, w i e s z, że tam nie ma nic. Doznajesz takiego uczucia jak w okrutnej zabawie, zawsze okrutnej bez względu na to, czy jesteś dzieckiem, czy starcem. Ojciec ją nauczył, po co ją tego uczył? Wyobraź sobie, kotek, nie znosiła tego „kotek" nieodmienianego przez przypadki, no wyobraź sobie, że żyjesz na planecie Ziemia. Ziemia jest częścią Układu Słonecznego. Takich układów może być niemal bez liku już w samej naszej Drodze Mlecznej. A Droga Mleczna jest tylko jedną z galaktyk, a galaktyki... I tak aż do zawrotu głowy, do mdłości i przerażenia, które też ustaje, bo nie ogarniasz rozumem, do zamkniętego pudełka, na które patrzysz i w i e s z, że tam nie ma nic.

– Dlaczego to wszystko dla mnie robisz? – spytał znów w salonie z koszulami. Tak poważnie, że nie dodał nawet teatralnego *kochanie*. Czyżby jeszcze nie byli razem? Ale przecież osobno także nie.

Dziwny stan odpalenia i wstrzymania w ruchu odczuła podczas świąt. Było dla niej oczywiste, że skoro z domem miał na bakier i z niewyjawionych powodów nie chce mieć nic wspólnego z ojcem, matką, babką i dwiema starszymi siostrami, skoro nie ma nikogo prócz niej, nie licząc jakichś enigmatycznych znajomych, spędzą razem Wigilię. Taką świecką, rzecz jasna, udzielającą się łańcuchowo wszystkim naokoło z podnieconych mediów, z chęci, by wcześniej zamknąć biura i sklepy, jej bank na szczęście też, wysnutą z konieczności posiedzenia z najbliższymi w tym samym momencie co wszyscy, bo akurat wszyscy zasiądą, która czasem, ale tylko czasem, okazuje się faktyczną potrzebą. Miała ją jak rzadko. Widzieli się co prawda wczoraj, normalnie zobaczyliby się za dwa, trzy dni, lecz okoliczność była nienormalna. Właśnie wszyscy siedzą z najbliższymi, tylko ona nie. Wreszcie się do niego dodzwoniła.

– Gdzie jesteś?

– U znajomych – odpowiedział, jakby nic się nie stało. – A ty?

– Ale... czekam na ciebie, Wigilia jest, przecież rozmawialiśmy...

– Tak, ale nie wiedziałem, że to zaproszenie, i dopiero co się widzieliśmy!

Chichoty, nie jej chichoty. Z pewnością nie z tego, że nie wiedział, że to zaproszenie. Ktoś piszczy, nie ona piszczy.

– Z kim ty tam jesteś?

– Z Olką, Ewką, Darkiem, Rafałem... Opowiadałem ci... Nie mogę teraz gadać, jutro się odezwę! Buziaki!

Buziaki przychodzą łatwo i chichoczą. Młodość piszczy. Tego nie opowiadał, że gdy się spotykają, piszczą. Zapomniała, że młodość piszczy. Piszczy w Olce, chyba kelnerce, Ewce, chyba barmance, w Darku, chyba zaopatrzeniowcu, i w Rafale, chyba współwłaścicielu knajpki, w której dorabiał po nocach jako szklankowy. Piszczy z ochoty na życie i z wolności piszczy, bo przecież wspominał, że żadne z nich nie jest z Warszawy, przyjechali niedawno, oderwali się od wigilijnej konieczności: mamo, tato, nie przyjadę, wybaczcie lub nie wybaczajcie, praca i tylko niewielka chwila wytchnienia, a zatłoczone autobusy i pociągi, zatłoczone drogi, my zatłoczeni, zachłyśnięci tyleż nową, niezatłoczoną, szeroką perspektywą, co waszą cudowną, mamo, tato, nieobecnością, zachłyśnięci brakiem wigilijnej konieczności.

Nie była jego mamą ani tatą, nie musiał przychodzić. A ona nie musiała mu pisać esemesa: *drogi-synu--wszystkiego-najlepszego-mam-nadzieję-że-masz-się--dobrze*. Właśnie tak, na jednym oddechu, jak napisała dziś do Michałka, jak od dawna do niego pisze na Wigilię, Nowy Rok, urodziny i imieniny. Z eksmężem nie wymieniała już świątecznych porozumień. Do swojej matki niestety musiała zadzwonić, bo Krystyna

odmawiała przecież korzystania z komórki, staro-
żytna, anachroniczna i w tym wstecznictwie jednak
cwana. Z powodów technicznych nie można jej było
zbyć esemesem. Krystyna, a raczej Cristina, jak kazała
się nazywać, gdy przeniosła się do Barcelony, czuła się
oczywiście doskonale, a po tym, co jej córka zrobiła
z mężem i synem, a raczej mężowi i synowi, nie pytała już o nic, co by było blisko jej życia. Przekazały
więc sobie konwencjonalne życzenia. Kochana-córko-
-wszystkiego-najlepszego-mam-nadzieję-że-masz-się-
-dobrze, na jednym oddechu Cristina wygłosiła esemesa, którego nie mogła napisać.

Nie musiał przychodzić. Nie wiedział, że ma przyjść
w Wigilię. Co wiedział? Co sobie myślał, czy w ogóle
o niej, o nich, myślał? Wtedy jeszcze nie miała pojęcia, że...

– Pomyślmy dziś wyjątkowo ciepło o żywych i tych,
których już nie ma, o bliskich i dalekich – radziła z te-
lewizora tłusta zakonnica.

Były tylko we dwie: ona i tłusta zakonnica, myśląca
chyba raczej o tym, co by tu jeszcze smacznego prze-
kąsić.

A jednak myślał. Nazajutrz, siedząc przed nią przy
stole, jakoś pomiędzy kęsem pasztetu z dzika a kroplą
żurawiny, spadającej mu właśnie z brody na biały ob-
rus, spytał:

– Kochanie, czy my jesteśmy w z w i ą z k u?

To jej powinna skapnąć żurawina.

– Spytałeś, słońce, czy leci z nami pilot?

Nie rozśmieszyła go, był zajęty upychaniem życia w szufladki.

– Bo jeśli jesteśmy w związku, to przepraszam cię za wczoraj.

Granice mego języka są granicami mego świata. Wittgenstein puścił do niej perskie oczko wprost z sitcomu o miłości, więc, no cóż, roześmiała się.

– No co? Nigdy nie byłem w związku, mam dopiero dziewiętnaście lat!

– Już prawie dwadzieścia – westchnęła, jakby od „prawie dwudziestu" nie trzeba było rzeczy nazywać po imieniu, bo od „prawie dwudziestu" czyta się je do wewnątrz, chuchając w atrament sympatyczny.

I spojrzał na nią ów barczysty, efektowny, dorosły mężczyzna o pewnej siebie fizjonomii z dziewiętnastolatkiem w środku, którego wolała nie dostrzegać, lecz to ten ze środka, pytający, czy jesteśmy w związku i dlaczego kupuje mu koszule, ostatecznie zmiękczał jej serce.

– Chciałabyś mnie? Naprawdę? Ty?

Nie było co rozpinać, guziki zostały w szafie, zamek błyskawiczny w jej bluzce rozjechał się sam jak ten w jego spodniach, wieczór z nastrojowym oświetleniem został w szafie, było przecież południe, w ogóle wszystko jeszcze tkwiło w szafie, z której wkrótce miało zacząć wypełzać w najbardziej zaskakujących momentach i formie, wywabiane przez niego głosem albo gestem. Od małych, zwinnych, olśniewających jaszczureczek, czyniących z istnienia potoczysty i zachwycający esej, po tępe, okrutne i obrzydliwe warany, niszczące, co stoi im na drodze, jakby nie było jutra. Nigdy ich z powrotem w tej szafie nie zamknęła. Nie dało się nawet, gdy już wiedziała, gdy wiedziała, skąd się brały i dlaczego pałały niepojętą żądzą niszczenia.

❖

TAK BARDZO... Lecz za czym tak bardzo tęskni? Za pierwszymi tygodniami, oczywiście, za końcem tamtego roku, który wbrew kalendarzowi był początkiem. Ale i za ostatnimi, gdy wciąż nie zamierzała odpuścić, wypuścić go spod skrzydeł, obmyślając kolejny plan obrony twierdzy niczym minister wojny w obliczu kolejnego puczu. Tęskni nawet za tym, co działo się z nią, gdy ostatecznie przegrała, tęskni za lutym, marcem i kwietniem, za powodami, by nie kupić w internecie pistoletu i nie zastrzelić się, bo przecież on jeszcze wróci, wróci, już tak bywało, nie czekała wprawdzie nigdy aż trzech miesięcy, ale czekanie bywało, i w ogóle czym są trzy, cztery miesiące, pół roku wobec perspektywy zupełnego, w i e c z n e g o BAWJŻ. W czerwcu tęskniła więc za majem, w lipcu za czerwcem, w sierpniu... Dopiero w sierpniu, z końcem lata, tak naprawdę dopadła ją owa pustka, każąca wpatrywać się w ścianę jak w coś, co teraz definitywnie stało się z jej życiem, choć jego koszula w kratę, co weekend prana, prasowana i uroczyście wieszana na kuchennym krześle, wciąż szeptała: Pamiętaj, jestem nieprzewidywalny!

Wczoraj w taksówce, w drodze do pracy – od wiosny nie prowadzi już samochodu, sprzedała, gdy o mało co nie przejechała dwóch chłopców na oznaczonym przejściu, zastanawiając się, gdzie jest jej chłopczyk, co też teraz robi i z kim – z głośnika popłynęła stara piosenka:

Małe tęsknoty, krótkie tęsknoty,
znaczące prawie tyle co nic.
Nagłe i szybkie serca łopoty,
kto by nie znał ich[3].

I załopotała jak wiatr tamtej nocy, podczas której wracali z długiego spaceru, lekko podpici w jednej z knajpek na placu Zbawiciela. Wina było dużo, a ubikacja zajęta. Na pustym skrzyżowaniu, w rogu kamienicy tuż koło straży pożarnej, co ich oczywiście ubawiło, zatrzymał się i wyjął, co trzeba. A wtedy ona, zamiast stać na czatach, podbiegła doń i klęknęła w jego kroczu, jakby byli w sypialni albo w jej łazience, gdzie także potrafili się zabawić. Uspokój się, wariatko, mruknął i próbował się od niej odwrócić, no co, chciałam tylko sprawdzić, czy czerwone jak wino, zachichotała, cała w złotych kropelkach, rozsiewanych przez wiatr. Cała jego, cała w nim, mimo że on w niej, bo gdy chciał już to schować, chwyciła miękko wargami, wsysając do środka. Przestań, rozejrzał się wokół, jakby zaraz miał ich otoczyć kordon policji, i cofnął się o krok, by się zapiąć.

Ot, mała tęsknota, łopot serca nad chwilą, której nie polubił, z drugiego chyba roku znajomości, bo w pierwszym jeszcze by się nie poirytował, przyjemnie zaskoczony adoracją, a w trzecim po *uspokój się, wariatko* już nie cmoknąłby jej zaraz na ulicy, łagodząc wybuch. Nie, w trzecim roku szedłby obok przez kwadrans bez słowa. Za ponurymi spacerami w złowrogim milczeniu także tęskni: nawet w gradowych chmurach jak z płócien Turnera lub Ajwazowskiego, wciąż szedł, był obok, był, miała go na oku, na uchu, na czole i pod czołem, pod którym ciemniała ta druga jego nieprzewidywalność, ta, której się już wtedy bała.

Lecz może najbardziej tęskni za sobą samą, tamtą naiwną ryczącą pięćdziesiątką, która uznała za oczywistą całą o d w r o t n o ś ć sytuacji, w jakiej się znalazła. Czy to nie on powinien był chcieć dopaść jej krocza, gdy kiedyś w parku nie miała już sił szukać kabiny toi toia, kucając pod krzakiem? Czy to nie on powinien... Tak, najbardziej tęskni za tamtą wariatką, która nie zamierzała się uspokoić, całą w nim, całą jego, nawet jeśli ta całość była połowiczna, bo on po prostu sobie tylko istniał, odpowiadając łaskawie na jej większe i mniejsze akty uwielbienia. Tak, najbardziej tęskni za ślepą Mają, nagą przed nim, nawet jeśli ubraną, pełną fałszywego bezpieczeństwa jego szerokich, a jakże kruchych ramion.

❦

Nie dla niego pierwszego związek był bramą dorosłości. Uciekł od domu, szkoły, zapyziałego miasteczka, w którym niemal wszyscy się znali z widzenia, przez kilka miesięcy czuł się wolny: Warszawo, ty moja Warszawo, Londynie, Nowy Jorku... Całe lato balował, waletując, gdzie popadnie, i trochę kelnerując na czarno, a potem zaczęło mu brakować przynależności. Domu, ale nie-takiego-domu-jaki--miał-gdy-dopiero-co-był-dzieckiem. Kobiety, może trochę matki, ale nie-takiej-kobiety-ani-matki-jaką--miał-gdy-dopie-ro-co-był-dzieckiem. Pieniędzy, owszem, pieniędzy też, bo fuchy skończyły się razem z sezonem, znalezienie szybkiego noclegu było coraz trudniejsze, a gdy podnajął pokój, szklankowanie, jak nazywał sprzątanie ze stołów, nie starczało. Wydobywała to z niego powoli, układając w dość banalną prawidłowość. I nie miała powodów, by nie wierzyć, że kiedy tamtego wieczoru wszedł na czat z wiadomą intencją, zagadał kilka kobiet, lecz ostatecznie umówił się dopiero z nią.

– Przeznaczenie – orzekła bez kokieterii, gdy pierwszy raz wspominali ów wieczór jako ten ważny, od którego wszystko się zaczęło.

– Przypadki chodzą po ludziach – zażartował jak to on, byle nie wyszło, że wierzy w jakieś Przeznaczenia, Westchnienia i w ogóle w Górnolotne Pitolenia, w jakie nie powinien wierzyć żaden świeżo dorosły mężczyzna.

– Uważaj, bo jak będziesz tak wszystko pomniejszał, to...

– To co? – Roześmiał się. – Co mi zrobisz? Co ty mi możesz zrobić? Co mi ktokolwiek może zrobić?

Nie lubiła, gdy wymykał się z konwencji żartu, gdy przypominał jej, jaki jest młody i głupi, w poczuciu, że wszystko mu wolno, że bezkarność to szczyt niezależności. I jednocześnie lubiła owo kompletne pomylenie pojęć. Czyż nie była mu potrzebna także i po to, by przestał je kiedyś mylić? Och, była mu potrzebna na tylu frontach. Począwszy od zabezpieczenia tyłów. Jeśli miał poprawić maturę z gramatyki, musiał brać korepetycje. Jeżeli miały mieć sens, nie mógł pracować jako szklankowy. Jeśli nie mógł pracować po nocach, a w dzień powinien się uczyć, przynajmniej do lata musiała wyznaczyć mu pensję. Jeżeli musiała wyznaczyć mu pensję... Jeśli i jeżeli, jeżeli i jeśli. Och, była mu potrzebna, lecz cóż to znaczy wobec faktu, że on był jej niezbędny?

Ten związek spadł na nią z właśnie odkrytych księżyców Plutona albo z podobnych okolic. Jak meteor spadł, jakiś dawny, nieobliczalny, bo teraz wyliczono by dokładnie, kiedy, gdzie, z jaką siłą i co na pewno ulegnie zniszczeniu. Pierwsze trzy dane poznała od razu, wartość czwartej, zrazu ukryta, powiększała się. Była ona, tamta ona, to znaczy Danuta, przecinek i po przecinku pędzące cyferki, narastające jak w ultraszybkim kosmicznym liczniku, odmierzającym jej drogę na planetę Maja. Na tej drodze zniszczeniu ulegało wszystko. Wszystko. Od tego, co o sobie myślała, po otaczających ją ludzi.

Nic z wojny nie było jeszcze w owej destrukcji, nic z serii podjazdowych bitew i potyczek, jakie niebawem miała staczać, gdy Adam zaczął wypuszczać z szafy swoje warany, dławiące, duszące, palące wokół, co się da, napawając się zgliszczami, które potem znów radośnie odbudowywał. Nic z huśtawki nad przepaścią nie miało to pierwsze zniszczenie, przeciwnie, przypominało działanie jakiejś cudownej surowicy, leczącej ją z całej smętnej Danutowatości, z poprzedniego niepotrzebnego życia, marnowanego w poczuciu, że jest, jak być powinno, bo niby co jeszcze miałoby się zdarzyć poza wariantami wydarzonego. Cudowna surowica była jednocześnie niebezpiecznym jadem: deprecjonowała przeszłość, lecz kto by się nad tym zastanawiał, gdy spadł meteoryt?

Najpierw przygniótł Lenkę i Teresę, w końcu były najbliżej.

Lenka, koleżanka jeszcze ze szkoły, nieraz okazała się prawdziwą przyjaciółką. Co jest miarą przyjaźni? Z pewnością obiektywizm: nigdy nie zaakceptowała tego, jak się Danuta zachowała wobec męża i syna, a jednak nigdy się od niej nie odwróciła, uważając, że nikt nie ma monopolu na moralne racje. I teraz zapewne byłoby podobnie, tyle że Danuta, a raczej Maja, nie chciała już tego sprawdzać. Lenka pewnie dzielnie zniosłaby jej wyznanie, że oszalała na punkcie chłopaka młodszego od własnego syna. Może nawet nie westchnęłaby na wieść, że został poznany na sekszacie, gdyby zdradziła jej aż tyle. I z pewnością, nieproszona, nie dawałaby rad. A jednak nie zamierzała z Lenką o tym rozmawiać. Przynajmniej na razie, by nie usłyszeć tyleż serdecznego, co lekceważącego „pogadamy za kilka tygodni", co uznałaby za zamach na Wieczność, choć w ustach Leny nie byłoby lekceważenia. Postanowiła więc przeczekać przynajmniej tych kilka tygodni, a potem była już tak zaabsorbowana nim i tylko nim, że jakoś nie znajdowała dla przyjaciółki czasu, aż ta przestała dzwonić.

Czy zresztą wkrótce Lenka nie należała do tamtego, odległego życia, jak Teresa i garstka dalszych, lecz jednak życzliwych znajomych? Teresa, ostatnia stara kumpela z banku, w którym pracowały już tylko coraz nowsze i coraz młodsze, korporacyjnie zabetonowane i zajęte sobą enigmatyczne niby-koleżanki, poległa na jednym, ciekawskim pytaniu.

– Zakochałaś się? – spytała półżartem, całkiem serio przyglądając się jej nowej fryzurze, zbyt wydekoltowanej bluzeczce i chyba jednak za wysokim butom, i jeszcze czemuś, czego nikt by nie zauważył, gdyby, jak Teresa, nie przyglądał się jej codziennie: jasności jakiejś większej, nawet gdy stały przy automacie do kawy w świetle i tak już zbyt jasnej jarzeniówki, i ożywieniu przy jednoczesnym niezainteresowaniu tym, co działo się wokół.

– Zakochałaś się? No, przyznaj się!

– Zwariowałaś?

Przyznać to można się do winy, pomyślała. Była niewinna. Także temu, że raz, drugi, trzeci odmówiła Teresie pójścia na ciuchy, aż tamta zgadała się z nową, korporacyjnie zabetonowaną niby-koleżanką.

Fala uderzeniowa meteorytu pochłonęła dwóch dobrych kolegów, nie wspominając o tym, któremu wiosną wkleiła się w pijane ramiona, oraz kilkuosobowe grono pięćdziesięciolatków, z którym jeszcze niedawno umawiała się na wspólny wyjazd do Afryki Południowej na safari. Czyż nie byli w wieku, gdy spełnia się tego rodzaju nietanie marzenia, bo już się da, a jeszcze pozwalają na to siły? Czyż wreszcie nie stanowili, owszem, gorzej uposażonej, ale jednak średniej europejskiej klasy, będąc na etapie, w którym Grecje, Tunezje i Egipty zostawia się z pobłażliwym uśmiechem już tym „na dorobku"? Tyle że ona znów była na dorobku: samą siebie pośród słoni, lwów i nosorożców w otoczeniu swojej klasy bez mrugnięcia okiem wymieniła na siebie z tym jednym, jedynym słoniem, lwem, nosorożcem, zapraszając go na Korfu, czyli do taniej Grecji.

Ekonomia była bezwzględna, a zarazem miała na nią łaskawy wzgląd: rozwiązywała jeszcze jeden problem, którego bez obecnej perspektywy nigdy by nie dostrzegła. Przecież nawet gdyby miała tyle pieniędzy, by wykupić jeszcze jedno miejsce w grupowym safari i gdyby jakimś cudem Adasiowi to odpowiadało, nie zrobiłaby tego. Jako, przepraszam, k t o by jechali? Nie jako matka z synem i bynajmniej nie dlatego, że jeden z członków grupy znał Jarka i Michałka, nie życzyła sobie jechać z synem, on nie był i nie miał być jej synem. Nie miał być też jej siostrzeńcem, bratankiem ani kuzynem, który po tragicznej śmierci rodziców w wypadku został wzięty w podróż życia, by go temu życiu przywrócić. Chciała go mieć koło siebie, trzymać za rękę i całować jak swego mężczyznę, może nie w środku buszu i nie podczas wspólnych posiłków... A jeśli? Dlaczego w ogóle mieliby skazywać się, by o tym myśleć? W tym momencie asertywna Teresa, gdyby tylko została dopuszczona do komitywy, zapytałaby wprost: A niby z jakiego powodu miałoby to wszystko ciebie, was, obchodzić?

Bo jesteśmy, jacy jesteśmy, musiałaby odpowiedzieć. Bo beznadziejni jesteśmy, mieszczańscy jesteśmy, on chyba jeszcze bardziej niż ja, bo nie umielibyśmy nie oglądać się na nikogo, bo już po kilku tygodniach znajomości wykształciliśmy misterny system gestów, spojrzeń, cmoknięć, nie do dostrzeżenia przez kogokolwiek, choćby właśnie stał przed nami. I ten system skarbem był tylko naszym, ukrytym w palcach, wargach, oczach jak stokrotki w niekoszonej trawie. Jeżeli działał, to jednak dlatego, że wciąż zmienialiśmy miejsca, więc i ludzi: sklep, ulica, park, cmentarz, zaułek, galeria handlowa czy galeria sztuki, do jakiej kilka razy udało mi się go zaciągnąć, i nikt nie zdążył przyjrzeć się nam na tyle, by cokolwiek zauważyć. Na safari, wobec ciągle tych samych ośmiu osób, system by się nie sprawdził, prędzej czy później zostalibyśmy rozszyfrowani.

❧

TAK BARDZO lubiła ten system, że gdy zrobiła się wiosna, ich pierwsza wiosna, wzbogacała go na każdym kroku. Sklep, ulica, park, cmentarz, zaułek, galeria handlowa czy galeria sztuki... Siedzi teraz w kuchni naprzeciw kraciastej koszuli, znów upranej i znów wypsikanej jego zwykłym dezodorantem z Rossmanna, próbując odtworzyć cały katalog gestów, spojrzeń, cmoknięć. Dyskretnie wydyma wargi, to znaczy: pocałowałabym cię. Na ułamek sekundy wytrzeszcza i cofa wytrzeszcz oczu, to znaczy: jestem, pilnuję cię, chronię, nic złego ze mną nie może ci się stać. Zagryza usta i kieruje wzrok poniżej koszuli, to znaczy: zrobiłabym ci, no wiesz co. Puszcza oko, podnosząc i opuszczając wzrok, to znaczy: komitywa, oczywiście, na zawsze komitywa.

Ręce, gesty mają ręce! Przesiada się na krzesło obok tego z koszulą, wyciąga dłoń, dlaczego ta dłoń drży? Wsuwa ją pod mankiet, natychmiast wysuwając, to znaczy: odbyliśmy tu, w miejscu publicznym, cały intymny stosunek, ha! Nie, to nie znaczy. To już nic nie znaczy. Niezbędna byłaby druga dłoń, jego dłoń, ona nie muskała mu przecież mankietów, tylko żyłki dłoni. Nie szczypała bawełny koszuli, tylko jego skórę pod bawełną, na styku ze spodniami, bo tam mogła się najłatwiej dostać. Nie wklepywała niczego pod wszyciem rękawa, jakby maskowała nagle ujawnioną, pękniętą nitkę, tylko dociskała go opuszkiem palca, kropeczką, pik, pik, to znaczy, to znaczyło: ja, tu, jakbyś zapomniał, obok, obok.

Cóż z tego, że pamięta gesty, skoro nie sposób ich wykonać?

Fala uderzeniowa nie zmiotła tylko jej matki. Krystyna, a raczej Cristina, po prostu nie dała się zmieść. Może dlatego, że nie była przyjaciółką lub znajomym, ale właśnie matką?

– Nie jestem twoją koleżanką, tylko matką, zapomniałaś? – przypominała, gdy tylko była w stanie się do niej dodzwonić, czyli gdy Maja raczyła jednak odebrać telefon. – Co słychać?

Na to pytanie mogłaby teraz odpowiadać godzinami, tak przynajmniej jej się zdawało, choć wystarczyłoby pół godziny, nie, kwadrans, a może w ogóle pięć minut? Tak, zmieściłaby wszystko w pięć minut. Że poznała. Że znacznie młodszego. Że dogadza jej cieleśnie jak jeszcze nigdy nikt. Że piękny jest i tym piękniejszy, im mniej zdaje sobie z tego sprawę, a wciąż jeszcze słabo to sobie uświadamia. I że ta jego uroda przekłada się na niekończące się rozmowy, tak jak szpetota Michałka przekładała się na to, że rozpaczliwie nie miał nic do powiedzenia. Że... pilotuje go, powiedzmy, u początków jego dorosłego życia, a on pilotuje ją u jej początków, bo ona od kilku miesięcy czuje się, jakby też zaczęła nowe. Że nie mieszkają razem i najmniej chodzi o jej nowobogacki kołchoz, w którym wszyscy wszystko widzą, jak nie na sterylnym podwórku, to przez sterylnie umyte okna, kubistyczne, szklane czapeczki wchodzące w jej szklane czapeczki, nie, przestała się przejmować, ostatnio w pierwszych promieniach wiosennego słońca położył się na leżaku na tarasie, co oznacza, że z jakiejś boskiej kaskady widział go pewnie nawet sam Pan Bóg, jeśli jest, i musiał być dumny z tego, że czasem udaje mu się stworzyć takie arcydzieła, a skoro Pan Bóg byłby dumny, to i ona postanowiła być dumna: patrzcie sobie z tych kaskad pobliskich apartamentowców, zastanawiajcie się, kim może dla mnie być ów chłopak, a potem spływajcie kaskadowo jak szampan po wieży z szampanek, z zazdrości...

Zatem nie mieszkamy, mamo, razem, ponieważ nie o to w naszym związku chodzi, przywiązaliśmy się jedwabnym sznureczkiem, nie sznurem do snopowiązałek, i nawet nie wiem, co on całymi dniami robi, bo choć bierze teraz korepetycje z gramatyki, by zdać nieszczęsną poprawkę, i uczy się jeszcze w domu, zostaje mu przecież dużo czasu, uprosiłam go, by teraz nie pracował, szklanki w klubie zbiera tylko dwa razy w tygodniu, trochę dla hecy, by, jak twierdzi, wyjść do ludzi... Nie mieszkamy razem, bo nie chcę, by czuł się przeze mnie zaanektowany, za młody jest na to, a zresztą wspólnoty pod jednym dachem, jak wiesz, miałam już dosyć i doskonale się stało, że Jarek przyjął nową sekretarkę, z której wkrótce przy jego udziale wyskoczyły dwie malutkie sekretareczki. Mieszkamy więc osobno (tak, jeszcze raz: czyż matka nie twierdziła, że wspólne niemieszkanie oznacza tylko *uczuciową mrzonkę*?), ale często się widujemy, a w weekendy zostaje u mnie na noc. Dlatego każde spotkanie świętem jest, domowym, kawiarnianym lub restauracyjnym, choć tych ostatnich najmniej, mimo że uwielbia się gościć, bo wyjaśniłam mu, że mimo luksusowego apartamentu i pracy w banku nie jestem jakąś bankierką, i czy nie lepiej kupić mu za to nową kurteczkę, koszulkę lub kolejne adidasy? Teraz, teraz trzeba go stroić, co staremu po modnej kurteczce, już nie ozdobi, a zresztą wolimy jadać zapiekanki z przejścia podziemnego, tak, te trujące, po cztery złote sztuka, tak, te kapiące plastikowym serem na nasze nieplastikowe serca.

W pięć minut zdążyłaby jeszcze powiedzieć, że właściwie nie ma o czym mówić, bo szczęście, gdyby mu się przyjrzeć, dla osób trzecich dość nieciekawe jest, wręcz nudne, i nijak się nie ma do nieszczęścia, które można przedstawiać na najróżniejsze sposoby, ze wszystkich punktów widzenia inaczej, a gdy już się wyczerpią, analizować od początku, ponieważ nieszczęście to coś, czym można napawać się bez końca aż po kompletny obłęd, opowiadając i opowiadając. Książki o szczęściu, seria „Nieplastikowe serca", są identyczne jak miłosne duety z operetki, odróżniają je dopiero ostatnie rozdziały. Każdy brak happy endu jest absolutnie oryginalny.

– Co słychać? – pytała matka, mniej więcej trzy razy w tygodniu dopuszczana przez nią do głosu, chociaż próbowała dodzwonić się codziennie.

– Wszystko w porządku – odpowiadała zgodnie z prawdą, zgodnie z bardzo miłą prawdą. – A u ciebie?

Matka też była szczęśliwa w Barcelonie, która stała się jej Florydą. Stare Żydówki w Ameryce wyjeżdżają na d o ż y c i e na Florydę, to ja mogę do Barcelony, oświadczyła kilka lat temu, co zabrzmiało jak słodkie dożywocie i tym właśnie miało być. Sprzedała, co miała, po czym przeniosła się pod katalońskie słońce, by dożyć, ile jej jeszcze pozostało.

– U mnie? Ojej, Rambla-trochęplaży-Rambla-obiad- -Rambla-trochęplaży-Rambla-kolacja...

Było to równie nieciekawe, a jednak inaczej. Matka była szczęśliwa ostatecznie i nieodwołalnie: sama ze sobą. Matka była szczęśliwa bezpiecznie.

❧

TAK BARDZO wiele nam z ludzi umyka, zwłaszcza z tej drugiej osoby, najbliższej, jakby gdzieś podskórnie płynęła równolegle rzeka tych samych słów i zmilczeń, prowadząca do całkiem innego morza. Nie masz, nie chcesz mieć i nie umiałabyś w tej chwili mieć nic innego do roboty. Wciąż jesteś jak opętana uczona, porzucona Maria Curie, która tak bardzo musi wiedzieć, musi się dowiedzieć, d l a c z e g o, że może nie jeść i nie spać, może rozdać, co niby posiada, bo przecież nic nie posiada, nic się nie liczy, i przenieść się na śmietnisko własnej historii i samej siebie, w tej chwili jest bowiem tylko śmieciem, skoro niepotrzebna jemu, to nikomu i niczemu.

Usiłujesz więc je odnaleźć, zlokalizować podskórną rzekę, potajemne morze, sekretne połączenia z lądem, niewidzialne prądy, znoszące z kursu łódki sensów. Próbujesz dojść, co i jak zmieniało się, a czego nie zauważyłaś, bo nie byłaś w stanie, bo nikt nie jest w stanie zauważyć, jeśli nie następuje trzęsienie ziemi, a tylko czasem ziemia lekko zadrży. Ledwie dosłyszalnym cmokiem zniecierpliwienia, które wolisz uznać za skutek nieznośnych upałów, nagłym podniesieniem ramion, z którego błędnie wyczytujesz niedospanie, prychnięciem natychmiast uznanym przez ciebie za kaszel bez dalszego ciągu: oj, coś mu wpadło nie do tej dziurki, zaraz przejdzie. Usiłujesz dojść, czy owe drżenia ziemi były, kiedy były, co mogły znaczyć oraz czy w jakikolwiek sposób mogłaś im zaradzić, i co najwyżej dochodzisz do ściany, na której wisiał obraz, do otwartego-zamkniętego okna.

– Na zdrowie! – mruczysz do tej ściany, machając butelką piwa, sączonego powoli, a za szybko.

Tylko jedną butelką, żeby nie stracić jasności umysłu, którym od miesięcy usiłujesz to wszystko przeniknąć. Tylko drugą butelką, żeby nie stracić jasności umysłu, którym od miesięcy usiłujesz to wszystko... Tylko trzecią butelką, żeby nie stracić jasności umysłu, którym od miesięcy usiłujesz...

– Na zdrowie! – mruczysz jak ciotka Magda na stypie po babce.

A w podskórnym obiegu to brzmi już: Na chorobę! Nie, nie śmiertelną, jakąś niewielką, a upierdliwą, na alergię, by zamiast czarownych zapachów lata tępo pociągał nic nieczującym nosem, no i w ogóle na pohybel, żeby już nigdy mu się nie powiodło! Od kiedy to właśnie tak brzmi? Od chwili, gdy przestałaś czekać, że wróci?

– Na zdrowie, na chorobę!

Rozmijanie się myśli, intencji i ich wyrazów widać tylko na ekranie osobistym, nikt inny nie ma tam wglądu, ani hipnotyzer, ani psychoanalityk, oni najwyżej widzą tylko cienie. I byłaś, oczywiście, że byłaś także jego hipnotyzerem i psychoanalitykiem, najlepszym z najlepszych i najbardziej ślepym, nie widziałaś bowiem nawet cieni. Co miał na swym ekranie osobistym w pierwszym, drugim, trzecim roku znajomości? Najciekawsze są prawdy początkowe, bo zdają się najmniej odbiegać od wypowiadanych, a jednak także odbiegają. Gdybyś już wówczas uchwyciła ów kąt nachylenia, nie, jeszcze nie dysonans, w żadnym razie, ale gdybyś jednak uchwyciła tych kilka milimetrów między tym, co odczuwał, a górnolotnie, głośno nazywanym... No i oczywiście gdybyś wówczas wiedziała, że...

Za czym tęsknił, mówiąc przez pierwsze pół roku na odchodne: *już tęsknię za tobą!* Czego nie mógł się doczekać, pisząc w środku dnia: *już nie mogę doczekać się naszego wieczoru!* Co wytęsknił i czego się doczekał, że wreszcie przestał tęsknić i czekać, więc i o tym mówić? Potem – i znowu, od kiedy? – już nie mówił ani nie pisał takich rzeczy. Potem mówił i pisał inne, coraz dosłowniejsze, coraz okropniejsze, jedyne, co miał dla ciebie potem, to nierozmijanie się słów z intencjami. Nie krył ich, bo wiedział, że nic mu nie grozi. Wypuszczał z szafy kolejne warany, a ty patrzyłaś, jak idą przez pokój, przewracając meble i wywracając twoje wnętrzności. I byłaś kompletnie bezradna, ponieważ obciążona. I żeby słowami, żeby tylko waranami, odeszłabyś, zostawiłabyś go, choć na ekranie osobistym wyświetlają ci się natychmiast wykrzykniki zaprzeczenia: *error!*, *błąd!*, *nie odeszłabyś!*, *nie zostawiłabyś go!*, *też coś!* Tak czy inaczej, czułaś się obciążona czymś znacznie potężniejszym, szantażującym cię i nieodwołalnym: czułaś się za niego odpowiedzialna.

Nie, tego, co wygadywał w czwartym i piątym roku znajomości, nie masz po co analizować. I zresztą nie jesteś w stanie, po kolejnej butelce piwa zasypiasz. Nie tkniesz piwska przez następny miesiąc, lecz po miesiącu... jak od miesięcy... od ilu? Styczeń, luty, marzec... Już sierpień. Już sierpień? Już sierpień, a porzucona Maria Curie wciąż tak bardzo musi wiedzieć, musi się dowiedzieć dlaczego, dlaczego, dlaczego. Jakby wystawienie na ring jego młodej, brutalnej szczerości przeciw twej odpowiedzialności wymagało jeszcze jakichkolwiek dociekań. I jakby one w ogóle miały jakikolwiek sens wobec tego, co wyszło na jaw później.

❧

Korfu, zielona i górzysta, inna niż pozostałe greckie wyspy, wyjątkowa... Banały z reklamowych folderów okazałyby się faktem, nawet gdyby napisano, że Korfu jest czerwona, a z nieba od rana sypie się diamentowy pył, z którego lepi się śródziemnomorskie bałwany.

Wyjątkowy był już lot samolotem, jego pierwszy: jakże jej smakowały te debiuty, słodkie, nieudane próby tajenia niepewności, większe źrenice w przymrużonych dla niepoznaki oczach, które i tak nie przestawały być intensywnie niebieskie. Wyjątkowy pokój, bo to był przecież ich pokój, nie jej mieszkanie, z widokiem na morze w odcieniu jego oczu. Korfu nie okazała się zielona ani czerwona, lecz niebieska jak wszystko przy jego udziale.

Miłość to niebo na ziemi, niech wiecznie trwaaa[4], ryczał co rano przy goleniu ojciec, matka stukała w drzwi łazienki, a ona, czekając na swoją kolej do mycia, przez całą młodość żenowała się banalnym idiotyzmem operetkowego szlagieru. Teraz, tuż po przybyciu do hotelu, stała na balkonie, patrzyła w to morze, jakby w ukochane oczy patrzyła, a gdy się odwróciła, Adam właśnie wychodził spod prysznica, więc niebieskości, błękity, lazury po prostu otoczyły ją i chwyciły za gardło w idiotycznym, operetkowym wzruszeniu, a wtedy on złapał ją za rękę i pocałował, i coś w niej wyryczało, a właściwie ktoś, *Miłość to niebo na ziemi, niech wiecznie trwaaa*, wyryczał ojciec, i po raz pierwszy wcale, ale to wcale nie była za to na niego zła ani zażenowana. Czyż nie miał racji? W ogóle cała perspektywa była wyjątkowa. Po siedmiu miesiącach Związku – tak go sobie pisała na osobistym ekranie, dużą literą, i znaczył dla niej jedynie to, co istniało między nią a nim, jak dla ojca w Peerelu oznaczał tylko i wyłącznie Związek Radziecki – czekało ich siedem wyjątkowych dni.

W wersji romantycznej było to siedem dni bycia ze sobą bez przerwy, w wersji egzystencjalnej: bez wytchnienia, bez możliwości ucieczki, schowania się w nagłych wypadkach, o nagłości których decydujemy tak nagle, że właściwie owa decyzja nie należy do nas, a do owej chwili. Kto by jednak teraz chciał się nad tym zastanawiać?

Zeszli na pierwszą kolację, też wyjątkową, bo wyjątkowo normalną. Nikt z kilkunastu osób, jakie z wycieczkowego lotu trafiły do ich hotelu, specjalnie im się nie przyglądał, a przy stoliku siedzieli sami. Za to ona, pałaszując grecką sałatkę, rozglądała się po sali. Dwie, nie, trzy zaprzyjaźnione rodziny z malutkimi dziećmi, bo w kwietniu inne dzieciate stadła czekają na wakacje, użerając się ze zdobyciem świadectwa lub ambitnym podciąganiem czwórek do piątek. Dwie pary koleżanek, przyjaciółek, a może kochanek, kto wie. Trzech mężczyzn około czterdziestki, seksturystów, którzy pomylili tak zwane destynacje, bo Korfu to nie Tajlandia, może znudzonych kawalerów, może sfrustrowanych mężów, może gejów, a może... Póki nie mamy pewności, wiemy to, co chcemy sobie wymyślić, nawet wolimy, co nam pasuje do układanki, by się pośmiać, zdziwić, wzruszyć lub obruszyć bez żadnych podstaw.

Do układanki pasowało jej, że ów sześćdziesięciolatek w szlachetnym typie Leonarda Cohena z młodą kobietą, dziewczyną prawie, nie są ojcem z córką. Przypatrywała im się za każdym razem, gdy spotykała ich przy śniadaniu lub kolacji, by odkryć System. Jeśli byli kochankami albo tkwili w przynajmniej półsekretnym związku, mieli go, posługiwali się publicznie półwzrokiem, półcmokiem, półdotykiem, jak ona z Adasiem, i nawet teraz, poza zasięgiem ulic swego miasta, gdy przyjechali, by tego kodu przez tydzień nie używać, nie umieliby całkiem zeń nie korzystać. Nic nie wypatrzyła aż do ostatniego dnia. Przy zdawaniu kluczy w recepcji Cohen niespodziewanie przesunął wielkim, staromodnym kluczem od łokcia po dłoń dziewczyny, powoli, przez całe przedramię, po czym ustawił go w pionie i zastukał w jej palce, wybijając: ko-niec, ko-niec, ko-niec, właśnie tak, trzykrotnie. Melancholia tego gestu poraziła ją, dyskretną obserwatorkę cudzego szczęścia, bo aż tak szczęśliwa tu nie była. To znaczy była, była, ale...

Już podczas pierwszej kolacji okazało się, że wprawdzie są tu z Adasiem zupełnie anonimowi, lecz nie przybyli na Korfu we dwoje. Przyjechali z jego komórką: najnowszej generacji, wielofunkcyjną, niestety z internetem, sama mu ją podarowała tuż przed wyjazdem, spełniając jedyne marzenie, jakie miał, co za problem? Na pytanie kelnera, czego się napiją po deserze, jej mężczyzna, zamiast zaordynować wykwintne greckie wino, za które i tak by zapłaciła, spytał, czy jest w hotelu wi-fi. Oczywiście. Wino też podano, ale sączyli je już we troje, ona i on z komóreczką. I tak już pozostało, bo ta trzecia okazała się nie lada terrorystką. Fejsbuk, memy i różnorakie informacje oddzieliły go od niej, jakby spędzali urlop na dwóch różnych wyspach. Żeby chociaż się dzielił, żeby mówił: napisał do mnie Karol, pyta, czy mi nie za gorąco, ale tylko stukał w klawiaturkę, odpisując, jakby był sam. Żeby pokazał jakiegoś mema, ale chichotał do komórki, a gdy się dopytywała, z czego tak się śmieje, rzucał: ech, takie tam głupoty, po czym obejmował ją, całując w czoło, a poobejmowana i ucałowana, nie musiała już się z nim śmiać. W coś tam się wczytywał, w co? Wkrótce przestała dociekać, zwłaszcza że z tą komórką wciąż przecież był koło niej, nawet jeśli patrzył w wyświetlacz zamiast w bajeczne krajobrazy, które mogła chłonąć godzinami. W nią oczywiście również mało patrzył, czyż jednak sześć nocy z rzędu nie budziła się w pełni kobietą, z ręką w jego ręce, wygłaskana, wylizana, wy...

Wi-fi nie działało tylko na plaży, więc raz po raz wymykał się do nadbrzeżnych barów i chciała wierzyć, że tak jej nadskakiwał, serwując co godzinę frappé lub lemoniadę, lecz czas, gdy się urywał, wydłużał się. Miała jednak morze i skały, i dobrą książkę miała, i seksu więcej niż zazwyczaj, i wyłapywała zdecydowanie więcej niż w Warszawie zazdrosnych spojrzeń turystek w różnym wieku, rejestrujących w stop-klatce jego oczywiste piękno z nią w tle. Kobiety, jak to kobiety, nie sądziła, by widziały w niej heroinę romansu, raczej ścianę z łańcuchem, ale na pewno nie matkę i syna, o co dbała, raz po raz demonstrując jakiś niematczyny gest. Nie czuła się jego ścianą z łańcuchem, był zbyt niezależny, ale jakby na nią nie patrzyły, przydawało jej to siły i satysfakcji. Kiełkujące poczucie, że prawie w ogóle go nie zna, szybko złagodziła wersją, że zna go słabiej, niż sądziła, a zdziwienie, jak bardzo jest skryty, zmieniła w zaskoczenie, że może trochę bardziej, niż myślała. Zagadkę, dlaczego ich Związek, oparty na małych, porcjowanych świętach, nie stał się na ów tydzień jednym wielkim świętem, rozwiązał sam.

– Przyroda to jednak nie jest mój żywioł. – Zaśmiał się nagle w kompletnej ciszy na pomoście, prowadzącym donikąd z idyllicznego, plażowego zaułka, trzymając w kieszeni umarły telefon.

– Przecież pytałam cię, czy chcesz ze mną pojechać na wyspę...

– Chciałem, ale nie wiedziałem, że jednak tego nie lubię.

Jaki uroczy był w tej swej niewiedzy!

– No to jesienią pojedziemy do Londynu, a wiosną do Paryża albo tu i tu od razu, co za problem przeprawić się przez kanał.

– Wyobrażasz nas sobie za rok?

Zaniemówiła. Nie wyobrażała sobie, że mogłaby sobie nie wyobrażać.

– No jakże? Musisz przecież zdać gramatykę, potem szybko wybrać sobie jakąś fajną szkołę, no i prawo jazdy chciałeś...

– I wtedy dasz pojeździć swoim volvem?

Coś błysnęło i to nie było słońce blikujące w lustrzanych okularach. W nim błysnęła perspektywa porozbijania się dobrym autem, w niej szybki rezultat obliczenia, że to wszystko zajmie właśnie rok. Ale w tej chwili najważniejsze było dopiero co odkryte przez nią Prawo Metropolii. Im dalej od większego miasta, tym częściej sięgał po komórkę, która była jego namiastką, którą ściągał miasto. Oto dlaczego nie prowadzili tu rozmów o życiu, na jakich spędzali „małe święta", oto dlaczego byli osobno, choć razem. Oczywiście, że też na to nie wpadła! Wywiezienie go na wyspę, pozbawienie wielkomiejskiego gwaru, a wraz z nim choćby i pozornego poczucia, że w każdej chwili może się coś zdarzyć, osadzenie dwudziestolatka na tydzień na słońcu przed kamieniami w lazurowej wodzie nie mogło się powieść.

I tak bardzo ucieszyła się, że znalazła teorię strun tłumaczącą wszystko, iż wyjaśniła nią sobie także zajście na potańcówce. W Warszawie nie chodzili razem tańczyć. Ona nie chodziła w ogóle, imprezy, zaczynane teraz grubo po północy, były dla niej zbyt męczące, zabawową energię, mnóstwo energii, chciałoby się rzec: nie wiadomo skąd, ale wiadomo, z niego, wytracała do reszty w jego objęciach na leżąco i w zupełności jej to wystarczało. I może na szczęście, bo w ten sposób pozbyła się ewentualnych dylematów, jak byliby postrzegani w night clubie, mieszczańskiego wychowania nie tak łatwo się pozbyć. Zresztą on tańczył i śpiewał w konkursach karaoke za siebie i za nią. Czyż trochę nie z tego powodu dorabiał sobie w klubie Melopea? Jako szklankowy, między sprzątaniem ze stołów, tańczył i śpiewał, i jeszcze dostawał za to parę dych... Okazji, by zabawili się razem, na Korfu nie brakowało. Ostatecznie skorzystali tylko z jednej, bo, odurzeni całymi dniami na powietrzu, zasypiali po seksie jak niemowlęta. W typowej, turystycznej tancbudzie był parkiet i oczywiście karaoke. Adam, mimo postury, zdawał się w tańcu lekki jak piórko, poruszał się jak zawodowiec i zawodowo krążył wokół niej, wręcz lżejszej z zachwytu od piórka, najprzystojniejszy na wyspie satelita. W pewnym momencie tańczyli sami, otoczeni przez wianuszek roześmianych letników i z pewnością odpowiednio dotrzymywała mu kroku. Tym bardziej była zdziwiona, gdy chwilę później rzucił jej wesoło przy barze:

– Co jak co, ale tańczyć to ty nie umiesz!

Zbita z tropu chciała zaprotestować, przecież doskonale tańczy, za czasów Jarka chcieli z nią dansować wszyscy jego koledzy, nawet do szkoły muzycznej chodziła, chwalona za poczucie rytmu i... Nic nie powiedziała, wedle teorii strun był już zapewne poirytowany piątym dniem na wyspie niby-cywilizowanej, z coca-colą i McDonaldem, lecz oddalonej od jego cywilizacji. W sali z karaoke rozluźnił się, śpiewając, a właściwie melorecytując jeden ze swych ulubionych hitów z pociągającą nonszalancją. Ona znalazła w katalogu stary przebój Domenico Modugno *Ciao, ciao bambina*. Matka miała sto lat temu singiel z polską wersją Sławy Przybylskiej, puszczała go z adapteru, nomen omen Bambino, i gdy słuchały razem, zadzierzgała się między nimi rzadka nić porozumienia. Na ekranie wyświetlały się słowa włoskie, lecz zaśpiewała po polsku i zrobiła to celowo, i bynajmniej nie ze względu na wspomnienia z młodości. Chciała, musiała... Anglicy, Francuzi i grupa Skandynawek oszaleli z zachwytu.

– Śpiewasz jeszcze gorzej, niż tańczysz – orzekł kwaśno.

Według teorii strun, wiadomo, był poirytowany piątym dniem na niby-cywilizowanej... Tyle że tym razem ogólnie błędna teoria była w jeszcze większym błędzie. Doskonale wiedziała, że śpiewa nawet lepiej, niż tańczy, i że nie chodziło mu o to jak, tylko co.

❦

TAK BARDZO bał się tego słowa, jakby stosowane wciąż do niej *kochanie* pochodziło z zupełniej innej bajki, jakby rzeczownik nie miał nic wspólnego z czasownikiem. I wiele razy chciała je wypowiedzieć, nazwać, co czuje, nazwane bywa jeszcze piękniejsze, sprowokować, by też nazwał, odwzajemnił się jak na filmie, jak w życiu, ilekroć jednak pojawiała się ta o sekundę za długa chwila ciszy, ilekroć nieomal było już słychać, co za moment padnie z jej ust, uprzedzał ją:

– Tylko nie mów za dużo, dobrze? – ni to prosił, ni nakazywał.

Zachodziła w głowę, skąd w nim ów lęk, niemal paranoja. Może matka biła go, krzycząc: kocham cię? Może ojciec tak robił lub któraś z sióstr? Długo przecież nic nie wiedziała o jego rodzinie, poza tym, że z jakichś powodów się ich zaparł. Gdy znów nawiązał stosunki z matką i siostrami, okazało się, że oczywiście tak nie było, też wymyśliła... Nikt go nie bił, krzycząc: kocham cię. W y p o w i a d a ł t o! Wkrótce miały zacząć się prawdziwe tortury, bo dzwonił do nich przy niej lub one dzwoniły, a wówczas nieodmiennie krzyczał do słuchawki:

– Kocham cię, mamo!

– Kocham cię, Lojka!

– Kocham cię, Betka!

I coś przewracało się w jej żołądku, bo nigdy do niej, całkiem, jak jemu się coś przewracało, gdy na Korfu na karaoke zaśpiewała:

Ciao, ciao bambino
Ostatnie słowo zamiera w gardle jak bólu krzyk
Kocham cię, słyszysz? Tak jak nikogo
Nie kochał nigdy na świecie nikt![5]

❖

Matka i siostry pojawiły się na horyzoncie, gdy zdał polski z nieszczęsną gramatyką i postanowił się tym pochwalić. Zrobił to od razu, już owego sierpniowego dnia, jakby tylko na to czekał, by obwieścić sukces. Zadzwonił do matki przy niej, co uznała za wielki dowód zaufania. Zdenerwowany był okropnie, jedną ręką trzymał komórkę, drugą ściskał ją za kolano. Chciała, by co pewien czas, nie za często, ale by jednak popadał w trudne sytuacje, by ściskał ją za kolano, bo to jakby za serce ją ściskał. Mogła wtedy jeszcze więcej, zabić by kogoś mogła w obronie swego Adasia, zagryźć jak ta lwica. Nawet jego matkę, jeśli powiedziałaby coś, co by go zdołowało.

– Mamo? Zrobiłem maturę, wiesz? Zdałem! Nie stałem się jakimś menelem! Nie jestem już gorszy od Lojki i Betki! Sam to zrobiłem, nikt mi nie pomagał!

Kolano zaczęło ją dziwnie piec, no tak, ostatecznie sam, ale... Zresztą cóż innego miał powiedzieć matce po prawie roku nierozmawiania? Że spotkał pewną panią, mniej więcej w jej wieku, a może i starszą, która wynajęła mu korepetytora z tytułem profesorskim, bo zapatrzyła się w niego jak sroka w gnat?

– I tylko nie mów, że się martwiłaś, wysyłałem ci przecież co tydzień esemesa, że żyję – ciągnął na jednym oddechu.

Wysyłał esemesa, jednak wysyłał! Czy był to skutek długiego wieczoru, podczas którego klarowała mu, że matkę ma się tylko jedną, że na pewno się martwi, klarowała mu kabotyńsko i wbrew temu, co sama czuła, a raczej czego nie czuła, bo nigdy o Michałka nie była się w stanie martwić...

– Wyszło, jak wyszło, ale jest w porządku, mam maturę, mieszkanie, pracę i przyjaciół – mówił jak najęty, byle opóźnić chwilę, w której matka się odezwie.

Ostatnio doliczyła się, że to, co zarabia, a szklankuje przez wakacje trzy noce w tygodniu, akurat starcza na pokoik na Jelonkach. Pokoik, o którym zawsze mówi: jadę do mieszkania, jestem w mieszkaniu, wychodzę z mieszkania, nigdy do domu, z domu, w domu, i u niej też nie czuł się jak w domu, jakby wszędzie w gościach był... Przyjaciele? Znajomi, pojawiający się i przepadający gdzieś po kilku tygodniach, to i owszem, ale przyjaciele? Siebie nie brała pod uwagę, była przecież ponad, obok, czasem pod, o, jakże lubiła być pod, lecz na kompletnie osobnym miejscu.

– Cieszę się, synu. – Usłyszała wreszcie głos matki, owszem, oficjalny w tonie, lecz jaki miałby być w podobnej sytuacji?

A potem z głośnika wyleciał strumień powietrza, który mógłby chyba zmieść pół miasta, co tam pół, ulga tej kobiety, matki, mogłaby zmieść z powierzchni ziemi całą ziemię, byleby już nigdy jej nie zniknął.

– Mam nadzieję, że teraz przyjedziesz do domu i na spokojnie nam wszystko, Adasiu, opowiesz. Babcia codziennie się o ciebie pyta.

– Tylko babcia?

– Nie, nie tylko, kotuś.

Miała ładny, niski, uspokajający głos, z pewnością nie był to głos apodyktycznego potwora, jak o niej myślała, idiotycznie zakładając, że skoro od niej uciekł, musiała być potworem.

– To kiedy przyjedziesz, synku?

– Do Radomska? – niemal wyszeptał, jakby spytała, kiedy odwiedzi inferno.

Nie pojechał jeszcze długo, ale rozmawiali przez telefon, kilka razy widział się z siostrami, które wpadły do Warszawy na zakupy. Opowiedział jej wreszcie o ojcu, wiecznie podpitym faszyście, który z Radomska

zrobił im inferno, oraz o ukochanej babci, mieszkają-
cej pod miasteczkiem, robiącej fantastyczne gołąbki...
Tak, w Drugim Roku już nie miała go tylko dla siebie.
I on też już nie był jak ten, którego poznała. Nie musiała chuchać w zimną wyrwę po ucieczce ani leczyć wielkomiejskiego zagubienia, nie ośmielała onieśmieleń
i mniej zapewniała o tym, że doskonale ze wszystkim
sobie poradzi, choć zapewnienia wciąż jeszcze były mu
potrzebne. I zrobił się jeszcze przystojniejszy, zgęstnia-
ły zarost, choć golony, osiadł cieniem na policzkach,
rysy zaczęły się nieco wyostrzać, takiego kelnera nie
powstydziłby się hotel Bristol, a co dopiero niewielka
pizzeria, w której zadowolony teraz pracował. Jeśli czegoś nadal mocno pilnowała, to jego edukacji. Jak większość bystrzaków obdarzonych nadmiarem talentów,
nadal nie wiedział, co tak naprawdę chciałby w życiu
robić. Żeby nie tracił czasu, wysłała go na intensywny
kurs niemieckiego, którego uczył się już w szkole, z eg-
zaminem w maju.

– A potem zobaczymy – westchnęła, przyglądając
się ulotce z informacją o certyfikacie.

– A potem zobaczymy. – Spojrzał na nią z dwu-
znacznym uśmiechem.

– Co chcesz przez to powiedzieć?

– Że wszystko ma swój kres – oświadczył najspokojniej, głaszcząc ją po głowie.

– Bzdura. – Zacisnęła zęby, by opanować drgającą
brodę.

– Nie możesz tak się zachowywać...

Czasem bywał starszy od niej i właśnie teraz był. Jeśli szlachetnie przypominał jej o Nieuchronnym i Nieuniknionym w jakiejś metafizycznej ogólności, bo jeżeli chciał tylko sprawdzić reakcję na to, co sam zamierzał zgotować, gówniarzem był. Opanowała brodę. Tak czy inaczej, do maja było przecież wiele miesięcy. A potem zobaczymy. Czyli nic nie będziemy oglądać.

❧

TAK BARDZO obawiała się tych majów. Maja bała się majów, niemajowe maje wisiały nad Mają czterokrotnie niczym burzowe chmury u Turnera lub Ajwazowskiego. Nie, jednak inaczej, ciemne niebo na obrazach mistrzów jest groźne na poważnie, a perspektywa owych majów była zawsze groteskowa. Przecież mógł odejść w każdej chwili, nie tylko w maju. I zresztą odchodził, lecz raz jesienią, a raz wczesnym latem, więc w maju zawierali kolejną, ulotną umowę nie umowę, odnawiając niepisany kontrakt.

– Już maj – potrafił powiedzieć, jakby recytował najpiękniejszy wiersz, całując ją namiętnie, co oznaczało, że akurat tego roku maj nam niestraszny, bo on łaskawie nie ma wobec nich żadnych planów dewastacji.

– Już maj – potrafił powiedzieć twardo, jakby od dawna czekał, by w odpowiednim momencie, bez posądzenia o złośliwość i inną złą wolę, zerwać umowę, nie płacąc żadnej kary, bo przecież o nic nie miałaby prawa mieć pretensji. Kupiła mu wtedy konsolę do gry i ani się obejrzała, jak siedział przed ekranem, ścigając się, ale nie z ich wspólnym życiem, mordując, ale nie ją, wygrywając, ale nie z nią.

– Już maj – padło raz refleksyjnie i mimochodem, ponieważ o tamtym maju niemal zapomniał, akurat trochę chory, a gdy czuł się słabo, wielbił ją najmocniej.

Ucieszyła się wtedy, że nie szykuje jej nowej wojny, że nie będzie końskiego targu, że nie zdarzy się nic takiego, co by ją pogrążyło ostatecznie, a na co nie miała wpływu.

– Maj – mruknęła do siebie przed kilkoma miesiącami, wyrywając z jednodniowego kalendarza komplet trzydziestu jeden kartek, jedna po drugiej, żeby, skoro nie było czego negocjować i przedłużać, jak w science fiction zdarzył się od razu czerwiec.

Kalendarz stał w banku na jej biurku, niezbędny do zapisywania spotkań.

– Oszalałaś? – jęknęła Teresa, szybko zbierając karteczki, by nikt nie zauważył, że Danuta oszalała.

A przecież nie teraz oszalała, tylko wtedy, gdy przyzwoliła na majowe pertraktacje, na zaistnienie jednego, drugiego, trzeciego maja, idiotycznej cezury, kolejnego końca roku szkolnego bez pewności: dostanie promocję do następnej klasy, czy też nie dostanie, choć była najpilniejszą uczennicą. Gdy czekała, nawet jeśli na jej miejscu mogła być każda niebiedna, niebrzydka, niegłupia, najczulsza i ślepo oddana rycząca pięćdziesiątka.

Na jego miejscu mógł być tylko on.

Przez to, że pracował w pizzerii i uczył się niemieckiego, spotykali się rzadziej, bywało nawet, że raz w tygodniu. Dopiero wówczas, po roku, odczuła, że fala uderzeniowa meteorytu zmiotła z powierzchni jej życia przyjaciółki i znajomych. I nawet zdziwiła się, usłyszawszy Lenkę, zaskoczoną, że w ogóle do niej zadzwoniła, i przepraszającą, że nie ma obecnie dla niej czasu. Tak zwana Grupa, czyli ci, którzy pojechali do Afryki Południowej na safari, powitała ją chętniej. Cóż z tego, skoro gdy przestawali wspominać lwy i gazele, planowali kolejną eskapadę, do Peru.

— Tylko dziesięć tysięcy od głowy, trzy tygodnie — zachęcali ją do wyprawy.

Dziesięć tysięcy to pięć na kurs niemieckiego i drugie tyle na ich Paryż.

— Dlaczego chowasz się przed nami? — zagadnęła ją Nina w drodze do toalety. — A może... nie sama się chowasz, tylko z kimś? Może chowasz jeszcze kogoś, co? Bo przecież nie chodzi o pieniądze? Oczywiście mogłabym ci pożyczyć, ale przecież Jarek po rozwodzie wyposażył cię...

Owszem, wyposażył ją w luksusowy apartament, bo takie było jej marzenie i życzenie, zmienione w irracjonalną rzeczywistość, której skutki odczuła od razu. Zamknięte osiedle było zamknięte przed nią samą. Luksusowy był przecież także czynsz, zupełnie nie na jej kieszeń, a adres sprawiał, że wciąż była brana za kogoś, kim nie była: od nowobogackich sąsiadów po ochronę. Nawet Adam nie do końca jej wierzył, że wcale nie jest taka bogata, jakby na to wskazywał taras-ogród w kaskadzie. Żyła, żyli z jej urzędniczej, bankowej pensji, mniejszej, niż zdaje się komukolwiek, kto w banku nie pracował, i z topniejących oszczędności.

– Nie, nie chodzi o pieniądze, Peru jest dla mnie za wysoko, to niedobre dla sercowców – ucięła od razu, korzystając z pierwszego, banalnego wytłumaczenia, jakie każdemu przyszłoby do głowy.

– Masz kłopoty z sercem? – Nina przyjrzała się jej tyleż uważnie, co podejrzliwie. – A wyglądasz olśniewająco, jaką ty masz cerę! To lifting? Bo raczej nie botoks, rozpoznałabym królicze policzki po ciemku i na końcu świata!

– Nie robiłam liftingu…

– Krem? Masz jakiś fantastyczny krem? Ten ze złotymi płatkami? Czy to działa, czy jakiś pic?

Miała, oczywiście, że miała. Z fabryką tego kremu pojedzie do Paryża i tam, w przytulnym hoteliku na Montmartrze, będzie dostawać kolejne porcje, powoli rozsmarowywane jego długim, pięknym palcem na czole, pod oczami, za uszami, po policzkach, na wargach i języku aż po gardło, a co zostanie, wchłonie szyja, choć może od szyi należałoby zaczynać, bo starzeje się najszybciej. Miała, oczywiście, że miała, ten ze złotymi płatkami, ze złotymi lwami i gazelami, ze złotym miastem Inków, z całym złotem tego świata i nie był to żaden pic.

Myślała o tym przez cały lot do matki, do Barcelony, bo Adam ostatnio chorował na anginę i złotym kremem nie obdarowywał jej przez dwa tygodnie, myślała więc obsesyjnie jak heroinistka na głodzie, czyż zresztą nią nie była? Przez ponad rok nie odwiedziła matki, nie odbyła co najmniej trzech wizyt, nie chciała bez Adasia, z nim nie bardzo mogła, a pomysł, aby mieszkał potajemnie w hotelu, nie byłby najlepszy, bo matka bezwzględnie anektowała cały jej czas. Nie zastanawiała się specjalnie... specjalnie? Wcale się nie zastanawiała, dlaczego Cristina od dawna nie dopytuje się, kiedy wreszcie przyjedzie. Bez żadnej refleksji przyjęła też do wiadomości, że matka nie odwiedza ostatnio Polski, co zwykle czyniła wiosną i jesienią, bo jest zajęta. Czym niby taka zajęta? Żeby być ciekawa, sama musiałaby nie być zajęta.

Gdy w drzwiach stanęła połowa Cristiny, oniemiała. Cóż za sposób znalazła na wymarzone odchudzanie? W cieniu korytarza matka wyglądała tak, jak zawsze chciała, po prostu modelka.

– Mamo, nie przesadziłaś z tym odchu...

Cristina, zamiast po swojemu trajkotać na przywitanie, niczym jakaś obca matka wzięła ją w ramiona i trzymała dłużej niż zazwyczaj. A potem delikatnie odepchnęła ją od siebie i włączyła światło. Tylko cudem udało się jej nie krzyknąć, choć otwarcia ust nie powstrzymała.

– Jestem chora – orzekła spokojnie Cristina.

– Nic nie jesz? Popadłaś w anoreksję? Tak nie moż...

– Jestem bardzo chora – powiedziała, nie zmieniwszy tonu, i lekko, jak jakaś kosmiczna pianka, opadła na kanapę.

– Powinnaś... – zbierała myśli.

– Nic już nie powinnam – westchnęła. – Jestem chora śmiertelnie.

– No coś ty!

Cristina spojrzała na nią dwiema wyplutymi pesteczkami wiśni, które całkiem niedawno były wielkimi, mahoniowymi źrenicami.

– Wszystko ma swój kres...

– Zmówiliście się, czy co?! – wycharczała, wciąż stojąc w progu saloniku. – On też tak mówi...

I już chciała usiąść naprzeciw matki, a może nawet obok, tak, obok, na kanapie, ale nie mogła, nie była w stanie ani patrzeć na nią, ani usiąść, ani w ogóle tu być, ani tu, ani gdzie indziej, nie chciała być gdziekolwiek, gdzie mógłby ją dopaść ów spisek.

– Jaki on? – szepnęła pianka z kanapy. – Pan Bóg?

– Jaki Pan Bóg? – chciała spytać niewierzącą matkę, ale tylko obróciła się na pięcie i wybiegła.

Schody, brama, ulica do morza, plaża, po kilkunastu minutach była już na plaży. Z tej strony, od domu Cristiny, była zawsze niemal pusta, dopiero trochę dalej dochodziło się do kawałka piachu dla nudystów, za którym już panował snobistyczny sznyt plaży w centrum. Z reguły przyjemnie wlokła się przez prawie pusty brzeg, a potem przyspieszała, by nie oglądać ohydnych, starych matron i dziadów, nie wiedzieć czemu głównie wypełniających nudystyczny rewir zamiast młodych, apetycznych ciał. Tym razem, uciekając przed Spiskiem, niemal przebiegła pusty brzeg, zwalniając przy obrzydliwym cmentarzysku. Wszystko ma swój kres, spalone na wiór pochwy starych Niemek huczały jak wyrocznie po pustych pieczarach. Wszystko ma swój kres, skwierczały pomarszczone jądra, zeschnięte ziemniaki, zwisające wzdłuż czegoś, co kiedyś dawało życie.

– Nie wstydzicie się tak o tym krzyczeć? – rzuciła w powietrze, lecz nikt nie zwrócił na nią uwagi.

Wszystko ma swój kres, szeptał jej Adam od morza, a Cristina sekundowała od lądu. Matki już nic nie było w stanie uratować, ale ona, Danutamaja, mogła swój kres jeszcze przesunąć. Danucie nie groził, wyniki niedawno zrobionych badań były doskonałe, nawet menopauza jeszcze nie dawała znać o sobie, oczywiście, mogła za chwilę wpaść pod rozpędzony samochód, lecz Maja nie o przypadku rozmyślała, tylko o tym, co da się kontrolować, wyreżyserować, przeciągając w nieskończoność akt środkowy i skracając do minimum zakończenie dwuosobowej sztuki, które kiedyś, w odległej, niewidocznej przyszłości może i nadejdzie, i wtedy, tak, koniecznie, wtedy niech to będzie przypadek, rozpędzony samochód, najlepiej miażdżący ich oboje w tej samej sekundzie.

❦

TAK BARDZO pięknie miało być. Rozpędzony samochód, prowadzony przez nich, zaśmiewających się w pijanym widzie. Zamach terrorystyczny w galerii handlowej, w której akurat kupowaliby mu nowe buty. Nagłe zatonięcie wycieczkowego stateczku, płynącego po Sekwanie. Oberwanie się skały na Santorini razem z przylepionym do kamieni szklanym barem, z którego przy mrożonej kawie podziwiali akurat bajkową panoramę. Zarwanie się mola w Sopocie, i to tak wyjątkowe, że zginęliby tylko oni oboje, stojący właśnie na dolnym pomoście i przygnieceni deskami z górnego. Albo inne romantyczne przygniecenie: wtedy, gdy po pogrzebie Cristiny poszli na spacer wokół Sagrada Familia. Nagle rozpadało się i wiał wiatr. Czyż nie mogła na nich spaść jakaś deska lub rzeźba z cudownej katedry, ni to w budowie, ni w remoncie, wciąż oblepionej rusztowaniami?

A nie schody do metra przy placu Bankowym i ani Grande, ani Valse, ani Brillante[6], żadnej wspólnej katastrofy, tylko parę słów za dużo i – *jedno w tę, drugie w tę, pół na pół.*

❧

Cristina nie życzyła sobie, by została z nią na dłużej. Umiar i odpowiedzialność, czyż nie tego uczyła ją przez całe życie? Umieranie na raka posuwało się jednak bez umiaru, pozostała odpowiedzialność. Odpowiedzialnie przygotowała więc własne spopielenie, pogrzeb i pozostanie po wsze czasy w ukochanej Barcelonie. Wręczyła jej granatową teczkę ze wszystkim, co potrzebne, po czym odpowiedzialnie kazała wracać do Warszawy, jak było zaplanowane, za cztery dni, do pracy, do domu…

– I nie wiem jeszcze, do kogo i do czego – westchnęła, spoglądając na nią z ukosa.

A potem było jak zwykle, jakby nie umierała. Nadal miała jej za złe, że dopuściła do rozpadu swej rodziny, całkiem jakby to ona pchnęła Jarka w objęcia nowej sekretarki, która wkrótce powiła dwie sekretareczki. Cristina wracała do tego, pytała, czy coś wie o byłym mężu i jak mu się powodzi, wspominała ich ślub, wesele, pierwsze mieszkanie, czasy, gdy jeszcze nie robił wielkich interesów. Do momentu gdy na świecie pojawił się Michałek, matka miała jej przyzwolenie na wszelkie, nawet mijające się z prawdą retrospekcje, bo czy faktycznie były to szczęśliwe czasy? Bez wojny i głodu, ba, wręcz z nadmiarem spokoju i dobrego jedzenia, którego ona, córka odpowiedzialnej matki, kupowała nieodpowiedzialnie za dużo i wyrzucała.

Owszem, wtedy było miło, lecz szczęśliwe czasy, teraz wiedziała to doskonale, nie są miłe. Są niespokojne, czekają na telefony, choć dopiero co dzwonił, odpowiadają na esemesa, gdy trzeba pilnować kierownicy, udają, że czegoś nie widzą, mimo że trudno nie zauważyć, dreptczą w miejscu z poczuciem, że idą, w szczęśliwych czasach nie zaznasz ukojenia, bo gdy już staje się twoim udziałem, myślisz, jak je przedłużyć, a po przedłużeniu powtórzyć, szczęśliwe czasy nie są dla szczęśliwych ludzi, nie mają nic wspólnego ze słodkim lenistwem ani pewnością, że skoro jest dobrze, dlaczego niby tak dalej miałoby nie być, pracą są nieustanną nad chwytaniem chwil, jak łapie się kolibry do zaobrączkowania: był w twojej dłoni albo ci się tylko wydawało, a jednak coś cię musnęło, jesteś przekonana, że musnęło! Szczęśliwe czasy jedną wielką niepewnością, rozedrganiem są.

– Właściwie wszystko, co tu jest, będzie należeć do ciebie, choć się specjalnie nie obłowisz, po co ci pudełko moich plastikowych klipsów? Wystarczająco już się z nich naśmiałaś... – Cristina wyjęła z pudełka dwa największe plastikowe kwiaty rumianku i wcisnęła na uszy. – Tylko polisa jest dla Michałka, to w końcu mój wnuk, jakbyś zapomniała.

– Oj, mamo, nie zapomniałam! – W teatralnym geście rozłożyła ręce, w prawej dłoni trzymając komórkę, którą co chwila wyjmowała z kieszeni od wylotu z Warszawy, bo może on, on, on czegoś będzie potrzebował, choć gdyby potrzebował, usłyszałaby dzwonek, ale on, on, on sam był teraz tą komórką, więc musiała jej ciągle dotykać.

Komórka milczała, twarz matki w gigantycznych rumiankach wyglądała jak rolka rozmokłego papieru toaletowego, wrzucona na absurdalnie ukwieconą łąkę w familijnym filmie.

– Dzieci się nie wybiera! – W obliczu końca Cristina raz jeszcze wygłosiła zdanie, które z jej ust padło sto razy, nim jej zabroniła je wypowiadać pod groźbą niezobaczenia się więcej i w ogóle zerwania kontaktów.

Spryciara z tej matki, teraz mogła z nią sobie zrywać.

– Ja też cię nie wybiera...

Znała tę puentę, znała tę mantrę. Dzieci się nie wybiera, ja też cię nie wybierałam. Ale przede wszystkim nie była w stanie patrzeć na siedzącą przed nią śmierć przyozdobioną rumiankami, więc ręką bez komórki zerwała z jej ucha lewy klips, a potem prawy.

– No co? Zostaw! – złościła się śmierć. – Twój ojciec mi je podarował, na trzydzieste piąte urodziny! Wtedy go kochałam...

O, teraz nie było jak zwykle, nie było, jakby nie umierała. Przecież o ojcu nie wspominała słowem od lat, od chwili gdy odszedł do młodszej.

– Co to dla ciebie znaczyło, że kochałaś?

Przypięła jej jeden klips. Na zgodę i na zachętę do mówienia. Jeśli coś ją w matce jeszcze interesowało, to właśnie to.

– Spójrz, wreszcie jakieś chmurki naszły, chodźmy nad morze, tak ładnie – zaproponowała, jakby nie padło żadne pytanie.

– Masz... siłę?

– Nie, ale... – Wskazała stojącą w rogu laskę.

Wszystko ma swój kres. Jeszcze niedawno oklaskiwała ją tańczącą w konkursie flamenco! Nad morze, zamiast kwadransa, szły trzy kwadranse. Cristina, w kolorowej sukni na ramiączkach, z laską w lewej ręce i plastikowym rumiankiem w prawym uchu, spocona do nieprzytomności, tylko czekać, aż kruczoczarna farba, która zrobiła z niej starą Hiszpankę, spłynie jej po plecach, nie chciała odpoczywać, szła bez słowa, nie zatrzymała się nawet przy wejściu na piasek, brnąc przez pustą plażę aż nad sam brzeg.

– Przyniosę ci. – Wskazała matce stojące nieopodal białe krzesełko.

– Nie chcę. Na ziemi chcę. – Otarła z czoła pot. – Jeszcze tu jestem.

I klapnęła w piach, nieodpowiedzialnie, bo mogła się połamać, kruchutka jak barquillos, jej ulubiony tutejszy przysmak, delikatne rurki, obtoczone w cukrze. Obie klapnęły, klap, klap. I klips nagle klapnął, zsunięty z ucha swojski rumianek na egzotycznym piasku. Obracała go w dłoniach dłuższą chwilę.

– To dla mnie znaczyło… To, co dla nas wszystkich. Być nim. Siedzieć mu w kieszeni, napawać się jego zapachem. Tkwić zawinięta w chusteczkę do nosa lub pod folią pudełka papierosów albo w portfelu, w czymś, co wyjmowałby często, by o mnie pamiętać, gdy w ferworze spraw zapomni, i bym przez chwilę mogła go widzieć, podpowiadając, że się rozczochrał i powinien przynajmniej przejechać dłonią po włosach, albo pytając, czy musi być akurat taki naburmuszony, daj spokój, nie przejmuj się niczym, szeptałabym, gdy zobaczymy się naprawdę, gdy znów stanę przed tobą powiększona do ludzkich rozmiarów, niechowająca się już w chusteczce, papierosach lub portfelu, wynagrodzę ci wszystko, co cię naburmuszyło, to życie ci wynagrodzę, które na co dzień nie zawsze da się polubić…

Fale szczerzyły do nich zęby w ironicznym komentarzu, a ona nie wiedziała, co powiedzieć. Po raz pierwszy Cristina mówiła jej głosem, po raz pierwszy zgadzała się z matką, z którą nigdy się nie zgadzała. Nie to jedzenie, nie te ubrania, nie te koleżanki, nie ta fantazja, nie ten kierunek studiów, ten mąż, choć jej zdaniem właśnie nie ten, to mieszkanie, to łóżko, chociaż nie to... Przypięła jej do ucha odłożony w piachu klips. Ozdobiła za proste słowa, które wreszcie były jej słowami, za porównanie do siedzenia w kieszeni, jak infantylne by nie było, tak, tak, ona też chciała mu siedzieć w kieszeni, papierosy wyciągał często, może nawet za często, za dużo pali, jak ojciec. Spojrzała w komórkę. Za mało pisze, w ogóle nie pisze, poza dzień dobry rano i dobranoc wieczorem, wpisanych do nienaruszalnych zwyczajów od ponad półtora roku. Ojciec nie mógł do matki pisać, nie było komórek, zresztą po co, skoro widzieli się każdego ranka i wieczora.

Cristina leżała na piasku, jakby już nie żyła.

– Jak długo go tak... kochałaś?

– Trzy? Może cztery lata? – Słaby głos nie unosił się, wyfruwał w poziomie ku falom. – Potem to już była tylko odpowiedzialność. Za niego, za ciebie, za was oboje, przemieszaliście mi się, złączyliście w obowiązek, dzieci dobrze robią miłości, gdy się je poczyna, gdy się rodzą, i jeszcze przez kilka miesięcy, ale potem niszczą ją, zamieniają w rutynę i powinność...

Nie chciała rozmawiać z matką o dzieciach. Nigdy nie miała dziecka z miłości i już nie będzie miała. Nie będzie miała dziecka z dzieckiem, jej miłość wieczna będzie, wieczna! Lecz szybko sobie coś policzyła i całe tłumaczenie matki wzięło w łeb.

– Dlaczego kochałaś go tylko trzy lub cztery lata? Urodziłam się przecież po sześciu!

– Ha – zacharczało w poziomie, wprost do fal. – To i tak bardzo długo... Czytałam gdzieś, że stan zakochania trwa od roku do czterech lat, więc wykorzystałam cały. – Uśmiechnęła się na tę myśl, czy tylko skrzywiła do słońca lub z obolałości ciała?

– Mamo, a on? A ojciec? – Aż przekręciła się ku niej, plecami do fal i do światła, aż zrobiło jej się zimno, bo uświadomiła sobie, że przecież mowa tylko o uczuciu matki!

– Cóż, kochał mnie krócej, bo ja wiem? Lecz na pewno przez ten minimalny rok czy półtora. Tak, tyle na pewno mnie kochał... – Teraz Cristina uśmiechnęła się naprawdę.

Półtora roku. Mniej więcej tyle już była z Adamem. Tylko że... Wracały z plaży bez słowa. Wprost od drzwi matka dokuśtykała do meblościanki, w której stała stara grająca wieża, zwieńczona bambinopodobnym gramofonem. Doskonale wiedziała, z której strony półki stoi wybrana płyta. Jak w spowolnionym transie wyjęła longplay i położyła na talerzu czarny krążek, delikatnie opuściła ramię z igłą i siadła w swoim fotelu tuż obok, spoglądając w okno.

Nasza miłość była prosta
Tym prawdziwsza, że banalna

„Kochasz", „kocham", „zawsze", „nigdy"
Nie baliśmy się tych słów[7]

Stała w progu, patrząc na wzruszoną matkę, która się przecież nie wzruszała. Stała, słuchając, czego nie chciała słyszeć. *Nie baliśmy się tych słów...* Cholerna, piękna i anachroniczna Irena Santor nie opowiadała jej historii. I była wdzięczna losowi, że przerwał ów moment pukaniem do drzwi. Tak zwani Sąsiedzi, para polsko-hiszpańska, wyjątkowe słoneczka w mieście i tak pełnym słońca, jak żartowała matka, teraz byli przydatni wyjątkowo. Weseli i zawsze gotowi nieść pomoc, stanowili dla Cristiny niezastąpione oparcie.

– Witaj, królowo flamenco! – zakrzyknął Zigi, czyli Zygmunt. – Córeczka przyjechała, a ty co? Chleb ci upiekłem, prawdziwy, na zakwasie, jak lubisz! Musisz zdrowieć, żeby znów pojechać z nami na Majorkę!

Matka wyciszyła płytę. Uwielbiała go jak syna, którym zresztą wiekowo mógłby być.

– Dżeńdobry – przywitał się szarmancko Javi, czyli Javier, partner Zygmunta, niemówiący po polsku jej drugi syn.

– Zigi, ile wy jesteście razem?

Spojrzał na nią, jednocześnie zamaszystym gestem poprawiając matce fryzurę.

– Sześć lat! – oznajmił natychmiast. – Sześć lat się kochamy – doprecyzował, jakby wyczuł jej intencje, których przecież wyczuć nie mógł.

– To musicie uważać – wyrwało się jej najpoważniej, choć zabrzmiało jak okazjonalna paplanina.

Matka pokiwała głową. Javi nic nie rozumiał. Zigi demonstracyjnie przyciągnął go do siebie i pocałował w usta, wciąż gmerając Cristinie we włosach.

– Nic złego nam się nie wydarzy, nie ma takiej możliwości! – Uśmiechnął się szeroko.

Zdumiona, pomyślała nawet, że może gejów to nie dotyczy, wbrew rozpowszechnionemu przekonaniu, że skaczą z kwiatka na kwiatek. Tyle że nie ma żadnych reguł. Mogła jedynie przyjąć, że Zigi i Javi po prostu kochali się od sześciu lat i koniec, wygrali i koniec, wygrali milion w lotto, kropka.

❧

TAK BARDZO manipulować, pogłaśniać i wyciszać, przyciemniać i rozjaśniać, tak kręcić potencjometrem wzruszeń, tak przesuwać żaluzje świadomości, by nie poczuć się źle. Tylko jak rozdzielić, co jednocześnie głośne i ciche albo ciemno-jasne, jeśli życie najczęściej jednocześnie jest? Tak manipulować pamięcią, by nie poczuć się źle i żeby jednak niezbyt oddalać się od prawdy, bo cóż to za satysfakcja, skoro jednak nie było, jak sobie zrekonstruowałaś, i wiesz, że tak nie było, i czepiasz się teraz okruchów drogocennej porcelany, choć wtedy były kruszynami chleba? Albo na odwrót, bo chcesz wszystko przekreślić, jakbyś to wówczas nie była ty, lub przeciwnie, ustawić się z nim na cokole, spod którego nigdy się nie ruszysz, odprawiając w kółko uroczystości żałobne. Za nas, za was, za nich.

Piękna i bestia, piękny i bestia, piękna i piękny, bestia i bestia. A jeśli półpiękna i półbestia? Półpiękny i półbestia? Półpiękny i półpiękna? Półbestia i półbestia? Życie najczęściej jednocześnie jest.

Najszlachetniej obiecałaś sobie, że zapomnisz, co złe, i zapamiętasz, co dobre. Kto wie, może i uda ci się wywiązać z obietnicy? Lecz to nie recepta na teraz. W wiele miesięcy od rozstania wciąż jesteś jak zwierzę, a co najwyżej człowiek pierwotny, musisz zabić, by nie zginąć. Reanimacja może nastąpić potem, w które nadal trudno ci uwierzyć. Potem, czyli kiedy? Gorące, szczere pragnienie, by nigdy mu się nie powiodło, jest już półzabiciem. Dziś po południu, gdy bohatersko wyrzucałaś zeschnięte, wyblakłe kwiaty od niego, skrupulatnie poodcinane od łodyg i poutykane wszędzie, wszędzie, w nieużywanych szkłach w kredensie i zapasach pościeli w bieliźniarce, w kieszeniach nienoszonych spódnic i żakietów, i między kompaktami na półce, dziś znów skutecznie ćwierćzabijałaś.

❧

Najpierw dostrzegła różę, a dopiero po sekundzie jego samego w hali przylotów, w pierwszym rzędzie oczekujących. Może i nie mówił, że ją kocha, ale przyszedł, zamienił się dyżurami w pizzerii, przejechał pół miasta na lotnisko, przyniósł czerwoną różę, nawet każdy głupi i nieromantyczny wie, co znaczy czerwona róża! A jaki przystojny był, dałaby głowę, że przystojniejszy niż cztery dni temu, gdy wyjeżdżała.

– Dziękuję ci, że przyszedłeś...

– Nie ma sprawy, w końcu jesteśmy partnerami. – Otworzył samochód, którym wciąż nie jeździł, bo nadal nie poszedł na kurs prawa jazdy.

Westchnęła. Jeżeli kimś dla siebie nie byli, to partnerami. Pewnego razu, gdy miała migrenę i odwołała zakupy nowych butów, więc obrażony wyłączył komórkę na pół dnia, sprawdziła nawet owo partnerstwo w Wikipedii.

Partnerstwo: *współpraca, wzajemność, zaufanie, pomoc*. W tym meczu wyszło jej cztery do zera. Tak, była wykołowana czterokrotnie. I czterokrotnie mocniej go kochała niż matkę, ojca, męża, nie mówiąc o synu, czterokrotnie mocniej niż samą siebie. W tym pojedynku była kompletnie nieważna, chyba że akurat jemu potrzebna. Dlatego wstydziła się za tę migrenę i przepraszała go. Jeszcze moment, a przeprosiłaby za to coś idiotycznego, co tamtego dnia miało czelność przyjść do jej durnej głowy: że może zamiast wyłączać komórkę na pół dnia, powinien był spytać, czy nie potrzeba jej jakichś tabletek, nie mówiąc o potrzymaniu za rękę. Łaskawie przyjął przeprosiny, mruknął coś nawet, że faktycznie, to nie jej wina i przesadził z reakcją. Poruszona skruchą, odpowiedziała, że doskonale rozumie jego wzburzenie, w końcu byli umówieni na zakupy, o tak, zawsze starała się rozumieć jego wzburzenie, powoli pogrążając się w odmętach przyzwolenia na takie jej traktowanie.

W Wikipedii nie było hasła „partnerstwo jednostronne", choć proste do zredagowania: on mógł na nią liczyć zawsze, a ona na niego, gdy akurat miał dobry nastrój. Z uporem godnym lepszej sprawy tłumaczyła to jego młodością. Był jeszcze taki nieodporny! Trudno się dziwić, że nie obchodziło go, iż w jej banku będzie redukcja etatów i może stracić pracę, skoro koleżanka z pizzerii nie podzieliła się z nim napiwkami. I czy mogła mieć mu za złe, że niezbyt obchodzi go nowa, absurdalnie zawyżona cena za przegląd techniczny volvo, jeśli rano nie mógł znaleźć wymaganych czarnych skarpet i poszedł do pracy w zielonych?

Tymczasem byli już pod domem. Budka ochroniarzy, dzień dobry, pani Keller, powolna jazda przez osiedle alejką jak w niewidzialnym kondukcie, garaż, w którym się o niego ocierała, winda z garażu, w której go cmoknęła w ucho, korytarz, gdzie złapała go za pośladki, światełko w przedpokoju... Jedynym, na co miała ochotę po oswajaniu śmierci w Barcelonie, był seks. Natychmiastowy, długi, wyuzdany, pozwalający zapomnieć.

– Nie mam zbyt dziś ochoty. – Rzucił się na sofę jak kowboj, nie ściągając butów.

Miał prawo nie mieć, do wszystkiego miał prawo, tym bardziej miał prawo do każdej odmowy, im bardziej ona go nie miała. I miał też obowiązek. Jeden jedyny: żeby po prostu być. I spełnił go także i tym razem. Był, leżał, nie odwrócił się do ściany. Siadła na brzegu sofki i wzięła go za rękę.

– Wiesz, że powiedziałam jej o nas?

Kłamstwo zadziałało.

– Tak? Serio? I co? – Nawet na chwilę odłożył komórkę.

– Powiedziała, że skoro nam razem dobrze…

– Zaakceptowała nas? Naprawdę? Twoja matka?

– A nie jest nam dobrze?

– Spoko. – Rozsunął uda i zamek u spodni. – Bierz się za kutasa…

Czyż nie na to czekała? Czyż nie pragnęła usłyszeć magicznego „sezamie, otwórz się", rzuconego od niechcenia przez jej Ali Babę w zawsze tej samej, wulgarnie podniecającej formie? Zsunęła się z sofki na dywan. Upokorzone usta natychmiast napompowały krwią kawał mięcha, dowartościowany jak jego posiadacz, bo skoro zaakceptowała go jej wszechwładna, nadkrytyczna matka, nie jest jakimś kaprysem, milutkim bibelotem i nikt go już nie weźmie za chłopca udającego mężczyznę. Podniosła się z klęczek i jednym ruchem ściągnęła majtki, a drugim dosiadła go, nie bacząc na obcierające skórę jego spodnie. Dwa ruchy, a potem jeszcze dwa, i jeszcze dwa, i jeszcze dwa, rytmicznie przemierzała prerię niczym Jane Fonda w prastarym westernie, byle dalej od Barcelony. Tylko z nim mogła zapomnieć. Nawet jeśli jak zwykle nie wiedziała, z czego się właśnie roześmiał, obcierając jej skórę dżinsami i oglądając memy w komórce.

Tym seksem uratował ją miesiąc później, gdy Cristina umarła. Co za przypadek, właśnie tego dnia leciała do niej z wizytą, matka była już bardzo słaba, zadzwoniła do niej po przylocie, że będzie za godzinę, zaraz złapie taksówkę. *Tylko nie siadaj z przodu, jeżdżą jak wariaci*, poprosiła ją i były to ostatnie słowa matki. Kiedy weszła do mieszkania, miała własne klucze, drobne ciałko królowej flamenco zwisało z fotela, a na talerzu gramofonu kręciła się płyta Ireny Santor. Adam, na jej prośbę, wylądował już nazajutrz, dobrze, że miał jedną z jej bankomatowych kart. Więc znów lotnisko, tylko że teraz to ona czekała na niego. I znów: dziękuję ci. I znów: nie ma sprawy, w końcu jesteśmy partnerami... Tak, przy wyjazdach i przyjazdach faktycznie nimi byli. W domu Cristiny, gdy usiadł w fotelu, niemal od razu kucnęła między jego nogami.

– Daj spokój, umarła twoja mama!

– To nie ma nic do rzeczy – mruknęła, rozpinając rozporek i otwierając usta.

Miało. Leciała do niej i z myśli o tym, co chciałaby jej rzec na ostateczne pożegnanie, pozostała tylko jedna: powiedzieć jej o Adasiu, o chłopaku młodszym ze sto lat, z którym jest szczęśliwa jak nigdy dotąd. I teraz, gdy dosiadała go w fotelu, na którym Cristina umarła, było tak, jakby jej o tym powiedziała. *Tylko nie siadaj z przodu, jeżdżą jak wariaci...* Właśnie z przodu, choć to ona, nie kierowca, pruła jak wariatka.

TAK BARDZO ją wzięło. Jak wariatkę, jak wariatkę. Dopadło nagle, w banku, w samo południe, gdy za ladą usiadł przystojny trzydziestolatek. Pożądała, jakby nigdy nie miała mężczyzny. Dlaczego teraz? Czyżby coś pękło w niej po wyrzuceniu wszystkich zeschłych kwiatów, jakie dostała od niego? Czy to one zatruwały ją od miesięcy, utrzymując w powietrzu stęchło-świeżą nieobecność? Nie znalazła lepszego wyjaśnienia od melodramatycznych bredni. I czy chodziło o tego konkretnego przystojniaka? Nie był podobny. A może właśnie z tego powodu... Codziennie w pracy siadał przed nią jakiś atrakcyjny mężczyzna. Wielu ich jest, skonstatowała już w samochodzie, jadąc do fryzjera. Tak, wielu jest atrakcyjnych mężczyzn, szepnęła do lustra w salonie, zaskoczona wnioskiem i tym, że mówiła do lustra.

– Słucham? Zmieniamy coś? – Fryzjerka się uśmiecha.

– Nie, nic... Nie zmieniamy nic – odpowiada uprzejmie, nieprzekonana, bo może by coś... – Nie, nie zmieniamy nic – powtarza.

Przygląda się swemu odbiciu z odwagą, jakiej nie miała od rozstania. Oczywiście, jest pewna, że gdyby jej nie porzucił, nie powstałyby te dwa wgłębienia, doskonale widoczne w ostrym świetle, i trzecie, w poprzek szyi, jakby ktoś próbował jej ściąć głowę, i zresztą czy nie ściął? A przynajmniej nie powstałyby tak szybko. I jest pewna, że gdyby nie bankowy wymóg wciąż eleganckiej fryzury, miałaby teraz na głowie nie wiadomo co, jakiś chocholi taniec, bo czym są włosy wobec tego, co wtedy, w styczniu, spotkało ją przy schodach do metra na placu Bankowym, gdy jej ścięta głowa potoczyła się przez tunel? I jeszcze czegoś jest pewna. Nie chce, nie życzy sobie teraz wiedzieć, że gdy wróci do domu... Celowo opóźnia powrót. Snuje się jeszcze po mieście, zapominając, że akurat tędy nie powinna chodzić, zbędne perfumy, których zapach wcale jej się nie podoba, dziewiąte szpilki w kolorze niepasującym do żadnego z ubrań, byleby jak najpóźniej wrócić do domu, byle się umęczyć, byle nie przechodzić w tych dziewiątych szpilkach przez dziewiąte wrota...

Rzuca zakupy i torebkę w przedpokoju. Przechodzi jej przez myśl, że najpierw powinna umyć ręce, tyle się pisze o różnych grzybicach, szkoła odpowiedzialności matki, oczywiście. I nieoczywiście, nie skręca do łazienki, siada na sofce i wkłada rękę pod spódnicę, nawet jej nie rozpinając. Jest już w miejscu, o którym od kilku godzin nie życzy sobie pamiętać. Wilgoć, jaka miła wilgoć. Jęczy z rozkoszy i patrzy na wielki ekran stacjonarnego komputera, z którego kusząco mruga do niej ledowe oko kontrolki.

Kontrolka, kontrola, samokontrola.

Nie, nie jest na to gotowa. Nawet, by tylko pooglądać, kto siedzi przed internetowymi kamerkami. Ręka to już bardzo dużo, chociaż to nie jej ręka, a jego.

Wciąż nadal jego piękna ręka. I głos jego, pięknie tnący jej wątrobę, gdy spytał kiedyś, jakby chodziło o niedzielny obiad:

– Co zrobisz, gdy mnie już nie będzie? Wrócisz na czat erotyczny?

❦

Trzy wspólne barcelońskie dni dziwnie nie udały się, jak pobyt na Korfu. Znów jakby mieli dla siebie za dużo czasu, jakby wypracowany model – dzień dobry i dobranoc, ja sobie, ty sobie, co kilka godzin objawiamy się esemesem, widzieliśmy się wczoraj, więc zobaczymy się jutro – był jedynym możliwym, by utrzymać status quo. Jakby wszystko ponad i poza, co przydaje barw byciu razem, w ich Razem działało odwrotnie, odbarwiając rzeczywistość. Kilka wspólnych godzin i tej wspólnoty miał dość, robił się marudny, milkliwy i burkliwy, bez względu na to, czy oglądali obrazy w muzeum Miró, czy wystawy z turystycznym tandeciarstwem, niewymagającym specjalnej uwagi. Dlatego na całe popołudnie zostawiła go samego, by dopełnić pogrzebowych formalności. Nie śmiała proponować, żeby jej towarzyszył, choć z pewnością byłoby raźniej, ale przecież nie znał wspaniałego miasta, tętniącego życiem, jakie lubił. Ucieszył się więc i poszedł w kolorowy tłum, nie spytawszy, czy sama sobie poradzi. Zresztą czy kiedyś sobie nie poradziła? Skąd miał mieć opiekuńcze odruchy, skoro ich odeń nie wymagała? Uczyła go, że może na niej polegać, jednostronnego partnerstwa nie wziął sobie z powietrza. Wrócił zadowolony.

– Oglądały się za mną babki i faceci. – Chichotał.

– Nic dziwnego, jesteś blondynem o niebieskich oczach, a tu takich jak na lekarstwo. – Rozłożyła ręce.

W Warszawie też się za nim oglądali, łowiła łowiące spojrzenia. Nigdy wcześniej ich nie zauważał. Ucieszyła się. Chciała, by rósł w siłę, by czerpał energię z tego, że się podoba, że ma jakiś nieuchwytny wdzięk, że wygrał w życiu coś dostępnego wąskiej grupie ludzi na z założenia niesprawiedliwym świecie. Ale był i rewers tego daru: mało to atrakcyjnych ślicznotków skończyło na przysłowiowym dnie, ślizgając się po łatwości, z jaką otwierały się przed nimi kolejne drzwi niemal bez dotykania klamki? Nie miał zadatków na kabotyna, podobało się jej, że niechętnie brał od niej pieniądze, za każdym razem wspominając, że gdyby w pizzerii płacili lepiej, nie musiałaby go wspierać. Nie sączył piwka w biały dzień i żenowały go opowieści znajomych, pełne przechwałek, jacy to są świetni po wciągnięciu białej kreski. Pilnie uczył się niemieckiego, chciał studiować, choć nadal nie wiadomo co. A jednak pracowała, bezustannie nad nim pracowała, choć powinna była także pracować nad sobą. Czyż jednocześnie nie zmartwiła się, że wreszcie zauważył, jak się podoba, ponieważ w ten sposób uchylała się jakaś przerażająca furtka, przez którą pewnego dnia mógł się jej bezszelestnie wymknąć, bez dotykania klamki?

Na razie wymykał się na... drugą stronę ulicy. W Barcelonie zrobił to po raz pierwszy. Wybrali się szlakiem Gaudiego, podziwiając słynne kamienice, katalońskie matrony odziane w zbyt dużo krzykliwych, wzorzystych fatałaszków, a potem skierowali się, jakżeby inaczej, ku Sagrada Familia. Jak zawsze pełna podziwu i niesmaku dla imponującego bezguścia tego dinozaura o wielu za długich szyjach na pokracznym, poskręcanym cielsku, przyglądała się katedrze już z daleka i nawet nie zauważyła, że go obok nie ma. Szedł po przeciwnej stronie jezdni, i żeby chociaż w słuchawkach na uszach, żeby przynajmniej zapadł się w muzykę, ale nie, po prostu sobie szedł, jakby sam szedł, jakby sam był, jakby nikt nie był mu potrzebny, jakby ona nie była mu... Dostrzegł, że go dostrzegła, więc pomachała mu idiotycznie, jak gdyby się zgubił, tu jestem, tu, choć wcale się nie zgubił. Przeszedł na drugą stronę ulicy, na drugą stronę rzeczywistości, do której nie miała dostępu. I głupio wydawało się jej, że może mieć, wystarczy, że teraz ona przejdzie wąską jezdnię i dołączy doń, a scalą się w wyczekiwaną jedność. I zrobiła to.

– Coś się stało?

Spojrzał na nią bez sympatii.

– Co się miało stać? Idę, przecież idę.

– Podoba ci się? – ćwierkała jak pensjonarka, próbując zaćwierkać, czego nie rozumiała.

– Podoba, nie podoba, idę z tobą, tyle że kawałek dalej.

Gdyby się uśmiechnął, wzięłaby to za jeszcze jeden jego absurdalny dowcip. Lecz nie zamierzał się uśmiechać. Godzinę w milczeniu obchodzili katedrę, nie dość, że upstrzoną przez Gaudiego, to jeszcze przez tabuny małych, skośnookich ludzików z aparatami, biegających w kółko bez celu i idealnie pasujących do koszmarnego snu, w jakim wylądowała. Bała się spytać, o co w tym śnie chodzi, choć jego autor szedł obok, szedł z nią, tyle że kawałek dalej. Tego samego wieczoru, podczas kolacji u Sąsiadów, obejmował ją czule, głaskał po rękach i całował po ojcowsku w czółko. Nawet jeśli była to pokazówka przed parą sympatycznych gejów, by sobie nie myśleli, że jest jednym z nich, rozpływała się w jego objęciach jak ośmiorniczki w jej ustach, po mistrzowsku przygotowane przez Javiego. Nie miała zbyt wielu okazji, by doświadczać publicznej adoracji. Kilka razy, gdy kolacja już, już miała się ku końcowi, poprosiła o dolewkę wina, delektując się sytuacją i rozpierając się w jego ramionach, jakby dało się to uczynić na zapas.

Nazajutrz był pogrzeb, krótka ceremonia wmurowania prochów w anonimową ścianę, jak chciała Cristina. Życzenie matki zostało więc spełnione, ale nie do końca. Wśród kilkunastu osób wydzwonionych z listy zaproszonych, pedantycznie przygotowanej przez zmarłą, były jakieś Polki, trenerka fitness i właścicielka butiku, upierścieniona Rosjanka, z którą ponoć przesiadywała na plaży, malownicze grono podstarzałych, falbaniastych koleżanek i dwóch kolegów z klubu flamenco dla seniorów oraz oczywiście Sąsiedzi. Rodziny, poza córką i wnukiem, już nie miała. Tyle że Michałek jej nie żegnał, bo na razie nic jeszcze o śmierci babki nie wiedział. Przyglądała się górującemu nad nimi, jasnemu ciału Adama i wdzięczna, że przez dwadzieścia minut nie wyjął komórki, nie miała nawet cienia wątpliwości, że dobrze zrobiła, podmieniając jednego żałobnika. Adam przecież wciąż myślał, że jej syn dawno nie żyje, że zginął w wypadku, więc jak mieliby się spotkać? Tak, dobrze zrobiła, w imię Adasia sprzeniewierzając się woli matki. W imię Adasia. Amen.

Stypy nie przewidziała, trzeba go było odwieźć na lotnisko, bo musiał wracać do pracy. Oczywiście na El Prat dotarłby sam, to ona po prostu musiała go odprowadzić. Zostawała jeszcze w Barcelonie, by uporządkować mieszkanie po matce i oddać klucze właścicielowi, i nie mogła pozwolić, by wisiał nad nią choćby cień cienia osobnego spaceru wokół Sagrada Familia, burkliwego milczenia w muzeum Miró i za szybkiego przejścia wzdłuż obrazów Picassa w drugim muzeum, jakby chciał, by nie oglądali ich razem. Tuż przed bramką dla odlatujących wręczyła mu więc pięćset euro z banknotów znalezionych u Cristiny w szafce.

– Zdaje się, że twój laptop nadaje się do wymiany, co?

Nie lubił brać od niej pieniędzy, lecz czasem na szczęście bywał przekupny. I po chwili machał do niej wesoło zza bramki, jakby już cieszył się na jak najszybsze spotkanie w Warszawie. Z takim widokiem przed oczami mogła przenosić góry, a co dopiero sprzątać mieszkanie po matce.

TAK BARDZO zżymała się na Teresę, która wiecznie darła koty ze swym ojcem i przez całe miesiące potrafiła się do niego nie odzywać, nie mówiąc o odwiedzinach, natomiast kiedy umarł, jeździła na cmentarz przy każdej okazji, a nawet bez.

– Ty nic nie rozumiesz. – Koleżanka z pracy smutno pokręciła głową.

Potem już zrozumiałaby, każdy ma swoją żałobę. Nie jeździła do matki na cmentarz, nie było grobu, tylko napis na tabliczce w murze, i to w dalekim kraju. Ale na Powązki też by nie jeździła, nie miała potrzeby oddawania czci symbolom, wymianą kwiatów i wypalonych światełek nic by nie zmieniła. Ani wspomnień, bynajmniej niesielankowych, ani poczucia, że nigdy nie będzie, jak było. Telefon, od dzwonka którego opędzała się, nie dzwonił. I wciąż słyszała, że nie dzwoni. Nie poleci więcej do Katalonii, nie powróci do magicznej Barcelony, w której tak doskonale się czuła. Niepowracanie: to była jej żałoba, jej niezgoda na istniejący porządek, na nieporządek rzeczy.

A jednak na półce w sypialni ustawiła fotografię matki w przypadkowej, szpetnej ramce: ciało obce o tyle, że Cristina nie stała za życia w żadnych ramkach, ani nawet nie nosiła jej zdjęcia w portfelu. Ołtarzyk, niemal kabaretowy fotos uśmiechu w falbankach flamenco na tle słynnej barcelońskiej Złotej Ryby, nie był przeznaczony, by się doń modlić – zresztą nie umiała – ani by w ogóle do niego gadać, bo nie wierzyła w zaświaty: mówił dziad do obrazu... Miał jej tylko – i aż – przypominać, że jeśli nastąpił kres, był to kres matki i kres bycia córką, żaden inny. Nie wszystko ma swój kres, Związek miał być przecież wieczny. I tej wieczności mogło się jeszcze przysłużyć umocowanie w przeszłości. Tak, kres matki otwierał Związek na przeszłość! Czyż Adam, wchodząc w nią na matczynym fotelu i obecny na pogrzebie, nie stał się częścią dawnych czasów, gdy nie było go jeszcze ani z nią, ani nawet wcale? Zgrabnie haczyła tylne ogniwa o przednie, jakby w ten sposób była w stanie mocniej go do siebie przywiązać.

– Pamiętasz ten szkaradny żółty dzbanek, z którego piliśmy u mamy kawę? – pytała nagle przy kolacji.

– Pamiętasz, jak wrzuciłeś papierosa do cukiernicy, bo mama z popielniczki zrobiła cukiernicę? – pytała, gdy w kawiarni rozglądał się za popielniczką.

– Pamiętasz, jak u mamy wypadły na ciebie ręczniki, gdy otworzyłeś bieliźniarkę?

U mamy, bo mama, bo mama, u mamy... Ołtarzyka z matką na tle Złotej Ryby w nowym mieszkaniu już nie ma. Na kuchennym krześle wisi za to jego kraciasta koszula.

– Zakurzyłeś się, k o c h a n i e – mówi, omiatając jego ramiona szczoteczką w wypróbowanym od miesięcy, pogańskim obrzędzie. – W weekend zrobię pranie... Już wrzesień, chłodne ranki i wieczory, już z pewnością byś ją znowu nosił – mówi jeszcze, żeby nie było, że nadaje się do psychiatryka.

Przecież wie, że to nie jest on prawdziwy. Temu życzy, by nic w życiu mu się nie udało. Krzesło ubrane w kraciastą koszulę to tamten on, jej on. Nie nieczułe bydlę, które ścięło jej głowę u wejścia do metra na placu Bankowym. Rzuca raz jeszcze okiem na koszulę i zamyka drzwi do kuchni, bo nowe mieszkanko naprawdę małe, a przecież nie powinien widzieć, co za chwilę będzie robić, co robi od niedawna niby swoją, a wciąż jego ręką, bo wzięło ją jak wariatkę, jak wariatkę, tama puściła po wielu miesiącach, znieczulenie krocza przestało działać, mózg wreszcie kawałek odpuścił, akurat ten kawałek, i robi to, by łatwiej zasnąć, co bynajmniej nie oznacza spokojnego snu.

Przyszedł maj, zastanawiała się, czy przypomni sobie o niepisanej umowie i wyjmie ją do negocjacji. Nie zdziwiłoby jej to: po osobnym spacerze w Barcelonie przeszedł na drugą stronę rynku Nowego Miasta, idąc z nią równolegle aż nad Wisłę. Co chciał powiedzieć tymi równoległościami? Że jest znudzony, czy przeciwnie, czuje się w Związku na tyle sobą i tak bardzo jest jej pewny, że nawet gdy spacerują osobno, ostatecznie przechadzają się razem? Zerwania nie potrafiła sobie wyobrazić, lecz znudzenie mogła negocjować.

Zmieniał się, nie miał już dziewiętnastu lat, ale dwadzieścia jeden, aby nadążyć za tymi zmianami, musiała nosić siedmiomilowe buty. To, co wczoraj mu się podobało, dziś było słabe, to, co oczywiste, zdawało mu się dziecinne, co niemoralne, mogło jednak podlegać dyskusji, a co wywoływało wzruszenie, zostało wrzucone do kosza z napisem: zabawne. Słuchał innej muzyki i oglądał inne filmy, młodzieńcze zapatrzenie w siebie przynajmniej trochę ustąpiło miejsca sprawom tego świata, proszę, złożonego nawet z partii politycznych, systemów bankowych, historii w dawnych wiekach czy w ogóle zawikłanych interesów międzyludzkich, kwadratur koła, jakie nastolatka nie obchodzą. By się utrzymać na tronie, wznosiła się więc na szczyty dyplomacji, a bywało, że i koniunkturalizmu. Gdyby była politykiem, media ośmieszyłyby ją jednym felietonem. Robią tak w dziennikach, od czasu gdy filmuje się wszystko i wszystkich ze świecznika, a archiwa pęcznieją od dowodów przyszłej kompromitacji. Kiedy ktoś ważny powie coś innego, niż mówił, dziennikarze szybciutko wyjmują i sklejają dziesięć jego wypowiedzi na podobny temat, i z reguły okazuje się, że połowa sobie zaprzecza. Nie trzeba żadnego komentarza, wystarczy wyemitować...

– Masz rację, piękna i mądra – orzekła, oglądając z nim jakąś animowaną bajkę, którą sam potem ocenił jako głupiutką, a wtedy też przyznała mu rację. Lecz wówczas miała za to półtorej godziny trzymania za rękę przed telewizorem.

– Jasne, że na przyjaźń trzeba sobie zasłużyć – potwierdziła kiedy indziej, uważając, że zdarzają się też przyjaźnie bezinteresowne. Gdy odkrył, że to możliwe, też potwierdziła. Lecz wówczas miała za to niezapomniany esemes, wysłany jej z autobusu, którym wracał do domu, że bardzo dziękuje za wspaniały wieczór i takie wieczory chce c z ę ś c i e j.

Nie żeby była chorągiewką na wietrze, nie robiła mu wody z mózgu, była przekonana, że sam dojdzie do wszystkiego, sam dojrzy wreszcie świat jako kwadraturę koła. Szła w siedmiomilowych butach, to zobowiązuje, nawet jeśli czasem do nieco mętnych reakcji. Czyż ostatecznie nie postępowała jak najlepszy szkolny pedagog? Idealny, czyli nieistniejący, bo musiałby kochać wszystkich swoich podopiecznych taką miłością, jaką kochała ona, nie jakimś ogólnym kochaniem ludzkiej zbiorowości, choćby w najlepszej wierze.

W każdym razie wraz z majem kurs niemieckiego się skończył. Adaś bez problemu uzyskał certyfikat z najwyższą punktacją. Rok nie został stracony. Poszli na kolację do meksykańskiej restauracji. Zjedli burrito, popili egzotycznym drinkiem, słodko beknął, pojeździł palcem po wyświetlaczu komórki, gdy gratulowała mu sukcesu, a potem wyszedł na papierosa i zostawił ją samą przy stole, jakby nie mógł zapalić dziesięć minut później, po wspólnym opuszczeniu lokalu. Odetchnęła z ulgą. Wszystko w porządku. Nigdzie się od niej nie wybierał. Przeciwnie, wybierał się do niej na noc, choć trzy weekendy nie nocował, a gdy wypadał z tego rytmu, obawiała się, że już do niego nie powróci. Szli przez cały Nowy Świat, samochód stał za ostatnim rogiem.

– I co dalej? – spytała rozluźniona. – Trzeba się zastanowić, co będziemy studiowali – planowała, coraz mniej przekonana do prawdziwej szkoły wyższej, bo czy można skutecznie studiować, wpatrując się ciągle w komórkę?

– Ja będę studiował, ty się już nastudiowałaś – odparł szarmancko. – I nawet nie wiem, czy to zobaczysz.

– No coś ty? – Aż przystanęła.

Wybuchnął śmiechem. Lubił sprawdzać, jak jej na nim zależy, i lubił być okrutny, jakby małe okrucieństwa były jego peleryną przed podziwem i wdzięcznością, których tak nie znosił okazywać. Wtedy nie wiedziała jeszcze, że...

Dobry wieczór, pani Keller, dobry wieczór, nie znała tego ochroniarza, tak jak nie miała pojęcia, co czeka ją we własnym łóżku. Konduktem przez osiedle, windą z garażu, korytarzem do wejścia, wejściem do sypialni i... co teraz? Od pewnego czasu nie była pewna niczego poza tym, że musi się starać o niego jeszcze bardziej, czyli nie wiadomo jak, bo przecież Maja heroinistka, by zdobyć upragnioną działkę jego ciała i sympatii, robiła i zrobiłaby więcej, niż się da. Wkrótce czekał na nią pod lekką kołdrą, a gdy wsunęła się, wypachniona i pełna ochoty, cmoknął ją w czoło, westchnął: *dobranoc* i odwrócił się do ściany. Zapachniało, ale starym małżeństwem, jeśli w starym małżeństwie można nie wiedzieć, czego się spodziewać. Przywarła doń całym ciałem, myśląc beznamiętnie o kobietach, którym gdzieś tam być może dogadza, skoro się odwrócił, tak jak myśli się o za tłustym jedzeniu, gdy odkrywamy na brzuchu jedną fałdę za dużo. Lecz jego ciało odpowiedziało natychmiast, podnosząc uda, rozpychane przez to, czym od razu się zajęła. Poddał się czynnościom bez oporu, ale i bez dawnego żaru, który w niej wciąż nie gasł.

Igrał z nią czy faktycznie planował, że nie zobaczy już, co będzie studiował od jesieni? Dwa lata jego dorosłego życia były całą jego dorosłością jak dwa wieki i kroplą w morzu jej dziesięcioleci. Może to aż nadto, co mógł jej oddać, nawet jeśli przy niej i tylko przy niej robił aż takie postępy? Nie lubiła stawiać się w jego sytuacji. Próbowała, by nie zatracić perspektywy, by jak najgłębiej go zrozumieć, lecz na owych głębokościach nie czuła się lepiej. To, czego chciała dla niego, nawet obiektywnie najrozsądniejsze, i to, czego on chciał dla siebie, spontanicznie, według strategii dwudziestolatka, nie było, bo nie mogło być tym samym. Rozmyślała o tym, ssąc jego męskość, a raczej samczość, bo prawdziwym mężczyzną, z kołowrotem nastrojów i niepewności, był wciąż niedokończonym, aż zabawka zmiękła w zupełną obojętność, wznosząc się i opadając w równym rytmie snu. I gdy była pewna, że on śpi, nagle podciągnął ją ku sobie, samczość nie wiadomo kiedy naprężyła się i już jechała przez pustą prerię, łapiąc resztki suchego powietrza, Jane Fonda w prastarym westernie. Tak właśnie z nim było, że spał sam, a po chwili z nią, mówił nie, a wkrótce potem tak, śmiał się i poważniał bez widocznego powodu. Lecz przy niej, nadal, zawsze przy niej...

Niewiele później obliczyła to Zawsze na co najmniej trzy letnie miesiące, bo zwolniono go z pracy w pizzerii.

– Przyszedł nowy menedżer i nie spodobałem się – wydukał wreszcie po dwóch kwadransach jazdy na osiedle w kompletnej ciszy, lajkując coś na fejsbuku.

– Nonsens, jak mógłbyś się komukolwiek nie spodobać? Ty? Kelner idealny? – Otwierała mieszkanie.

– Nie wiem, czy taki idealny, stłukłem dwa kieliszki przy myciu i o mało co nie wylałem czerwonego wina na klientkę.

– Ojej, każdemu może się zdarzyć!

Popatrzył na nią, jakby stwierdziła, że każdy może zostać kosmitą. Ulżyło mu trochę, a zarazem był zły, że tak łatwo, od razu i bezwarunkowo była skłonna oczyścić go z wszelkich przewinień: widziała to. A przecież nie kłamała, nie kłamała, naprawdę uważała, że...

– Gdzie ja teraz znajdę pracę? Wszystkie wakacyjne miejsca już zajęte, w naszej pizzerii leży kilkanaście podań i codziennie przynoszą nowe!

– Spokojnie, nie zginiemy. – Wyjęła z portfela trzy setki, kładąc je na szafce w przedpokoju, bo hardo nie wyciągnął ręki, i cmoknęła go w kark.

Złapał się za ten kark, jakby uciął go giez.

– Nigdy sobie bez ciebie nie poradzę, nigdy! – krzyknął. – I nie chcę dziś z tobą spać! Wcale już aż tak bardzo mi się nie podobasz! Może... gdybyś była trochę mocniej zbudowana i bardziej przy kości...

Wziął z blatu pieniądze, odwrócił się, trzasnął drzwiami, pierwszy raz trzasnął, i już go nie było. Naprawdę wolałby, by była mocniej zbudowana, czy chciał jej tylko dopiec za decyzję menedżera? Nie zamierzała się przejmować, choć oczywiście się przejęła. Tak jak nie zamierzała się dziwić, gdy za kilka godzin napisze jej suche *przepraszam*, choć jednak się zdziwiła, że nastąpiło już po godzinie. Kelner idealny chciał być idealnie wolny, a jego idealna partnerka usiłowała w jeden ideał połączyć syna i męża. Oboje idealnie z tym cierpieli.

❧

TAK BARDZO, tak zupełnie nie była zazdrosna, że, pomyślałby ktoś, wcale jej na nim nie zależy.

Zazdrość, czy mierzymy ją w łokciach czy metrach, nieprzespanymi nocami czy siłą walnięcia w twarz, jest przecież uniwersalną miarą miłości. Niezazdrosny nie kocha, bo jakże kochać ewentualne konsekwencje czyjegoś zbyt patrzącego spojrzenia, zbyt uśmiechniętego uśmiechu, nie mówiąc o bezczelnym poproszeniu naszej własności do tańca, wiadomo, co imituje taniec i jak niedaleko od imitacji do kopulacji. Z zazdrości niejeden on oblał niejedną ją kwasem solnym i niejedna ona obcięła niejednemu jemu To lub przynajmniej tamto pod spodem, chichotała ekspertka w telewizji śniadaniowej. Historii zazdrości, pełnej wymyślnych tortur: przyznaj się!, więzień, skrytobójstw i całkiem jawnych zabójstw,

dorównałaby chyba tylko historia inkwizycji, oświadczyła wykształcona po ekspercku.

Nie była zazdrosna, choć właśnie dzięki zazdrości
usłyszała jedyne i najwymowniejsze wyznanie miłosne, jakie padło z jego ust:

– Ale gdy już nie będziemy razem, nie chciałbym cię
spotkać w objęciach innego faceta!

Spłoszony własnymi słowami oczywiście dodał natychmiast, żeby sobie za wiele nie wyobrażała i tak dalej, lecz to już nie miało znaczenia, podobnie jak przez
chwilę nie miało go upiorne założenie: gdy już nie będziemy razem. Nie chciałbym cię spotkać w objęciach
innego faceta, nie chciałbym cię spotkać w objęciach
innego faceta, powtarzała sobie, myląc miłość ze zra-
nioną dumą i w ogóle ze wszystkim, co nią nie jest.
Rzecz jasna, też nie chciałaby go spotkać w podobnej
sytuacji z inną kobietą i zresztą jak miałoby się to stać
w n i e m o ż l i w y c h okolicznościach?

Nie była zazdrosna. Przyjęła, że na pewno miewa
jakieś przygody, młody był, atrakcyjny, pełen sił, i zamiast sobie tłumaczyć, że jej to nie dotyka, czego wyjaśnić nie sposób, uznała, że jej to n i e d o t y c z y.
Miała coś więcej niż kawałek ciała przez krótszą lub
dłuższą chwilę, nieważne, przez tych jedenaście minut,
na jakie naukowcy obliczyli przeciętną długość aktu
seksualnego, czy przez sto jedenaście, bo akurat mocno
się zatracił. Miała o wiele więcej. Fakt, że gdzieś wyskoczył, a raczej wskoczył, że poznawał tak samo szybko, jak przestawał znać, że poszerzał pole widzenia,

a potem wracał na jej poletko, potwierdzał tylko, że naprawdę miała wszystko.

❦

Tamta kobieta nie była ani mocniej zbudowana, ani przy kości. Wysoka i szczupła była, tak, wyższa i szczuplejsza, i niespecjalnej urody, a o wdzięku fotografie milczą. W ogóle tamtą chyba zgubiło milczenie. Lecz na razie to ona czuła się zgubiona, nie tamta. Zerwał przez telefon. Najpierw napisał esemesa, który odebrała w banku, więc ręce zaczęły drżeć jej tak, że trzykrotnie wkładała fortunę jakiejś staruszki do maszyny liczącej i jeszcze dwa razy liczyła ręcznie, i wciąż wychodziła inna suma. *Musimy poważnie porozmawiać*, odczytała. Staruszka rozcmokała się: ile właściwie było tych pieniędzy? Nie wiedziała. Ile właściwie było tematów, na jakie musiał z nią szybko poważnie porozmawiać? Jeden. Zadzwoniła do niego na przerwie.

– Nie no, nie będziemy tak przez telefon, nie wypada...

Cóż za nieelegancka elegancja.

– Mów!

– Zobaczmy się po twojej pracy.

– Mów!

Powiedział. Spotkał. Poznał. W klubie Melopea. Pomiędzy zbieraniem szklanek, którym znów sobie trochę dorabiał. Czterdzieści trzy lata. Tyle powiedział, a dalej już tylko: nieważne, nie interesuj się. Mimo to nalegała na spotkanie po pracy.

– Ale po co w takiej sytuacji?

– Na minutę. Dosłownie.

– Na minutę? Myślisz, że w minutę mnie przekonasz?

Nie słyszała agresji, ale determinację. A potem już nic nie słyszała. I nie mogła się nie interesować. Pomyliła się, licząc na spokój przez całe wakacje. Kończył się dopiero lipiec. Musiał opłacić pokój na sierpień i jeszcze za coś przeżyć. Z nią czy bez niej. Minuta wystarczy, by... Pod Rotundę przyszli równocześnie z przeciwnych stron jak w kiepsko wyreżyserowanym spektaklu. I wtedy reżyser Los wymyślił coś dziwacznego. Kazał nachylić mu się do niej i pocałować w policzek, jak czynił to przez niemal dwa lata, jakby się zapomniał. Odruch, trudno się pozbyć odruchów, spytajcie psy Pawłowa. Gdy zorientował się, co zrobił, cofnął się o krok, stając niemal na baczność, kolonista na apelu. Nie spojrzała mu w oczy. Wyjęła przygotowaną w banku kopertę. Trudno się pozbyć odruchów.

– List mi napisałaś?

– Coś w tym rodzaju.

– Ale... – Zajrzał do koperty.

– Nie możesz chodzić jak gołodupiec i zanim znajdziesz sobie pracę...

– Ale...

– Nic już lepiej nie mów.

– Ale to cię już ma nie obchodzić, nie rozumiesz?

– Miej się dobrze – powiedziała, wciąż nie podnosząc wzroku, i odwróciła się, widząc czyjeś kolana i dziecko, które pokazało jej język.

– Dziękuję. – Usłyszała za sobą w tonie, jakim spóźniony dziękuje za przypilnowanie miejsca na mszy za przyjaciela.

To „dziękuję" skleiło jej się z językiem dziecka, złośliwie wywalonym na brodę. Powaga sytuacji. Chochlik. Wsiadła do samochodu, tyleż w osłupieniu, co jednocześnie wyczekując chwili, w której wróci do domu, otworzy butelkę wina, włączy najsmutniejszą płytę, jaką ma, i siądzie na sofie, by poddać się nastrojowi. Jakże to lubimy, zwłaszcza gdy jest uzasadniony. Godzinę później tkwiła nie na sofie, ale w łóżku, bo organizm sam się poddał, bez wina i płyty. Zamiast schłodzonego chianti z nieotwartej butelki szumiała jej w głowie najprawdziwsza gorączka, jakiej można dostać z szoku bezradności, a Hanna Banaszak śpiewała z niewłączonego odtwarzacza:

Nie, nie możesz teraz odejść
Popatrz, listki takie młode
Nim jesieni rdza i śmierć
Bądź, proszę cię, na rozstań moście
Nie zabijaj tej miłości
Daj spokojnie umrzeć jej...[8]

Obudziła się z jasnością umysłu godną Einsteina. Zatem tak... Pieniędzy starczy mu na miesiąc, wliczając w to grosze za szklankowanie. Nawet jeśli znajdzie szybko jakąś pracę, wypłatę dostałby za dwa miesiące. Pożyczy, gdy skończy mu się, co od niej dostał?

Przyjaciół nie miał, znajomi zarabiali takie same grosze. Od matki nie pożyczy, od dawna przecież chwali się, że dobrze mu się wiedzie, że poradził sobie ze wszystkim doskonale sam, gdy mówił to matce przez telefon, stawał się jeszcze szerszy w ramionach, niż jest, nieraz widziała, jak pęcznieje z dumy, we troje wtedy pęcznieli, ona, on i jego matka, gdzieś tam na radomskiej ziemi, i czyż nie o to chodziło? Oczywiście nie wyjawił i nie wyjawi, że wyrzucono go z pizzerii, nie, jest zakładnikiem swoich ambicji, na razie większych niż możliwości, jest więc wciąż jej, Mai, osobistym zakładnikiem, bo tylko ona, Maja, tyle o nim wie i tylko ona, Maja, jest w stanie wszystkiego dyskretnie pilnować, uprzedzając jego potrzeby, nie wspominając o marzeniach.

Dlatego on nie poprosi tamtej o wsparcie, o nie, nie popełni drugi raz tego samego błędu, nie otworzy się, nie ma już zresztą dziewiętnastu lat i nawet przed nią coraz mniej się otwiera. Nie poprosi tamtej o nic, będzie udawał, kim nie jest, na nowo napisze swoją historię, będzie w niej bohaterem, jakim chciałby być: niezależnym, pewnym siebie, panującym nad swym życiem, bez ucieczki z domu, bez poprawki z gramatyki, bez niej, oczywiście bez niej, jakby nie istniała, bez skazy, bez skazy, będzie bohaterem z filmu, bo w rzeczywistości takich nie ma, światowym, tu Korfu, tam Barcelona, szarmanckim, a skubaniec potrafi, błyskotliwym, a skubaniec potrafi, bez humorów, bo na jakiś czas da się je zataić. Na jaki czas? To było pytanie. Czy najpierw skończą mu się pieniądze, czy spadnie trosk-liwie przytrzymywana maska?

I teraz, o poranku, po szybkim wzięciu pilnego wolnego dnia z powodu nagłych spraw rodzinnych, otworzyła butelkę chianti. Tak, odszedłby do każ-dej niebrzydkiej, niebiednej, niemłodej i niegłupiej kobiety, która wreszcie nie byłaby nią! Czy mogła-by zrobić coś takiego, żeby nie być sobą? Nalała sobie drugą lampkę.

Nie, nie możesz teraz odejść. Musiałbyś najpierw być tym, kogo dopiero z ciebie robimy, ja być może na własną zgubę, tak jak na własną zgubę stałam się twoją alfą i omegą. Nie, nie możesz teraz odejść i nie odejdziesz. Nie na długo. Instynkt samozachowaw-czy każe ci powrócić, bo z kimkolwiek innym musiał-byś całą pracę zaczynać od nowa, a ze mną tylko od miejsca, w którym ją zawiesiłeś. Ludzie odchodzą, gdy są gotowi. Czy to oznacza, że ostatecznie chciałabym już zawsze doskonalić tylko twoją n i e g o t o w o ś ć? W każdym razie, kim by tamta nie była, jak by się tobą nie zajęła, a tobą wciąż trzeba się zajmować, nie wsko-czy na moje miejsce. Musiałaby cię znać. Nie znając, przyjmując za pewnik to, co zobaczy jutro, pojutrze, za tydzień, dwa lub trzy, zajmie tylko, biedaczka, ja-kąś fałszywą miejscówkę w pociągu jadącym nie tam, gdzie wskazuje wywieszona tabliczka. Donikąd. Nie, nie możesz teraz odejść na dłużej niż cztery tygodnie. Na więcej tego romansu nie obliczam.

– Musiałbyś się zakochać! – rzuciła na głos do

opróżnionej w połowie butelki chianti i wybuchnęła nieradosnym śmiechem.

I jeszcze raz zachichotała, pół trzeźwa, pół pijana, w całości i bezwzględnie zakochana, nie mogąc uwierzyć, że wypowiada głośno takie banialuki, siedząc samotnie na środku za dużego łóżka jednego z tych wyjątkowych poranków, gdy banał staje się odkryciem na miarę teorii względności.

❧

TAK BARDZO. W ten sposób powinna zatytułować ów notes, założony, gdy odszedł po raz pierwszy. Wpisywała tu esemesy, jakich nigdy nie wstukała do komórki i oczywiście nie wysłała, by nie ośmieszać się, nie obnażać, nie kompromitować, by mówić do niego, bo słowa tryskały z niej na wszystkie strony całkiem jak jego nasienie, gdy udawało mu się w czas pozbyć czerni z czarnego sterowca. I by zarazem milczeć, zachować twarz, czekać na rozwój wypadków, nie prosić, nie namawiać, nie obiecywać, milczeć – bo milczenie złotem jest – nie milcząc. Niewielki szary notesik z pisaczkiem cieniutkim jak bierka, podpięty do etui z tyłu telefonu, dawał jej niewiarygodną siłę. Przetrwałaby w dżungli, na Spitsbergenie i w pociągu Szczecin-Przemyśl bez ubikacji. Pisała do niego rano spod prysznica i w południe zza bankowej lady, po południu z samochodu i wieczorem, bez względu na to, gdzie akurat była. Pisała też nocą, między bezsennością a letargiem, w jaki zapadała, wyobrażając sobie, że on puka do drzwi.

Tak bardzo mi cię brak nie ma znaczenia co z nią robisz tylko wróć

Tak bardzo mi cię brak nie ma znaczenia co z nią robisz tylko

Tak bardzo mi cię brak nie ma znaczenia co z nią robisz

Tak bardzo mi cię brak nie ma znaczenia co z nią

Tak bardzo, cholernie mi cię brak i nic, zupełnie nic nie ma znaczenia.

❧

Gdy po trzech tygodniach napisał, zamiast w komórce chciała odpisać w szarym notesiku.

Cześć, co słychać, nie jest za fajnie.

Tak bardzo, cholernie mi cię brak i nic, zupełnie nic nie ma znaczenia.

Też mi brak.

Bez małego *cię*, które najpewniej wypadło przez przypadek, ot, techniczna niedoróbka, pośpiech, fizyczna złośliwostka, jego wyznanie nabrało wielu sensów. Zbyt wielu. Czego było mu brak najbardziej? Zastanawiała się jeszcze kilka dni, nim odezwał się znów, by zaproponować spotkanie. Po swojemu, czyli nie: *chciałbym cię zobaczyć*, tylko: *gdybyś chciała mnie zobaczyć, to...* A gdyby nie chciała, zabiegałby? I jak daleko by się posunął, by ją odzyskać? Lecz to ona była od odzyskiwania. Umówili się w Ogrodzie Saskim, prawie nie było ludzi, miasto wyjechało na wakacje, reszta pracowała. Siedział już na ławeczce, oczywiście wgapiony w komórkę, ale spostrzegłszy ją, szybko wsunął telefon do kieszeni, wstał i uśmiechnął się, szeroko i tkliwie, niemal jak wtedy, gdy po raz pierwszy przywiozła go do apartamentu z przystanku. Zmizerniał, twarz stała się jeszcze bardziej pociągła, ale może sierpniowe światło tak go tylko pociągle oświetlało, wydłużając też cienie drzew i chwilę, w której podchodziła do niego, i już, już wiedziała, że nie musi nic odzyskiwać. Tamta kobieta zwróciła jej więcej niż Maja kilka tygodni temu straciła. Zwróciła jej złudę początku, od którego złudnie można było zacząć od nowa.

– Zmizerniałaś mi. – Pogłaskał ją po plecach, nie całując.

Nie musiał od razu całować: zmizerniała m u, nie tylko on jej. Przesiedzieli na tej ławce aż do zmierzchu, popijając ciepłą, rozgazowaną coca-colę z jego torby niczym schłodzone wino. Niemal bez patrzenia w oczy i bez dotykania się, ale i bez wszechobecnej komórki, schowanej głęboko jak wszystko, co jeszcze zdąży wychynąć na powierzchnię, gdy tylko opuszczą park i zaczną od początku, znaczy od środka, znaczy od początku i od środka jednocześnie. Od środka zaczął też i skończył swą opowieść, sam, niepytany. Właściwie było to jedno zdanie.

– Po kilku dniach, wiesz, takich jak kiedyś nasze, to znaczy nie do końca, bo jednak nie było aż tak fajnie, w każdym razie po kilku dniach jakichś kawek, obiadków, spacerków i szalonego seksu, usadziła mnie w swoim wielkim domu przed telewizorem i zamilkła. – Zapalił papierosa.

– Gdzie... ma ten dom?

– Nieważne. – Zerknął na nią badawczo, jakby zaraz miała tam wysłać terrorystów z bombą. – Wyobrażasz sobie? Nie żeby nie odzywała się w ogóle, ale przestaliśmy rozmawiać. Zupełnie jakby już nie było o czym!

Ha, więc tamta kobieta poległa na nierozmawianiu, na nieroztrząsaniu, na niedzieleniu włosa na czworo, które było mu wciąż tak potrzebne i w którym ona, znowu ona, znowu Maja, osiągnęła absolutne mistrzostwo. Tamta kobieta uznała go za dorosłego, nie zamierzała spędzać wieczorów na ostatecznie jałowych dyskusjach, czy na przyjaźń trzeba sobie zasłużyć, czy jest bezinteresowna, czy jeśli ktoś się ciągle spóźnia, dowodzi niefrasobliwości, czy zwyczajnego chamstwa, czy jego koleżanka powinna startować w *Must Be the Music*, czy nie ma talentu, a zaraz potem, czy uczciwość się opłaca, czy jednak, by coś osiągnąć, należy po trupach... Tamta kobieta nie zamierzała się poświęcać, przerabiając materiał życiowej szkoły podstawowej, który już dawno przerobiła, nie zamierzała tonąć w infantylnych kwestiach natury filozoficznej ani w dylematach jakiejś amatorki, chcącej zostać gwiazdą. A gdy się zorientowała, że niezbyt obchodzi go jej życie, że słucha jak streszczenia nie swojego filmu, licząc minuty, by wepchnąć się z kolejnym odcinkiem własnego, zamilkła... Oczywiście mogło się zdarzyć, że w ogóle nie miała temperamentu do niekończących się dyskusji, że stała się pomyłką już na wstępie, że przeszła tylko jeden test: niebrzydka, niebiedna, niemłoda, chciała go na dłużej niż weekend i nie była nią, Mają, co wystarczyło, by trafił w jej objęcia, do dwupiętrowego domu pod miastem, z basenem i sypialnią wyłożoną kawałkami luster.

– Architektka, ale nic więcej ci nie powiem – rzekł z poważną miną, absolutnie pewny, że z tymi terrorystami i bombą, którą sobie wymyślił, nic a nic nie przesadza.

Fotografię Tamtej Kobiety pokazał jej rok później, gdy zmieniał komórkę na wymarzonego iPhone'a i robił remanent w zdjęciach. Zapamiętała tę twarz, banalną nie do spamiętania, na zawsze, jak pamięta się ujrzany przez sekundę profil kierowcy samochodu, który o mało nie uciął ci obu nóg. Tyle że gdyby nie Tamta Kobieta, dzięki ci, o milcząca nieznajoma, wzruszająca ramionami na egzystencjalne problemy jakiegoś młodzika, gdyby nie Tamta Kobieta, nie przeżyliby nowego miodowego miesiąca ani wielu następnych, coraz mniej miodowych, lecz wspólnych.

Terrorysta, jedyny prawdziwy, on, na kilka tygodni złożył broń. Nie tylko nie przechodził na drugą stronę ulicy, ale trzymał ją za kolano pod kawiarnianym stołem na Starówce. Nie tylko rzadziej wyciągał przy niej komórkę, ale uznawał za stosowne mruknąć, że sorry, tylko coś sprawdzi. Nie tylko pytał, jak minął dzień w banku, ale i słuchał, jak minął. Nie tylko mówił: bierz kutasa, ale także nim ochoczo ruszał, zwłaszcza że wymyślili, ona wymyśliła, nową zabawę, wielce podniecającą dla nich obojga. Było zatem tak, jak marzyła, by było, a jednak... Kiedyś, gdy na jej prośbę ściągał z komputera starą piosenkę, od której właśnie nie mogła się odczepić, pół paseczka pliku naciągnęło się w ciągu paru sekund, a pod spodem wyświetliła się informacja: *uwaga, szybki tryb początkowy*. I nagle piosenka stanęła w pół paseczka, bo skończył się cudowny tryb, druga połowa mozolnie ściągała się przez cały dzień, milimetr po milimetrze i gdy pozostał milimetr, melodia utknęła na zawsze, nie do odsłuchania.

Miała poczucie „szybkiego trybu początkowego" i tyleż napawała się nim, co czekała, kiedy kreseczka zwolni, w „szybkim trybie początkowym" było coś nienormalnego, za szeroki oddech, po którym musiała nastąpić zadyszka, a potem mozolny mozół, mozolny mozół, mozolny mozół, może i po utknięcie nie do odsłuchania, a jednak, na co masochistycznie liczyła, bez końca. I choć prawdziwy był w nim terrorysta, a nie naduprzejmy dyplomata, to bombę, jaka wkrótce wybuchła, podłożył dyplomata, wciąż w ramach najsłodszego, szybkiego trybu początkowego. W najśmielszych snach nie spodziewałaby się, co przygotował, umawiając się z nią pewnego wrześniowego popołudnia w ogródku kawiarnianym niedaleko dworca.

❧

TAK BARDZO jest już umęczona rozpamiętywaniem, rekonstruowaniem, interpretacjami tego, czego już nie ma. Zmęczenie odczuła w początkach jesieni, spojrzała w banku na kalendarz: nie widziała go od dziesięciu miesięcy. Jeśli dalej szedł w siedmiomilowych butach, niechby i w pięciomilowych, bo niebawem skończy dwadzieścia pięć lat, a w okolicach ćwierćwiecza buty zwalniają, stał się po części kimś innym. Kim? I znowu ślepy zaułek, kilka dni spędzonych na hipotetycznym śledztwie bez żadnych danych. Co pozostało z jej Adasia, a co uległo przemianie lub chwilowemu przemalowaniu? Co jest w nas trwałe, co wciąż skręca?

Wysiadła z tramwaju, skręcając jak zwykle wprost na wielkie drzewo, lecz to przecież nie ono jej szepnęło... A może? I dlaczego dziś, nie wczoraj albo jutro? Nic się nagle nie zdarzyło. Robimy krok, tkwiąc w miejscu, choć może tylko nam się wydaje, w końcu Ziemia się jednak obraca. Przecież nie usłyszała w telewizji dialogu z serialu, w którym pani mówi do pana, że nie ma co się oglądać w przeszłość, bo istnieje tylko przyszłość. Nie zobaczyła banera reklamowego firmy ubezpieczeniowej z hasłem: Masz tylko jedno życie! Nie spotkała dawnej znajomej Cristiny, terapeutki sfrustrowanych korporacjonistów, szczebioczącej o cieszeniu się chwilą...

Słuchaj, szepnął jej stary dąb przy przystanku, tych pięciu lat nie tylko już nie ma i nigdy ich nie będzie, choćbyś dowiedziała się o nich więcej, najwięcej, choćbyś dopisała im, czym nie były, one już nie wrócą, on nie wróci, nie wraca się po dziesięciu miesiącach, to znaczy może i ktoś wrócił, na pewno ktoś gdzieś do kogoś wrócił po dziesięciu miesiącach, wszystko już się zdarzyło, Odyseusz wracał dziesięć lat, ale nie on, bo już go takiego nie ma, jest jakiś pan Adam, młody, ćwierćwieczny, pewnie wciąż czasem bezradny i podejmujący fatalne decyzje, lecz już nie Adaś, nie tamten Adaś, i Mai już nie ma podobnie jak Danuty, więc nie wiadomo, kto jest, a raczej kto jeszcze ma z ciebie być, jeśli nie wdowa po samej sobie, nawet jeżeli już nic wspanialszego nie miałoby ci się przytrafić, czego na szczęście nie wiesz, nie wiesz... Tęskniłaś w sierpniu za lipcem, w lipcu za czerwcem, w czerwcu za majem, a w maju za kwietniem, tęskniłaś za dniami, gdy złuda jego powrotu zdawała się większa, bo czas od odejścia upłynął krótszy, lecz teraz październik jest, październik!

Stoisz, przyklejając dłoń do pnia niczym nawiedzona, wierząca w uzdrawiającą moc drzew. Witki brzozy odpędzają złe duchy, laskami leszczyny wykrywa się skarby, kalina chroni czystość duszy, wierzba pokonuje śmierć, a dąb? Przypominają ci się niezwykłe, rozświetlone słońcem dęby z obrazów Szyszkina. Nie pamiętałaś o nich od studiów na historii sztuki, od czasu gdy Adasia jeszcze nie było na świecie. Obmacujesz korę, a rudowłosa dziewczynka, stojąca z matką na przystanku, przygląda ci się i po chwili też dotyka drzewa. Ziemia się obraca. Nadjeżdża autobus. Dziewczynka macha zza szyby. By jej odmachać, odrywasz rękę od pnia, pachnącą jakąś nową świeżością.

Wieczorem ta sama dłoń wędruje między nogi. Przy otwartych drzwiach od kuchni, bo kraciasta koszula od paru dni w bębnie pralki. Ani brudna, ani uprana. Schowana? Lepkie palce tańczą opuszkami, niebrutalnie, nie tak miło jak tamte, lecz nienaśladowczo.

– To moja ręka, nie twoja, moja, nie two...

❧

Zobaczyła ich już od wejścia do kawiarnianego ogródka. Siedzieli we troje, głośno się zaśmiewając. I sama też od razu została dostrzeżona, więc o ucieczce nie było mowy. Oczywiście, że w pierwszym odruchu chciała uciec. Nie mógł jej powiedzieć? Włożyłaby może ten szary, nobliwy kardigan na tysiąc guzików, a nie kwiaciastą bluzeczkę, której prawie nie ma, gdyby nie zdołała go odwieść od tego zamiaru. Odwodziłaby go, czy przeciwnie, ucieszyłaby się, bo skoro coś takiego postanowił... Spłoszona, podeszła do stolika.

– Mamo, poznaj Maję!

Poczuła się, jakby jej załatwił audiencję u królowej Elżbiety, i niemal dygnęła nóżką. Matka, jego matka!

– A to moja siostra, Mariolka, czyli Lojka, bo w dzieciństwie nie umiała nawet wymówić swojego imienia, Marlojka!

– Daj spokój. – Lojka zawstydziła się.

Usiadła.

– Noo, więc to jest właśnie tak... – Zaciągał się papierosem.

Tak, czyli jak? Pierwsze: byli do siebie fizycznie podobni. Drugie: matka to ciepła, elegancka kobieta w dobrym guście, nie jakiś potwór, choć mogła się wciąż mylić, ale z pewnością nie moher. Trzecie: siostra musiała być z nim bardzo zżyta, trzymali się za ręce. Czwarte: a one, co one sobie pomyślały? I co w ogóle o niej wiedzą?

– Na długo pani przyjechała? – wypadało się odezwać.

– Jestem Benia, czyli Benedykta, bo dali mi jak papieżowi, mimo że jeszcze go wtedy nie było, a poprzedni Benedykt panował w czasie pierwszej wojny, kiedy mnie z kolei jeszcze nie było, choć moje dzieci sądzą inaczej. – Zachichotała.

– Mama interesuje się historią – powiedział z dumą.

– Oj tam, tylko trochę...

– No, jakże trochę? Ciągle coś czytasz – napomniała ją Lojka.

Piąte: nie papieżyca Benedykta, tylko skromna, kontaktowa babka.

– Więc na długo pani...

– Benia, miło mi. – Raz jeszcze wyciągnęła do niej rękę. – Zdaje się, jesteśmy trochę jak rodzina, co? – Uśmiechnęła się szeroko. – Więc chyba nie jestem zbyt bezpośrednia?

– Coś ty, mamo, jesteś zawsze w sam raz. – Pocałował Benię w policzek. – Prawda, Lojka?

– Jasne! – wesoło zakrzyknęła siostra.

Szóste: jak oni się kochali! Siódme: jakże się wszyscy musieli źle czuć, gdy uciekł z Radomska i nie widzieli się przez tyle miesięcy... Ale szóste i siódme jak przez mgłę, z oddali, bo przede wszystkim ósme: *zdaje się, jesteśmy trochę rodziną, co?* Wyobraziła sobie Cristinę w podobnej sytuacji, wychłodzoną, wyreżyserowaną i precyzyjną jak skalpel, choć to pani Benedykta, to znaczy Benia, była lekarzem, nie Cristina, a zresztą Cristina nie żyła. Jej matka, jej jedyna rodzina nie żyła, a matka Adama rzuciła: *zdaje się, jesteśmy trochę rodziną, co?*

– Synku, dlaczego nie podszedł do nas jeszcze żaden kelner? Dziwnie wyglądamy czy jak? – znów się zniewalająco uśmiechnęła.

Dziewiąte: o dziwo wcale nie wyglądają dziwnie w tej dziwnej sytuacji...

– Oj, mamo, bo tu jest samoobsługa. – Zachichotał. – Co pijemy?

Kawa, kawa, kawa, kawa, biała, czarna, słodka, gorzka.

– Chodź, Lojka, zamówimy!

Wybiegli jak dwie młode kózki, przeskakujące ogrodzenie pastwiska. Spojrzały sobie w oczy. Miała wrażenie, że ją zna i lubi od dawna.

– O nic się nie martw, Beniu. Wszystko jest w porządku. Nie musisz się o niego bać. Wydoroślał. Zrobił kurs niemieckiego, zna angielski, znajdziemy mu jakieś dobre studia i pracę. I bądź spokojna, na dziecko już go nie naciągnę. – Roześmiała się wreszcie.

– Nie takie kobiety jeszcze rodzą dzieci. – Machnęła ręką. – Wiem coś o tym, w końcu jestem pediatrą. – Wzięła oddech i spoważniała. – Dziękuję ci, Maju. Cieszę się, że cię spotkał. Bardzo ładnie o tobie opowiadał. Że jesteś prawym, szlachetnym człowiekiem i chcesz dla niego jak najlepiej.

– Bo... ja... – Zaschło jej w gardle, a stoliki w ogródku zawirowały jak w bajce.

– Nic już nie mów, Maju, wiem, że miałaś tragiczne przejścia, Adaś mówił, że twój syn... Że miałaś go tylko jednego... Ja to jestem szczęściarą, mąż co prawda się nie udał, ale mam troje wspaniałych dzieci. I są dla mnie najważniejsze! Mam jeszcze drugą, świetną córkę, skończyła weterynarię, bo Lojka po administracji... Dlatego jeszcze raz ci dzięku...

Kózki na horyzoncie podskakiwały wesolutko, choć powracały bez kawy.

– Zaraz nam pani przyniesie – oznajmił, głaszcząc je obie po plecach i przytulając siostrę.

Po tym, co usłyszała od Beni, czuła się zagłaskana. Opowiadał, jaka szlachetna! Dziesiąte: chciałaby jej wyznać prawdę o synu i zostać zrozumiana, właśnie jej i właśnie przez nią, jest w tej Beni coś rzadkiego, wspaniałomyślnego. Ma wrażenie, że tacy powinni być ludzie, choć nie są, że tacy powinni być, choć jej przecież prawie nie zna... Kawa była lurowata, a filiżanka obtłuczona. W innej sytuacji zrobiłaby raban, choć Adam nie lubił, gdy publicznie dopominała się o swoje, poprawiając opieszałą i skwaszoną obsługę albo wymieniając źle umyte lub zniszczone szkło, nie wspominając o przesolonym jedzeniu. Publicznie był do rany przyłóż, czarujący, za to wobec niej, w czterech ścianach... Lecz ostatnio także za zamkniętymi drzwiami był jak przy otwartych, szybki tryb początkowy wciąż działał. I nawet gdyby przestał działać, jego skutki były już nieodwołalne: poznała Benię, ni to teściową, ni koleżankę, ni matkę, choć po trosze miała ją za każdą z nich.

Przez cały wieczór słuchała, jak przebijają się anegdotami: a pamiętasz? a pamiętam, nie pamiętasz? nie pamiętam... Było o babci, ciotkach, wujku, kuzynce, a także o ojcu, odstającym od sympatycznej reszty ochlapusie, który po kolei zraził sobie wszystkie dzieci, a na końcu żonę. Mówili o nim niewiele, ale tak jakby była swoja, bez wstydu i krygowania się. Pozostając nieco w cieniu, co bardzo jej odpowiadało, a co wynikało z delikatności Beni, która nie chciała pytać o syna, w oficjalnej wersji zdarzeń utraconego w wypadku, ani o Cristinę, zmarłą przed kilkoma miesiącami, tkwiła jednocześnie coraz bardziej w środku i po kilku godzinach rzeczywiście czuła się, jakby byli trochę rodziną. Benia, ciekawa ludzi i świata, wypytywała ją o ekonomię i plajty wielkich amerykańskich banków, o jakich słyszało się dookoła. Ona tłumaczyła, na ile umiała, jednocześnie pękając z dumy i ze zdumienia, a to nie to samo.

– Maja zna się nie tylko na bankowości – powiedział. – Studiowała wcześniej historię sztuki i gdy byliśmy w Barcelonie, oprowadziła mnie po domach i parku Gaudiego, opowiadając różne ciekawostki!

– Lubię ładne obrazy, Gierymskiego, Kossaka, pejzaże... – Rozmarzyła się Benia.

– Zatem musimy się wybrać do Muzeum Narodowego – wykrztusiła. – Kiedy byłaś ostatnio?

– Oj, dawno...

– Mamo, to może pójdziecie sobie razem, gdy znowu przyjedziesz? – zaproponował i wreszcie był sobą, bo eksponaty muzealne wolał oglądać w internecie przez komórkę, teraz elegancko trzymaną pod stołem.

Siostra uśmiechała się dyskretnie, przyglądając się jej z życzliwością i raz po raz chichocząc z czegoś, co jej ukochany brat szeptał do ucha, wskazując na ekran komóreczki na kolanach. Zapewne z jakichś memów, lecz czy nie najlepszy mem dział się realnie, przy stole, gdy z wdziękiem umówił matkę ze swoją... ze swoją... kobietą na wycieczkę śladami Gierymskiego i Kossaka?

Ów wieczór, jeden z najpiękniejszych prezentów, jakie od niego kiedykolwiek dostała, mógł się równać jedynie z najlepszymi podróżami czarnym sterowcem. Z tą, w której po raz pierwszy przeleciała na drugą stronę lustra i nie wiedziała, jak wrócić, z tą, w której ją odpychał, przyciągając, i z tymi niedawnymi, gdy wymyśliła nową zabawę łączącą seks z giełdą finansową. Wzmocniona jak podwójnym drinkiem nie myślała, że może się zbudzić z podwójnym kacem. Dotychczas mógł jej odebrać tylko jedno, choć aż jedno. Teraz mógł ją pozbawić jeszcze i drugiego. Wszystkiego.

TAK BARDZO zapragnęła mieć tę rodzinę, jakby była najbardziej rodzinną osobą na świecie. Jakby nie skazała własnego syna na banicję i utrudniała mężowi rozwód, w końcu z tą sekretarką i sekretareczkami to była tylko jego wpadka i wcale nie był pewien, że chce odejść; jakby odwiedzała ojca, który ją wciąż zapraszał, gdy drugi raz się ożenił, zapraszał bezskutecznie nawet wtedy, kiedy osiadł w Sydney i był już śmiertelnie chory; jakby specjalnie lubiła ciotkę Magdę, nieżyjącą siostrę matki, która naprawdę dawała się lubić, i jakby hołubiła samą matkę, odbierając od niej telefony, dzwoniąc, nie wyobrażając sobie bez niej świąt, czy choćby części urlopu.

Śmierć Cristiny dotknęła ją mocniej, niż to zaprojektowała. I w odwrotnej kolejności, jeśli w ogóle jest jakaś prawidłowa kolejność. W każdym razie najpierw, że nieodwołalna, dopiero potem, że nagle. Nieodwołalność można przecież wstrzymywać latami, w tym sensie była skłonna machnąć ręką na nieodwołalność zarówno końca ludzkości, jak i jej Związku, na święte Nigdy, na świeckie Nigdy, jeden diabeł, lecz okazało się, że zupełnie wstrzymana nieodwołalność jednak nie istnieje. Nagłość była tylko najokrutniejszym z jej aspektów. Nawet jeśli nagle utraciła nie matkę, ale jej widmo, bo od niepamiętnych czasów skończonej młodości to przecież było widmo, coś jak w fizyce widmo sygnału pulsujące w paśmie odpowiedniej szerokości: wstajesz i pulsuje, kładziesz się i pulsuje, pulsuje, bo jesteś. I ciach, nie pulsuje, choć jesteś.

Nagle i nieodwołalnie poczuła się sama i samotna: ciach, odcięta od niewidocznej pajęczyny znalazła się na małym, po raz pierwszy przerażająco osobnym kawałku nicianej siateczki, dryfującym nie wiadomo dokąd. Nieobserwowanym, niepilnowanym, niekierowanym nawet najlżejszym, niechcianym, cudzym podmuchem. Poza podmuchem Adama, rzecz jasna, czyż bowiem nie opadała tam, gdzie ją zdmuchnął? Tyle że on był na zewnątrz owego kręgu, ostatecznie rozerwanego, gdy matkę zmielono na proch jak kawę w młynku. Umieszczenie go wewnątrz, trzy wspólne dni w domu Cristiny i pamiętny akt w jej fotelu, nie zatrzymały go: wkrótce potem odszedł przecież do tamtej kobiety, do milczącej architektki. Cóż więc sobie obiecywała po cudownej okazji wejścia do jego rodziny? Że z własnego kręgu już się jej nie wymknie?

Bo to był cud, zupełnie nie nasz, niezaściankowy, że ją przyjęli, taką inną, będącą w wieku jego matki, a nawet, czego dokładnie nie wiedzieli, nieco starszą. Słyszał ktoś o czymś podobnym na prowincji? Lecz tak jak Benia i Lojka, również jego babka, ciotka, kuzyn i kuzynka zupełnie nie byli małomiasteczkowi. Pozdrawiali ją nieustannie, co Adam przekazywał, gdy tylko zaczął z powrotem jeździć do Radomska, a co początkowo brała za zwykłe, choć niezwykłe uprzejmości. Któregoś dnia, gdy Benia przejęła słuchawkę, by jeszcze raz podziękować za wspólną wyprawę do muzeum, wzięła ją od niej Iwona, jej siostra, czyli ciotka. Rozmawiały serdecznie, jakby znały się od dawna.

Następnym razem Adam przywiózł filmik, na którym babcia specjalnie dla niej wykonała jakąś wielozwrotkową miejscową przyśpiewkę, uśmiechając się do komórki. A potem zostali...

– Jesteście teraz skajporodziną – żartował po zamontowaniu na jej sprzęcie Skype'a, przez który mogli się wirtualnie gościć.

Jesteście, powiedział wówczas, na co nie zwróciła uwagi, jakby sytuował się gdzieś obok. Zawsze obok. Obok niej, obok kolejnych znajomych, nigdy nieaspirujących do miana przyjaciół, obok własnej rodziny... Lecz i tak, stając się jej częścią, zyskała poczucie, iż nie dryfuje już na małym, przerażająco osobnym kawałku nicianej siateczki, odcięta od niewidocznej pajęczyny. Że wirtualnie? Że dzięki elektronicznemu gadżetowi, jaki dotychczas znała tylko z amerykańskich seriali, w których tatuś z kosmosu pozdrawiał córeczkę na Ziemi lub dwie grupy detektywów zajmujących się tropieniem wielkiej afery organizowały wideokonferencje? Skajporodzina! Ha, czyż nie był jej oknem na świat?

❧

Paryż w schyłkowym słońcu listopada na szczęście zupełnie nie przypominał tamtego sprzed lat, sprzed lat? Sprzed wieków, była tu przecież z Jarkiem jako ktoś całkiem inny, młoda żona młodą wiosną. Miasto to samo i nie to samo, miasto miłości, która wówczas udzieliła się tylko jej mężowi, miasto miłości, która teraz przepełniała ją tyleż od środka, co zsuwała się pod nogi wprost ze stromych dachów, by przysiąść na którymś z plecionych krzesełek ulicznych kawiarni. Oni też raz po raz przysiadali, idąc z bagażami od autobusu, który do centrum przywiózł ich z lotniska, w poszukiwaniu zarezerwowanego hoteliku.

– Wszędzie widoki z pocztówek. – Zachichotał przy kolejnej kawce, skrupulatnie oznaczonej przez komórkę na fejsbuku.

A potem zaplątał się w kolorowe chusty wiszące na stoisku przy bulwarze, był jednocześnie czerwony, zielony i żółty, choć przede wszystkim, jak zawsze, niebieski, mogła patrzeć w te oczy godzinami, a myśl, że patrzy na nie w Paryżu, przydawała jej tej odrobiny kiczu, dzięki któremu zwrot „niezapomniane chwile" nabiera najprawdziwszego znaczenia. Hotel też był jak z pocztówki: mały, stary, ciemny. Nie mieli siły, aby z niego już wyjść, na samolot musieli wstać w środku nocy. I po ten Paryż bez Paryża pierwszego wieczoru, w pokoiku wypełnionym przez jeden średniej wielkości tapczanik, na którym oparła o jego ramię swoją pierś, by słuchać i oglądać z YouTube'a jego ulubione skecze i piosenki, po ten Paryż bez Paryża warto było jechać choćby i na koniec świata. Czyż zresztą nie był to koniec świata, że tak leżała przy nim, objęta, z muzyką w tle, że nie siedział w fotelu trzy metry dalej lub za kuchennym stołem, pogrążony osobno we własnych przyjemnościach, jak działo się to zazwyczaj? Błogosławiła ciasnotę hotelowego pokoiku, bo oczywiście przyszło jej do głowy, że nie on, ale warunki, w jakich się znaleźli, są autorami jeszcze jednej pocztówki, Hopperowskiego obrazka pod tytułem „Paryż, miasto miłości". Przyszło jej do głowy i wyszło, wypchała tę myśl z siebie i z pokoju, wyrzuciła z hotelu i z dzielnicy, a za nią glejt niepozwalający wracać pod groźbą kazamatów na niedalekim placu Bastylii. To nie ciasnota, nie teraz, nie dziś, nie tu... Na wyświetlaczu, w amatorskim filmiku, pojawiła się drobna dziewczyna z gitarą.

– Zobacz, to Edyta, z mojej szkoły, z Radomska!

Koleżanka jego koleżanki śpiewała ciepłym głosem stary hit Seweryna Krajewskiego:

Siądź z tamtą kobietą twarzą w twarz,
kiedy mnie już nie będzie.
Spalcie w kominie moje buty i płaszcz,
zróbcie sobie miejsce...

A mnie oszukuj mile
uśmiechem, słowem, gestem,
dopóki jestem, dopóki jestem...[9]

I uśmiechnął się, i opiekuńczo pocałował ją w czoło, jednocześnie zmieniając klip, i oszukał ją jeszcze kilkoma gestami, cmok w ucho, poczochranie, i słowem: Kochanie, możesz mi przypalić papierosa? I chciała już stamtąd nie wychodzić, i wcale nie wzięła do siebie *tamtej kobiety* i chwili, *kiedy mnie już nie będzie*. Chciała już zawsze być tak oszukiwana jego nieoszustwem, bo to nie było oszustwo, oszustwo celowe jest, a tu, no cóż, jego serce było za małe i jeśli ktokolwiek kiedykolwiek był w stanie je powiększyć, to nie ona, lecz tę myśl również natychmiast spaliła w kominie, posłała do kazamatów Bastylii śladem tamtej o błogosławionej ciasnocie hotelowego pokoiku. Nie teraz, nie dziś, nie tu.

Dwa dni później to serce jeszcze pomniejszyło się, właściwie go nie było, a Paryż stał się miastem niezrozumienia, złości i niechęci, miastem niemiłości. Ale najpierw wybrali się do Disneylandu. Szalonymi kolejkami grozy, przed wejściem do których przezornie nie zjedli obiadu, kręcili się całe popołudnie, a co wysiadali, Adaś, lat cztery, góra czternaście, pędził ponownie do kasy z proszalnym okrzykiem: Maja, jeszcze raz, no proszę! Ona, lat sześć, góra szesnaście, biegła za nim i już znów stali w ogonku po bilety, ściskając się jak cudem uratowani z katastrofy. Kolejowej, morskiej, lotniczej, uczuciowej. Bo gdy ją tak ściskał, tańczył z nią prawie pod kasą na środku Disneylandu, zapominała o tym przymałym sercu, czyż nie robiło się wielkie jak te jaskraworóżowe serducha powiewające o tam, z dachu jakiegoś absurdalnego pałacu? Więc jeszcze raz: start, jeden wspólnie zaparty dech, jeden krzyk unisono, jego śmiech wśmiewający się w jej śmiech, strach, jego długie palce rozcapierzone nie na poręczy wagonika, ale na jej nodze... Ciemno, po skosie, jasno, głową w dół, szuuu, szuuu, szuuukajcie, a znajdziecie, choćby i na dnie sztucznego, disneyowskiego piekła, przez pięć minut, do których można dokupić jeszcze pięć, i jeszcze pięć, szczęście, szczęście, choć nie bez końca, za chwilę gong obwieści ostatni odjazd tego dnia. Jutro będą gdzie indziej.

– Szkoda, że nie było z nami Lojki – westchnął podczas powrotu do miasta.

Czy gdyby szalał tu z Lojką, tak samo spontanicznie brakowałoby mu i jej? Odpowiedź także posłała do Bastylii, ech, byli w Paryżu i mieli przed sobą jeszcze trzy doby, reszta nie miała znaczenia.

Nazajutrz poprowadziła go na Montmartre. Nie mogła już piękniej oprawić tego wyjątkowego dnia, który powinien był wyglądać podobnie, a przecież inaczej. Oczywiście, przede wszystkim w ogóle nigdy nie miał nastąpić, fizycznie przez pół wieku był odległy w nieodmiennej dali, choć matematycznie zbliżała się doń sekunda po sekundzie. Oprawiony w malownicze uliczki, w wielojęzyczny tłum i niemal wiosenny listopad w kolorach jesieni, miała kiedyś podobnie przydymiony sznur wielobarwnych agatów, ów dzień, oprawiony w jego obecność, niebieskookiego bożka, który zstąpił wprost z górującej nad okolicą bajecznej i bajecznie niegustownej Sacré-Cœur, by jej towarzyszyć z nieodłączną komóreczką w dłoni, oznaczając na fejsbuku swoje zejście między śmiertelników, ów dzień był także oprawiony w wielką nieobecność. Cristina, królowa flamenco, po raz pierwszy od zawsze, nie zadzwoniła rano z życzeniami. Nie dotrzymała obietnicy, choć od dawna odgrażała się, że ten dzień koniecznie spędzą razem i na pewno będzie miło, bez kłótni i zgrzytów, bo tego dnia wreszcie obie poczują się stare. Śmiała się z Cristiny, niedoczekanie! A tamta owo niedoczekanie wzięła dosłownie, wykręcając numer bynajmniej nie telefoniczny: nie doczekała, sprawiając, że w dniu pięćdziesiątych urodzin jej córka faktycznie poczuła się stara jak każdy z nas nagle bez matki.

Siedli przy malowniczej Rue Jakiejśtam, było na tyle ciepło, by zostać w ogródku. Zamówiła homara i wino, paryski paryżanin grał nieopodal na akordeonie. *Padam, padam, parara rarara rarara,* cóż mógł grać innego.

– To dla mnie wyjątkowy dzień, wiesz?

– Fajnie tu. – Fotografował coś lub kogoś naprzeciwko.

– Tak, ale nie dlatego, że tu fajnie... – Poczekała, aż skończy, i nawet szybko się doczekała. – Mam dziś urodziny...

– Serio? Dzisiaj? Żartujesz!

Na żart wyglądało, że byli razem dwa lata, a on nie wiedział, kiedy są jej urodziny. Fakt, omijała temat, nigdy nie powiedziała prawdy i niezbyt chciała poruszać kwestię, by nie brnąć dalej w kłamstwo, drzemiące niewinnie od czasu, gdy się poznali. Nie stanowiło to żadnej trudności, nie musiała niczego pilnować ani specjalnie ukrywać, pamiętał głównie o swoich urodzinach, zresztą już miesiąc wcześniej pytała go, co by go ucieszyło w prezencie.

– Nie żartuję.

– To chwilka! – Kangurzym skokiem wypadł z ogródka i już stał przy jednej z kilku kwiaciarek z różami, kręcących się tu bez końca.

A po minucie przy niej. Miejscowe róże były w guście bazyliki Sacré-Cœur, nadmiernie udrapowane, mizdrzące się melodramatycznie rozchylonymi płatkami jak usta gwiazd kina niemego. I najpiękniejsze, oczywiście.

– Wszystkiego najlepszego. – Uroczyście wycałował ją w oba policzki niczym nauczycielkę na zakończenie roku.

– Dziękuję, zwłaszcza że to nie są zwykłe urodziny. Nie dość, że okrągłe, to jeszcze pierwsze bez mojej mamy. Dziwnie się czuję i gdyby nie ty...

– Okrągłe? Może byśmy gdzieś poszli wieczorem, na potańcówkę? – Podjadał paluszki w oczekiwaniu na cudo mórz południowych. – Czterdzieste... piąte? Ale przecież...

– To są, Adaś, moje pięćdziesiąte urodziny, wyobrażasz sobie? I... dziękuję ci, że mogę je spędzić właśnie z tobą. – Rzadko dopuszczała do takich momentów tkliwości, złapała go za rękę, żeby się nie rozpłakać.

Nie ścisnął tej ręki ani nie pogłaskał, tylko wyplątał swoją i położył obok.

– Okłamałaś mnie. Jeśli wtedy miałaś czterdzieści cztery, teraz powinnaś mieć...

– Umiem liczyć, ale mam pięćdziesiąt. – Roześmiała się, przekonana, że tylko się droczy.

– Okłamałaś mnie.

– Wiesz, jak to jest z kobietami...

– Okłamałaś! – Nie droczył się.

– Ojej, a pamiętasz, że sam się najpierw przyznałeś do dwudziestu dwóch, choć miałeś dziewiętnaście? – przymuszona, wyciągnęła argument z przedszkola: a bo ja, a bo ty.

– Ale potem jednak powiedziałem.

– Więc wreszcie mówię...

Kelner podjechał z wózeczkiem, na którym tkwił homar, absurdalny jak sytuacja przy stole. Podziękowali. Ukłonił się i odszedł od stolika przygotowanego do uroczystej kolacji.

– To są specjalne szczypczyki, którymi zaraz spróbujemy się z tym rozprawić, o, zobacz, kochanie, jak to się robi...

– Okłamałaś mnie! Okłamałaś!

I szczypał ją bez szczypczyków, mały, złośliwy homarek, niebaczący na okoliczności, na Paryż, na Montmartre, na jej urodziny, które by nie były, na jej nostalgię, jakiej tylko on mógł zapobiec, nie bacząc na nic, co naprawdę ważne, piesek podgryzał i szczekał: okłamałaś mnie, okłamałaś, hau, hau.

– Nie mam ochoty tego jeść. – Podniósł kieliszek z winem i upił bez toastu, jakby to woda była, konieczna na pustyni, a nie ekskluzywny trunek uświetniający święto, jakby ujęte lata były istotniejsze od tych, które mieli przed sobą.

– Adaś, nie przesadzasz? Nic się nie stało – usiłowała jeszcze coś ratować, zaciskając szczypczyki do homara. – A przynajmniej nie aż tyle, byśmy sobie psuli taki wieczór.

Wy-ro-zu-mia-łość, wy-ro-zu-mia-łość, skrzypia-ły w powietrzu szczypczyki. Gdyby wtedy wiedzia-ła... Ale nie wiedziała, nie wiedziała! I przyszło jej do głowy tylko jedno słowo, które nie straciło na aktual-ności, nawet kiedy już umiała to sobie wytłumaczyć, choć wyjaśnione nie koi. Wszystkopsuj. Żyła z wszyst-kopsujem. Gestem dłoni poprosiła o rachunek. Kelner nie przejął się, że niemal nie napoczęli egzotycznego skorupiaka. Nie oni jedni zamawiali spécialité de la maison, nie wiedząc, co z nią zrobić, jak zachwyceni sobą Amerykanie i nowobogaccy Ruscy. Może i zresz-tą wziął ich za Ruskich jak kasjerka wczoraj w Disney-landzie? Wracali bez słowa w stronę hotelu spacerem z więziennego spacerniaka. Kwiaty zostały na stole w kawiarnianym ogródku. Na jednym z mijanych pla-cyków występowała grupa mimów. Gdy przystanęli, wzięła go pod ramię. Wywinął się.

– Nie jesteś wcale taka szlachetna i bez skazy!

Przedstawienie mimów i zaskakująca satysfakcja w jego głosie naprowadziły ją... Tak, teatr, od godziny robił przed nią teatr! Grał spektakl pod tytułem „Za-wiodłaś mnie!", udawał obrażonego i zniesmaczonego, a dawno zatajony wiek był tylko pretekstem, by ulżyć sobie w sytuacji, w której nareszcie nie tylko on mu-siał ją za coś przepraszać, nie on uciekł z domu, nie on potrzebował korepetycji, nie on stracił pracę w pizze-rii, nie on był źródłem większych i mniejszych trosk, nie tylko on wiecznie czegoś potrzebował od niej, skały i opoki z najszczerszego kruszcu. Wreszcie miał na nią h a k a, mógł jej coś wybaczyć albo nie. Nie była doskonała! Siły zostały wyrównane.

– Przepraszam cię – mruknęła, raz jeszcze podejmując próbę wzięcia go pod ramię.

Nie próbował się wyplątać. Zrobił to dopiero, gdy mim odzyskał ukochaną mimetkę z rąk podrywacza mimocha i opuścili skwerek. Szedł osobno. I położył się osobno. Hotelowy pokoik wydał się jej ogromny, a tapczan zrobił się tak szeroki, że leżał, nie dotykając jej nawet palcem u stopy, chichocząc z jakichś oglądanych memów. Chichocząc, niczego nie udawał.

– Dobranoc. – Usłyszała zza pleców. – I nie bój się, nie zamierzam z tego powodu z tobą zerwać...

Spał. Nie spała, oczywiście, że nie spała. Ach, więc i o to chodziło, a może o to przede wszystkim? Na haku wisiało zerwanie z p o w o d u. Takie, po którym znów nie mając nic, nie masz także wyrzutów sumienia. Jak zostawić kogoś, kto chce dla ciebie jak najlepiej i komu nie możesz nic zarzucić, by nie poczuć się winnym?

A potem było dąsanie się. I w Luwrze – mimo że szedł za nią, więc nie mogła opowiadać o obrazach, miała poczucie odrobionej lekcji – i na wycieczce wzdłuż Sekwany, podczas której również widziała tylko jego cień. Nuciła stare francuskie melodie, Piaf, Aznavoura, Brela, Gréco. *Ne me quitte pas, Mon légionnaire, Parlez-moi d'amour...* Ale, ze słuchawkami na uszach, legionista, który wcale nie zamierzał jej opuszczać, nie słyszał. I może to lepiej, skoro podobno nie umiała śpiewać. I może to lepiej, że nie dotarli na urodzinową potańcówkę, skoro podobno nie umiała tańczyć. Była w Paryżu! Z nim! Lecz zamiast kłódek przypinanych przez zakochanych na Pont des Arts liczyła godziny do powrotu. Ostatniego popołudnia stanęli wreszcie pod wieżą Eiffla. Nie wjechali na górę, bo się bał, od zawsze czuł lęk wysokości. Nie jego wina, nie jej wina, jak z liczeniem godzin. Stali pod wieżą z głowami zadartymi w niebo. Mogli i nie mogli. Z tego nieba nieoczekiwanie spadł na jej szyję pocałunek. Nie musiała już wjeżdżać na górę. I wcale nie dlatego, że tam kiedyś była. Jeden kapryśny całus w szyję i te same godziny do powrotu od razu stały się za krótkie.

W samolocie, objęci i przykryci jednym pledem, wracali z cudownej wycieczki, wioząc jedyne niewirtualne wspólne zdjęcie, jakiego mieli się dorobić, na najprawdziwszym papierze fotograficznym. Robią takie z automatu w Disneylandzie na którymś z za ostrych zakrętów upiornej kolejki, można je potem za równie upiorne pieniądze wykupić lub nie. Siedzą na nim w wagoniku, drąc się jak opętani w apogeum strachu, każde przed czym innym.

TAK BARDZO go kochała, lecz od tamtej pory już go nie lubiła.

Nie lubiła go mniej lub bardziej, wciąż starała się lubić, co rano miał u niej carte blanche, nawet jeśli jeszcze wieczorem dusiła się ze złości lub z zażenowania, jak sobie może na to czy owo pozwolić z jego strony. Nieodmiennie miał u niej carte blanche, czego by nie zrobił i nie powiedział, bo wszystko umiała sobie na jego korzyść wytłumaczyć. A jednak ta kartka była zagnieciona i gdyby nawet wyprasować ją najlepszym żelazkiem, pod światło zawsze byłoby widać linię zagięcia. Albo miała urwany róg, rożek, niedostrzegalny gołym okiem, ząbek ząbka w znaczku, do dostrzeżenia pod wyjątkowo silnym mikroskopem, lecz jednak urwany. Kancer. A może, niezagnieciona i nienaderwana, nie była już doskonale biała, choć kleksa, zrobionego atramentem sympatycznym, cóż za prowokacyjna nazwa atramentu, też w żadnym razie nie dało się zobaczyć.

Bardzo trudno jest kochać, ale najtrudniej jest kochać, nie lubiąc.

❦

Za to MamęBenię, jak ją sobie nazwała i jak wpisała do komórki, lubiła coraz bardziej. Jeśli ktoś z jej znajomych miał klasę, to właśnie ona. Żadnego zaścianka, kołtunerii, bezpodstawnych uprzedzeń, żadnej małości w niej nie było, może dzięki wielkiej ciekawości świata i ludzi, i jakimś iście filozoficznym podejściu do istnienia? MamaBenia zaskoczyła ją już w drodze do Muzeum Narodowego, ponieważ wkrótce przyjechała po raz drugi i Adaś z Lojką przekazali

matkę w jej ręce, uciekając w rwetes sklepów w Śród-
mieściu.

– Co ty w ogóle sądzisz o życiu, gdy mu się no... tak
przyglądasz?

Myślała, że to konwencjonalny wstęp, by zacząć mówić swoje: bo ja sądzę, że... Ale nie, MamaBenia nad-
stawiła uszu, chciała i umiała słuchać.

– Uważam, że życie bywa piękne, ale tylko bywa. –
Zaśmiała się ni w pięć, ni w dziewięć.

– Podobno w Paryżu wiedliście piękne życie! Adaś
mówił, że byliście w Luwrze, spacerowaliście wzdłuż
Sekwany, jedliście homary, popijając winem, że było
tak romantycznie...

– Tak mówił?

– Wiesz, jaki jest, niewiele opowiadał, ale tak, właśnie tak mówił.

– Wiem, jaki jest... I to znaczy, że życie jednak bywa
piękne – westchnęła, teraz naprawdę rozbawiona. –
A twoje... życie?

– Oj, pracowite, nawet aż za bardzo, ponieważ sobie
źle wybrałam męża i w niczym mi nie pomaga, teraz
to jeszcze ja muszę mu pomagać, bo z tego picia poważnie choruje.

Chodząc po muzeum, MamaBenia opowiedziała
jej swoją historię, choć nie na jednym oddechu, bo nie
zwierzała się specjalnie, ot kilka zdań tu, kilka tam...
Wychowała troje dzieci, jednocześnie pracując jako lekarz pediatra w miejscowej przychodni i, jakby tego
było mało, ogarniając gospodarstwo rolne, bo szanowny

mąż wolał butelkę. Nikogo nie udając, brała, co dało się wziąć, i nie oszczędzała się w pilnowaniu i udoskonalaniu tego, co zdobyła. W modnie ubranej, uczesanej i umalowanej Beni, oglądającej z zaciekawieniem pejzaże Gierymskiego, nikt nie rozpoznałby twardej, niebojącej się żadnej pracy MamyBeni, sypiającej po pięć godzin, wyprawiającej dzieci do szkoły, wędrującej do przychodni, dosłownie, bo nim dorobiła się małego samochodu, szła cztery kilometry do przystanku pekaesu do Radomska, która po ściągnięciu kitla i otrząśnięciu się ze świnek i innych kokluszy podwijała rękawy i bywało, że między zrobieniem obiadu i kolacji chwytała jeszcze za kosę! Benia z kosą była Samym Życiem, nie Śmiercią z obrazów Malczewskiego, którym przyglądała się z mieszanką nieufności i rozbawienia, jakby za dużo w nich było sztuki, a za mało prawdy.

Sztuka, prawda. Wyobrażała sobie ten ich dom pod Radomskiem jako parterową chatę, krytą strzechą z płócien Gierymskiego, a małego Adasia z ojcem niczym prząśne postaci w giezłach na łące, wpatrzone w klucz bocianów, wprost z Chełmońskiego. Takie miała pojęcie o prowincjonalnych realiach jak o ciężkiej pracy od rana do nocy i tyleż malowniczych, co egzotycznych wizji nie zakłóciły nawet odbywane przez Skype'a komputerowe wizyty w nowoczesnym domu babki, ciotki i kuzynów, mieszkających z drugiej strony miasteczka. To tam Adam spotykał się z mamą i siostrami, by nie zetknąć się ze znienawidzonym, złorzeczącym nawet własnemu potomstwu ojcem.

Objęła MamęBenię wpół jak własną matkę. Nie, własnej by tak nie objęła.

– Posłuchaj, teraz, gdy dzieci już wyszły z domu, mogłabyś przecież...

– Co mogłabym? – Spojrzała na nią dobrotliwie.

– No, rozwieść się, rzucić go w cholerę, jesteś jeszcze młoda, atrakcyjna...

– Jest fiutem – powiedziała z wdziękiem, jakby cytowała *Pana Tadeusza*. – No i co? Zostawię go w tym stanie? Nie pomogę mu, gdy wymaga pomocy i nie ma nikogo prócz mnie? Oj, to nie jest takie proste...

Pomyślała o toksycznych związkach, o współuzależnieniu, czy jak to się tam nazywa, Teresa chodziła kiedyś na terapię dla współuzależnionych żon, pędziła z banku na spotkania, by dowiedzieć się, że jest wolna, choć nie była.

– Słuchaj, Beniu, nie możesz, nie powinnaś, wszyscy mamy, co mamy, tylko raz, są ośrodki dla takich jak on i terapie dla...

– ...dla tych wielkomiejskich babek, które traktują ludzi jak rzeczy, w tym swoich mężów, a nawet czasem i dzieci? Do wymiany, do wyrzucenia, do opuszczenia... Nie rozumiem tego, Maju.

Zadrżała, chociaż nie mogła wziąć tego do siebie, bo MamaBenia nic na jej temat nie wiedziała. Stały właśnie przed *Dziwnym ogrodem* Mehoffera. Złotowłosy, nagi kilkulatek z kwiatami w rękach, stąpający niewinnie po trawie, to był oczywiście Adaś, któż by inny... Pani obok to jego matka: w szafirowej, falbaniastej sukni MamaBenia wyglądała jak księżna, a z tyłu, za nimi, stała odziana na ludowo chłopka, opiekunka? To przecież nie była ona, Maja. Nie, nie była ani jedną, ani drugą: trzecią była, kobietą niewidzialną na płótnie, stojącą pomiędzy. Dlatego *Dziwny ogród* był dziwny, nie z powodu gigantycznej ważki wiszącej nad ich głowami niczym fantastyczny dwupłatowiec, i tym bardziej nie z powodu nadobfitych, rajskich jabłoni ani najczarowniejszych kolorów, składających się na uchwycony przez malarza moment szczęśliwości.

– Co widzisz na tym obrazie, Beniu?

– Radość… spokój… coś miłego nie tylko dla oka…

– Czyli harmonię.

– Tak – zgodziła się. – Harmonię! Ale… trochę nieprawdziwą, bo czy nie za dużo tu tego dobrego? Od samej słodyczy też może zemdlić. – Zachichotała. – Kiedyś Adaś zjadł cały słoik miodu i…

Adaś, Adaś, zawsze Adaś, słoiczek miodu, moment szczęśliwości. Zawsze on, w tej chwili pewnie chichoczący z Lojką nad stertą bluzeczek, z których coś dla siostry wybierają, i choć fizycznie ledwie kilka ulic dalej, faktycznie całe lata świetlne stąd, bez jednej myśli o tym, co mama i ona, ta druga, ta trzecia, której nie widać w *Dziwnym ogrodzie*, akurat robią. Nie włączał wi-fi na ludzi, z którymi właśnie nie przebywał, a gdy już byli z nim, sięgał po wi-fi w komórce, jakby sama obecność, jego, ich, nas, jej, wystarczała. Komiks o Adasiu, który kiedyś zjadł słoiczek miodu, aż go zemdliło, a potem wydoroślał i był, a jakby go nie było, mógłby nosić tytuł „Nieuchwytny". MamaBenia nijak nie nadawałaby się do tego komiksu, może nie sposób nauczyć ani przekazać empatii? Jej piękny, bystry, roztaczający niebywały wdzięk i w osobliwy sposób oddalony syn był niby Kaj z Andersena, z okruchem lustra – diabelskiego jak jego urok – w oku, i może nie z soplem lodu, ale z małą schładzarką w sercu na pewno. Czy gdziekolwiek istniała jakaś Gerda, zdolna zepsuć tę małą schładzarkę, zalewając ją gorącymi łzami? Nieco zmęczone, zostawiwszy drugą połowę muzeum na następny raz, siadły na kawę, a MamaBenia wciąż patrzyła na nią jak na obraz Mehoffera, uważnie i życzliwie, nastawiona na odbiór z perfekcyjnie działającym wi-fi.

– Harmonia w sztuce nie jest tym samym, co w życiu, śliczne obrazy są... śliczne – uważnie dobierała słowa, pamiętając, że Maja zna się przecież na rzeczy. – A w życiu, żebyś dostrzegła to śliczne, musisz się odbić od jakiejś... nieśliczności. – Ucieszyła się ze znalezionego określenia. – Wiesz, jak smakuje mi spacer po lesie, mamy las niedaleko, chodzę na grzyby lub na jagody, więc wiesz, jak mi się ten las podoba, gdy wyjdę z domu i już nie patrzę na odętą twarz męża?

– Powinnaś jednak coś z tym zrobić...

MamaBenia jeździła palcem po spodku od filiżanki jak po kosmicznej orbicie.

– Nie zawsze był taki, zmienił się, wiesz, gdy go poznałam... To po nim Adaś ma niezłą twarz i inteligencję, i coś, co trudno wyrazić, a czemu poddałam się bez reszty dwadzieścia parę lat temu... mój mąż miał...

– ...wdzięk, Beniu, to się po prostu nazywa niebywały wdzięk, jakiemu nie sposób się oprzeć!

– Wdzięk? Tylko wdzięk? – Zastanawiała się MamaBenia. – Nie... Myślisz, że zaufałam mu dlatego, że miał wdzięk? Że chciałam mieć z nim dzieci, bo miał wdzięk? Że teraz nie zostawię go, bo kiedyś miał wdzięk? To chyba trochę za mało. I – roześmiała się z niedowierzania – jak by to o mnie miało świadczyć? Przecież nie byłam ani głupia, ani płocha...

– Ale zakochałaś się. Rozpierała cię duma z jego wdzięku i z tego, że wybrał właśnie ciebie, choć skoro był taki, jak mówisz, dziewczyny musiały kleić się do niego jak...

– Oj, kleiły się, mógł wybierać jak w ulęgałkach.

– A widzisz... – Kiwnęła głową w pewności, że Benia nigdy nie zostawi męża, tak jak ona nigdy nie porzuciłaby Adasia, nawet gdyby zaczął pić, ćpać i się awanturować.

– Duma? – Palec MamyBeni na spodku pod filiżanką dobiegał już do Plutona lub Neptuna, albo wręcz opuścił naszą galaktykę. – Dumna to ja, owszem, jestem, ale ze swoich dzieci. Wyszły na ludzi, córki są po studiach i mam nadzieję, że Adaś też zrobi jakiś dobry dyplom, zawsze traktowałam swoje dzieci równiuteńko, Bóg mi świadkiem, lecz to w końcu mój jedyny syn, wiesz, jak to jest... – Spojrzała na nią nagle. – Przepraszam cię, Maju, nie chciałam, wiem, że dotknęła cię straszna tragedia, że miałaś syna, oszalałabym, gdyby coś się stało Adasiowi...

– Nie przepraszaj.

– Czasem człowiek coś palnie głupiego, naprawdę wybacz...

Naprawdę to była gotowa jej o tym opowiedzieć jak nigdy nikomu wcześniej.

– A kochałabyś swego Adasia tak samo, gdyby... Gdyby tego wdzięku najzwyczajniej nie miał?

Palec MamyBeni zatrzymał się na orbicie spodka.

– Maju, co ty opowiadasz? O co ty mnie w ogóle pytasz? Nabierasz mnie jak w tym programie *Mamy cię!*?

– Nie przeżyłam strasznej tragedii, Beniu. Mój syn Michał żyje i chyba ma się dobrze. Ja go po prostu nie chciałam. I nie chcę. Nie udał mi się, więc wykluczyłam go ze swojego życia. Potrafisz to zrozumieć?

❧

TAK BARDZO trudno jest kochać, nie lubiąc, lecz jeśli się nie kocha i nie lubi, a p o w i n n o, nie wiadomo, dokąd uciec.

Nie wiedziała, gdzie uciekać przed nowo narodzonym, wrzeszczącym brzydactwem. Gdy położono go przy jej piersi, poczuła, jakby narośl jakaś nagle na niej narosła, zdawało jej się, że najbardziej ze wszystkiego potrzebuje teraz chirurga, który to odetnie, nim powiększy się tak, że nic nie pomoże, bo zje ją całą, ona cała stanie się tylko własną – obcą naroślą. To nie był szok poporodowy, chciała mieć dziecko i ono mogło być z Jarkiem, dlaczego nie, czyż nie była do męża sympatycznie przywiązana? Nie ona jedna pomyliła sympatyczne przywiązanie z wyższymi uczuciami.

Narośl była nieomylnym przeczuciem niemiłości. Michałek rozwijał się prawidłowo, zdaniem lekarzy, i zupełnie nieprawidłowo, jej zdaniem. Nie ładniał, wręcz jakby dalej brzydł, choć miał oczka, uszka, nosek i wszystko, co potrzeba mieć. Niewiele rozumiał, choć nie był opóźniony w rozwoju. Niby mówił całymi zdaniami, a jakby wypowiadał połowę. Niby śpiewał czysto, ale nieprzyjemnie. Fikał koziołki, lecz jakieś kanciaste. Jadł z apetytem, dlaczego więc było w tym coś gorszącego? W szkole podstawowej miał trójki i czwórki, niezbyt źle i niezbyt dobrze. W średniej też był średni. Nie jest brzydki, jest... średni, orzekła Cristina, wówczas jeszcze zwykła Krystyna, łapiąc ją na zniesmaczonym i zawstydzonym spojrzeniu na syna i zdobywając się na wyjątkowy obiektywizm. I w ogóle o co ci chodzi? Cóż nieprawidłowego jest w średniości? Nieprawidłowo to ty się rozwijasz jako matka! I demonstracyjnie hołubiła Michałka, jak umiała, czyli też średnio, bo Cristinie zawsze najlepiej szło wychowywanie samej siebie, lecz jednak się starała.

– Dzieci się nie wybiera – ile razy to od niej słyszała? Odpowiedziała tylko raz.

– A ja właśnie chciałabym sobie wybrać. Kogo jak kogo, ale człowieka, którym miałabym się zajmować pół życia, a na pewno przez kilkanaście najlepszych moich lat, chciałabym sobie wybrać!

– Nie mów tak głośno. – Krystyna zamknęła okno, by tabu nie wyfrunęło na plac zabaw i by ktoś nie zauważył, z którego okna. Miejscowi katolicy z pewnością dokonaliby za to chrześcijańskiego samosądu w ramach miłosierdzia: dziecko, dziecko, narodzone, niekochane, ratujmy je i ukarzmy tę nieczułą bladź!

Posłusznie ściszyła głos:

– Nie wystarczy ci, że wybrałaś mi męża i że zamiast być historykiem sztuki, zostałam trochę lepszą, lecz jednak kasjerką?

Bezradna i wściekła z bezradności matka teatralnie postukała się w czoło.

Trochę przed Krystyną grała, podkręcała dramaturgię, sama dziwiła się pokrętności własnych argumentów, bo przede wszystkim nie mogła się nadziwić, że nic, absolutnie nic pozytywnego nie była w stanie wykrzesać wobec tego malucha, chłopczyka, chłopca, nastolatka, któremu sypał się wąs, jakiś krzywy i rzadki jak cały jego wygląd i przezroczysta osobowość. Marzyła, żeby zniknął. Nie by mu się coś stało, ale by nie musiała go oglądać, rozmawiać z nim, przebywać pod jednym dachem. Równie absurdalne było, że Jarek tego nie zauważył. Wkrótce po urodzeniu Michałka zajął się robieniem interesów. W nowym, postsocjalistycznym kraju tacy jak jej mąż w ciągu dekady zostawali krezusami, choć od samego bycia krezusem Jarek wolał owo zostawanie, niekończący się proces decyzyjny, raz prowadzący do sukcesu, a kiedy indziej do tkwienia na ostrzu noża, jak mówił, uwielbiając ostre gry.

Syna też oczywiście przeznaczył do takich gier, ale gdy dorośnie, nie interesując się na razie jego losem. A ona, co w tej sytuacji zbyt trudne nie było, kamuflowała się, jak umiała, karmiła, przebierała, rozmawiała, głaskała nawet, choć potem od razu chciała myć dłoń, i kupowała, oczywiście, kupowała synowi mnóstwo rzeczy, cóż za dziwaczna kompensacja poczucia winy, którego jednak nie miała, nie miała! No i co?

Czy, gdy stał się dorosły, umiał faktycznie pomóc swemu ojcu? Dokładnie nie wiedziała, nie zobaczyła już bowiem jego dorosłości, darem niebios okazała się śmierć teścia, po której teściowa, tak samo jak ona uważająca, że Jarek nie jest dla niej odpowiednią partią, i zwyczajnie ją lekceważąca, wzięła Michałka do siebie. Liceum robił już we Wrocławiu, w towarzystwie babci, która oddała mu cały swój czas i serce, puste po nagłym odejściu męża. Jak z tym wszystkim czuł się sam Michałek, nawet jeśli, jak uważała, jej, za przeproszeniem, syn czuł rzeczywistość połowicznie? Niezadawanie takich pytań opanowała do perfekcji. Marzyła, żeby zniknął i zniknął, także z jej pejzaży w środku. Być może ta połowa, którą wszystko czuł, była akurat tą właściwą połową, pozwalającą mu na swój sposób zrozumieć, że do własnej matki lepiej się nie zbliżać i trzy telefony w roku z jakichś niejasnych powodów wystarczą, bo nie czynił żadnych prób zbliżenia się.

Michałek wyzwalał w niej wszystko, co najgorsze, a czego nie dostrzegłaby w sobie, gdyby go nie było. Coś podobnego, niepojętego i ekstremalnego, tyle że na odwrót, zdarzyło jej się, gdy poznała Adama, którego też n i e w y b r a ł a. Czyż nie wyzwalał w niej wszystkiego, co najlepsze, wcale nie będąc najlepszy? Teraz już wie, że nie jest... nie był najlepszy. Nie był nawet doskonały. Któregoś lata kupiła mu koszulkę, bardzo ją lubił. Lubił na szerokim torsie obnosić po Chmielnej wyznanie WIĘZIEŃ SPOJRZENIA. Tyle że to było przede wszystkim o niej.

❧

W trzecim roku miała go jeszcze mniej niż w drugim. Pracował we francuskiej restauracji o nazwie nie do wymówienia, więc nazwali ją ślimakownia, a w weekendy chodził do szkoły, bo była to szkoła, owszem, ekskluzywna, lecz jednak nie uczelnia. Stoczyła o nią całą bitwę pod Grunwaldem, w której Adam, Lojka i MamaBenia stali po stronie krzyżackiej. Studia, studia, muszą być studia, wymachiwali za ciężkimi mieczami w rzednącym powietrzu.

– Gdybym nie miała studiów, pasłabym krowy pod Radomskiem lub co najwyżej pracowała w sklepie. Chciałabyś, by on całe życie pracował w sklepie albo i w tej całej ślimakowni? – pytała MamaBenia bez cienia pretensji, z nutą zdziwienia i niezrozumienia, jaka nie wybrzmiała nawet wtedy w muzeum, gdy wysłuchała opowieści o Michałku, powstrzymując się od komentarza. – Obie moje córki są po studiach, ba, nawet syn sąsiadów, głupek prawie, zrobił zaocznie dyplom, dlaczego więc uważasz, że...

W poczuciu, że modły do bożka studiowania stanowią chyba jedyny ślad prowincji, jaki w nich odnalazła, tłumaczyła, że obecnie studia nie są już warunkiem dalszego rozwoju. Że wieczorowe nie mają sensu, a na dziennych oszukała się cała generacja niewiele starsza od Adasia, studiując gremialnie zarządzanie psychologią, kpiła, łącząc dwa najpopularniejsze przez lata kierunki, po jakich ani pracy, ani wiedzy. Było to jednak pół prawdy. Drugie, istotniejsze pół, kryło pewność, że Adam do studiowania po prostu się nie nadaje. Że jego otwartej głowie brak skupienia, nie siądzie, nie wyłączy komórki, by przygotować się do egzaminu, nie spędzi wolnego weekendu nad fachowymi książkami ani by napisać długi esej, bo dobry jest tylko w krótkich formach, do jakich starcza mu cierpliwości. Nie miał też poczucia, że ostatecznie wszystko wymaga żmudnej pracy i żelaznej konsekwencji, do czego ona wciąż dokładała swoje cegiełki, ułatwiając mu, co się da. Doskonale wiedział, że jeśli powinie mu się noga, zostanie wsparty kolejnym banknotem, kolejną otuchą, kolejnym argumentem na to, że otoczenie, nie on, jest wszystkiemu winne. Oczywiście nie powiedziała im tego, podobnie jak nie zdradziła się z czymś jeszcze, bo prawda składała się z trzech połówek. Kiedy miałby się z nią spotykać, gdyby musiał jeszcze czytać zbyt fachowe książki i pisać za długie eseje?

Tak czy owak, studiować za niego nie mogła. Znalazła więc Szkołę Reklamyśli, a pod dziwacznym szyldem kryły się niemal kawiarniane weekendy ze specami od reklamy, podczas których mógł do woli tryskać swą inteligencją, żywym srebrem, z jakiego odlewał bon moty i puenty, idealnie przystające do patchworkowego świata internetu. W ramach pracy domowej zadawano głównie p r z e m y ś l e n i a. Czyż nie mógł sobie przemyśliwać o tym i owym, byle reklamowym, na leżąco, pod nią, nad nią albo z boku, skoro dokonywał w tym czasie lektury fejsbuka, co ją nawet podniecało? Horrendalne czesne wyjaśniono możliwością horrendalnych zarobków w niedalekiej przyszłości. Zapłaciła za pierwszy rok z dwóch lat, bo udzielił mu się jej entuzjazm, zalśniły błękitne ślepia wobec dużych, łatwych do zdobycia pieniędzy. Gdy przeszedł rozmowę kwalifikacyjną, rzecz jasna brawurowo, nawet nie przyszło jej do głowy, że do tej szkoły mogą brać niemal każdego, kto przyjdzie, byleby nie był oczywistym tłukiem i zapłacił jak w przypadku większości prywatnych szkół niższych i wyższych.

Co było najważniejsze? Że chciał to robić czy że szkoła była dwuletnia i za rok też należało uiścić horrendalną opłatę? Że czuł się wyróżniony zapisaniem na ekskluzywne weekendy czy że ona wzmocniła wiążące ich nici o jeszcze jedną jedwabną niteczkę, wydłużającą perspektywę Wieczności? W tej perspektywie pojawiły się nawet dalekie wyjazdy, mieliby wówczas dość pieniędzy. Safari? Złote miasto Inków? Nowa Zelandia, do której przymierzała się jej Grupa, choć oczywiście bez grupy? Mówili o tym, lecz jakie antypody wygrałyby z jego elektronicznym wyświetlaczem?

Podwarszawskie Łomianki: to były wystarczające antypody. Zarówno wobec Śródmieścia, po którym lubili spacerować, jak i jej osiedla. Z żadnej strony nie było mu teraz do niej po drodze, ani z pracy, ani z nowego mieszkania. W dodatku zamieszkał tam z Lojką, która postanowiła w stolicy szukać szczęścia i jak na początek znalazła niezłą pracę w hotelowej recepcji. Rozmawiała więc z nim głównie na odległość, w trójkącie z komórką ta ostatnia znów stała się najważniejsza, choć inaczej niż na Korfu. Związek komórkowy to pułapka, we wnyki wpada tylko Brak. Brakowało jej jego zapachu i błękitnego światła oczu, oczu, nie rozbłyskującego na niebiesko ekraniku. A gdy już się widzieli, to najczęściej w czworokącie, ponieważ towarzyszyła mu Lojka. Lubiła ją nawet i rozumiała, że nie ma jeszcze w mieście swego życia, lubiła ją, bo fizycznie była do brata podobna, tak, to wystarczało, by ją lubić, ale oczywiście wolałaby być tylko z nim. Nawet jeśli mówiłby to samo, nawet jeśli powtarzałby, jak powtarzał:

– Przecież już o tym ci opowiadałem, gdy dzwoniłem z pracy!

A tak, opowiadał. Że koleżanka kelnerka robi wszystko za wolno, a inna jest nieporządna, że menadżer nie podjął decyzji w sprawie zakupu lepszej kawy, że... Wszystko, co chętnie spijała mu z ust, gdy go w i d z i a ł a, przez telefon było banalne, jeśli nie robiło mu krzywdy wymagającej interwencji. Odarte z jego wdzięku, ze słodkiego przejmowania się drobiazgami, gdy nerwowo pocierał policzek, z szukania w jej twarzy potwierdzenia, że ma rację, bo jak można tyle dni obiecywać kupno lepszej kawy i nie kupić, były tylko nudnym serwisem codziennych wiadomości. Ktoś dał napiwek, ktoś nie dał, ktoś rozmazał francuski pasztet po dywanie, ktoś zażyczył sobie ściszenia muzyki. Ciekawie robiło się dopiero, gdy siadali w jej saloniku i gdy po drinku lub dwóch jego biografia zewnętrzna zmieniała się w wewnętrzną, gdy stawał się wyciszoną muzyką dla jednej słuchaczki, a potem Jane Fonda znów mogła przez prerię... Tamtego roku wszystkiego było za mało, wieczornych esemesów też pisał mniej i enigmatyczne, nie wracał już bowiem do samotnego, sublokatorskiego pokoju, a do mieszkania, w którym czekała na niego Lojka. Wspaniale, nie był sam. Niestety, nie był sam.

Jakże łatwo brat z siostrą odnaleźli po trzech latach zawieszoną bliskość! Zazdrościła tego Lojce. Niezazdrosna o jego ewentualne kochanki zazdrościła, czego mieć nie mogła: fundamentów, które ich razem zabetonowały na zawsze, przecież zobaczył Lojkę, gdy tylko MamaBenia przyniosła go do domu ze szpitala! Lojka stanowiła Wieczność, nie ona. Ona etapem była, nawet jeśli przedłużanym w Wieczność, to taką kulawą, zaczętą nie od razu, skończoną nie na końcu, choć oczywiście na razie bezkresną. Gdyby teraz rozstali się i spotkali znów, po trzech latach jak z siostrą, mieliby tylko garść lepszych i gorszych wspomnień do rozsypania gdziekolwiek, zbyt ulotnych na jakiekolwiek fundamenty. Przejściowych, stąd dotąd. Dokąd?

Pomyślała o tym wtedy, w kawiarni na Żurawiej, gdy zobaczyli się po niemile rekordowym tygodniu niewidzenia. Przywitał się z nią niemal jak z przypadkowo spotkaną znajomą, bohater komiksu *Nieuchwytny*, niewłączający wi-fi na ludzi, z którymi akurat nie przebywa. A przecież był to ledwie tydzień, znaczony telefonami i esemesami. Jak na ironię, spontanicznie usiedli z Lojką po jednej stronie stołu, mogła usiąść tylko naprzeciwko. I tak się poczuła: naprzeciwko. Lojka trajkotała coś wesoło o geriatrycznych wycieczkach europejskich emerytów, obsługiwanych w hotelu. On, nieoczekiwanie, zawsze nieoczekiwanie, dał szczupaka przez stół i wcisnął jej do ucha jedną ze słuchawek.

– Posłuchaj! – Pod blatem ruszał do rytmu nogą, wbijając się kolanem w jej udo. – Ostatnio mam to na uszach co rano, gdy jadę do pracy!

I już było dobrze, włączył na nią wi-fi, chciał jej opisać swój poranny stan, chciał się podzielić, a ona chciała jedynie, by się z nią dzielił. I wówczas wyrósł nad nimi ten fircykowaty kelner, spojrzał na całą trójkę, wbijając w nią kaprawe ślepia.

– Co dziś fundujemy szanownej młodzieży?

– Na co macie ochotę? – wyjąkała.

Zamówili. Fircyk odszedł, zabierając ze sobą całe „dobrze", zostawiwszy ją przy innym stole, w innych czasach, z Jarkiem, przy którym kelner nigdy nie zwróciłby się do niej.

– Maja? – trajkotała Lojka. – Jak nazywała się ta piosenkarka, śpiewała piosenkę, którą bardzo lubi nasza mama, i chciałam jej kupić płytę, bo ma urodziny... Koncert na świerszcze i wiatr, czy coś podobnego... Na pewno wiesz, bo to stare!

– Magda Umer, *Koncert jesienny na dwa świerszcze i wiatr w kominie*.

Wiedziała, bo stare. I popatrzyła na dwa zadowolone świerszczyki z drugiej strony stołu, radośnie podrygujące w takt wesolutkiej rąbanki, jaka dochodziła ją z lewego ucha. Lecz w prawym śpiewała Magda Umer, i nie o wietrze w kominie:

Inne będą nasze dni, adresy, telefony
Kiedyś po latach spotkasz mnie, idąc na przykład z żoną
Kiedy się ukłonisz, no to spojrzę, uśmiechnięta
Twoja żona spyta: „Kto to?". Powiesz: „Nie pamiętam"...[10]

❦

TAK BARDZO, tak już nie może wytrzymać, że wystarczył policzek przy policzku, nos w nos i chuch w chuch w zatłoczonym wagoniku metra, by odurzona wysiadła stację wcześniej niż ta, przy której teraz mieszka. Mężczyzna nie był do niego podobny, ba, kompletnie niepodobny był, czarnowłosy, o ciemnych oczach, śniadej cerze. Oddychał ciężko wprost do jej trzewi, wzięła jego zmęczenie i duchotę za to, czym sama była od pewnego czasu nachalnie wypełniona. Spojrzał na nią, jakby wyczuł, więc, spanikowana, wysiadła.

Dopiero siódma, a już ciemno, przed nią dwanaście wydrążonych z życia godzin, by wstać do banku, nie, znacznie więcej, przecież piątek jest. Gdzie podziały się tegoroczne weekendy, liczone już w dziesiątki, bo rok zbliża się ku końcowi? Ile z nich zabrała bezsenność, a potem sen miękko przynoszony przez tabletki „łagodzące nastrój" lub nagle zrzucany na głowę jak płyta chodnikowa przez piwo ze słowem *strong* na etykiecie? Ile z nich straciła w przebłyskach, że już jest wszystko dobrze, więc posprząta, wysprząta nowe, malutkie mieszkanie, jak posprzątała, wysprzątała wreszcie swoje serce? Ile weekendów spędziła posprzątana, wysprzątana wszędzie, tylko nie od środka, przeglądając od nowa te same magazyny wnętrzarskie, jakby były władne przemeblować jej emocje? Raz – raz! – spotkała się z Teresą i raz – raz! – spędziła sobotę z Lenką. Tłumienie tego, czym żyje, a raczej czym nie żyje, bo przecież z niczego się nie zwierzyła, było gorsze od tkwienia w domu z ludźmi w telewizorze, którym mogła tępo przyglądać się bez ciekawskiej wzajemności...

Po ósmej. Pokonanie dwóch stacji metra, o jakie wysiadła za wcześnie, miało ją zmęczyć, a spacer zadziałał odwrotnie. Zielona herbata miała zrelaksować, a nabuzowała jeszcze mocniej. Delikatny zapach naparu nawet nie przebił się przez jej nozdrza zatkane ciężkim oddechem tamtego mężczyzny.

– Co zrobisz, gdy mnie już nie będzie, wrócisz na czat erotyczny?

Głos wbija się w każdą z kolejnych czynności, prowadzących do celu bez żadnych półśrodków, bez udawania, że nie, chociaż tak, bez enigmatycznego nicka, a z konkretnym, *ChętnaWawa40+*, i gdyby zaraz nie zapukało do niej kilku kandydatów, sama zaczęłaby ich zaczepiać. Przed dziewiątą. Jakie proste. Umówiona. Przed dziesiątą. Jakie proste. Wykąpana, wypachniona. Po dziesiątej. Jakie proste. Bez windy do garażu, bez jazdy jak w kondukcie przez osiedlową alejkę, bez dobry wieczór, pani Keller, sama wie, że będzie dobry, będzie i już, wychodzi na najbliższy róg, niepilnowana, z niepilnowanego czteropiętrowca zupełnie nieprzypominającego chińskiego pałacu. Chłopak, który już czeka, też jej nikogo nie przypomina poza mniej więcej trzydziestolatkiem, widzianym niedawno w internetowej sekskamerce. Łysy, żeby nie było, że blondyn. Szczupły, żeby nie było, że masywny. Ciemne oczy, żeby nie było, że niebieskie. Uśmiecha się asymetrycznie, lewym kącikiem ust do góry, wyłapała to od razu w obrazku, żeby nie było, że nagle błyśnie równym uśmiechem, który ją przywoła do okrutnego porządku wspomnień. Jeszcze coś o nim wie, pokazał w kamerce na jej życzenie, żeby nie było, że nagle w powietrze wyfruwa wielki, czarny sterowiec. Co najwyżej awionetka.

Parę chwil i policzek przy policzku, nos w nos, chuch w chuch. I nagle: czekaj, daj dowód... Po co mu jej dowód? Nie wygląda na pełnoletnią? Albo kartę bankomatową... Kartę? Napisała, że może go wspomóc gotówką, ale terminal ma jak taksówkarz, czy co? Albo nie, czekaj, ten talerzyk wystarczy... Podnosi spodek od jej filiżanki w kolorze czekolady. Dobry, bo niebiały, będzie widać, mruczy. Wyjmuje z kieszeni jakieś foliowe zawiniątko i ostrożnie sypie białym proszkiem, faktycznie na białym nie byłoby widać. Coś jeszcze ma, kawałek słomki, ze cztery centymetry, jak z drinka dla liliputa. Wciąga... Chcesz trochę? Co to? Nic strasznego, mefa. Mefa? Mefedron, no... Idealny na jazdę! Nie, dziękuję... Jadą. Jedzie.

Nie jest Jane Fondą przez prerię z pradawnego westernu, nie jest Jane Fondą przez prerię, nie jest, kurwa, Jane Fondą! Nikim nie jest. Bezimienną suką ma być! Po chwili już jednak ma imię, bo woła ją po imieniu przybranym tylko dla niego: Maja, liż jaja, jak za najlepszych czasów. Teraz, by zeskoczyć, przytrzymałaby się jego włosów, jego pięknych, gęstych, falujących włosów, ale dotyka tylko wielkiego kolana, czyjejś łysiny. Palce nieporadnie ślizgają się po czaszce, a ona po samej sobie, pokonana przez niego po tylu miesiącach, które miały ją odeń uwolnić. Weź trochę, mówi chłopak, znów ze słomką przy nosie, gdy leży obok tego zgrabnego, lecz za szczupłego ciała i roztrząsa, wstać i go wyrzucić, czy spróbować jeszcze raz. Weź trochę, jesteś spięta, rozluźnisz się... Słomka jest już w niej, coś piecze, biały pieprz, on także jest już w niej i to ten tu, łysy, realny, nie tamten, niełysy, nierealny. Po chwili czuje, jak wylizuje jej krocze, lecz ma je gdzie indziej, w głowie ma to krocze, wylizuje jej zwoje mózgowe, całą księżycową powierzchnię mózgu, który przeniósł się między nogi, nigdy nie miała jeszcze mózgu między nogami, biały pieprz sprawia, że zapomina, zapomina, już zapomniała, kogo brak w jej łóżku, już nie brak, więc jeszcze, daj mi tego jeszcze... Ponownie wtyka jej słomkę do nosa, brązowy talerzyk wiruje w powietrzu, mózg w kroczu domaga się tylko tego, by zostać tam na zawsze, polerowane kratery wybuchają z jakąś cudowną, nieznaną jej siłą, do wewnątrz.

Nie wie, ile to trwa, chwilę czy pół godziny, trzeźwieje z amoku, gdy staje się tylko swoim zewnętrzem, zbiera jej się na wymioty i jednocześnie na biegunkę, w ostatnim momencie wybiega z łóżka, mogłaby teraz biec na olimpiadzie przez płotki, wygrałaby nawet z czarnymi sukami, i dopada ubikacji, obejmując klozet gładki w dotyku jak łysa czaszka ogiera z internetu. Wylewa się z niej z przodu i z tyłu, i wszystko nagle wonieje jak wtedy, tamtej nocy.

Już spała, gdy usłyszała brzęczyk, który od lat odzywał się rzadko, bo gdy go poznała, przestała prowadzić życie towarzyskie. Nawet kiedyś to przy nim zauważyła i miał jej za złe, że nie urządza już choćby comiesięcznych Imprez Sałatkowych, ale bez niego nie chciała, a z nim, gdyby jednak zgodził się wpaść, na co zgody nie wyrażał, pytając, po co mu wujki i ciocie, więc z nim liczyłaby kwadranse, by już wszyscy wyszli i by zostali sami. Perspektywa bycia znów księżną sałatek była zatem tak mglista, że nie rozpatrywała już, jakby to w ogóle miało z nim wyglądać, a potem nie miała kogo zapraszać. Brzęczyk oznaczał budkę ochroniarzy, zatem kogoś z zewnątrz. Zaskoczona, podeszła do słuchawki.

– Pani Keller? Przepraszam, że o tej porze, ale syn przyjechał.

– Syn? – Obudziła się natychmiast. – Jak wygląda?

– Nie wie pani, jak wygląda pani syn? – wysapał zaspany ochroniarz.

Szczerze mówiąc, nie wiedziała, nie widziała Michałka od kilku lat, ponoć studiował w Toruniu jakąś ekonomię, by pomagać potem Jarkowi, widocznie ojciec nie mógł od razu kupić mu dyplomu. Lecz nie dlatego spytała o wygląd. To przecież nie może być Michał, to znaczy może, ale nie może...

– Wpuścić?

– Oczywiście!

Spojrzała na zegar: trzecia dwadzieścia. Szlafrok, przejazd palcograbiami przez włosy, łyk soku i na taras w zimne, wczesnowiosenne powietrze. Musi pod nim przejść, kim by nie był. Przejść, a nie... Sylwetka zataczała coraz większe koła, przemieszczając się ruchem nie do przewidzenia. Nigdy wcześniej ani później aż tak się nie upił.

– Nic nie mów, tu akurat jechał autobus – wybełkotał na progu. – A ja zgubiłem telefon.

Wszystkopsuj. Nie mógł powiedzieć, że chciał ją zobaczyć? Nic więcej, tylko tyle. Ale nie, prawda, szczerość, dowody zaufania. Czyż to nie cudowne, że nie musiał przed nią kłamać? Przeklinała tę prawdę, szczerość i wszystkie inne dowody zaufania. Nawet zwierzęta umieją się fałszywie przypodobać, nawet one wiedzą, kiedy coś podegrać. Jeśli teraz w ogóle coś wiedział, bo runął na fotel i uczepił się niewidocznego punktu w ścianie. Kilkoma iście cyrkowymi gestami ściągnęła z niego kurtkę. Klęknęła, mocując się z butami. Niemal ją przewrócił, wypadając nagle do łazienki. Nie musiała za nim iść, odgłosy były jednoznaczne, a jednak poszła. Stała w przedpokoju, wpatrzona w gnące się w konwulsjach plecy. Wreszcie podeszła, by pomóc mu wstać. Otrząsnął się z jej rąk, jakby dopadło go jakieś robactwo, a gdy odwrócił się ku niej, pałał nienawiścią. Trucizna, której się pozbywał, tylko połowicznie tkwiła w coraz mocniej śmierdzącej umywalce.

– I co, kobieto sfinksie? Wcale nie jesteś taka bez skazy! Kłamałaś, ile masz lat, a teraz próbujesz mnie zagłaskać?

Nie wiedziała, jak oddzielić pijacką złość od prawdziwej i wstyd, że go widzi w takim stanie, od niemocy jakiejś ogólniejszej. Szedł na nią, więc cofała się i tak znów znaleźli się w salonie. Złapał ją za ramię i potrząsnął.

– Myślisz, że sobie bez ciebie nie poradzę? To jeszcze zobaczysz, zobaczysz! Jesteś stara, a ja jestem młody, przystojny i mam dużego kutasa! I zawsze sobie poradzę! Zawsze! – Puścił ją, zrobił jeszcze kilka kroków w kierunku sypialni, całkiem przytomnym gestem zapalił papierosa i runął na łóżko.

Stała w wejściu i nie mogła się ruszyć, zablokowana przez warany idące z szafy przez cały apartament wprost na taras. Nie była w stanie ruszyć nogą, choć upuszczony przez niego papieros tlił się na wykładzinie przy łóżku, wypalając coraz większą dziurę. Cieniutka strużka dymu złowieszczo unosiła się w stojące powietrze, nadludzkim wysiłkiem podniosła nogę, ale jak zrobić te trzy kroki, jak zrobić choćby jeden, jak przemknąć się między ohydnymi, wielkimi jaszczurkami, jadowitymi waranami z Komodo? Przeciskała się między nimi bez tchu, aż wreszcie dopadła stopą żarzący się papieros, wciskając go gołą piętą w dymiącą powierzchnię dywanu. Nie poczuła bólu, ani pod stopą, ani już teraz nigdzie, przecież trzeba go było rozebrać i przykryć. Leżał na brzuchu, objęła go w pasie, rozpięła i ściągnęła spodnie. Na błękitnych bokserkach powiększał się brązowy ślad, spod nich też wydostawała się trucizna. Zsunęła je powoli aż do kostek i przez kostki. Metodycznie wyszarpywała z pudełka na nocnym stoliczku garście papierowych chustek podcierając, wycierając, czyszcząc go z resztek kolacji, które wciąż pojawiały się na wytartej skórze, resztki lawy z zamierającego wulkanu. A potem oparła głowę o jego uda, wysunęła język, zapiekło coś na czubku, wsunęła nos, najgłębiej jak się dało, jakby tylko w ten sposób mogła się dowiedzieć, co się w nim faktycznie kłębi. Jakiś obłęd, jakiś obrzęd.

Świtało. Leżała przy nim, przykryta kocem, w ciężkim powietrzu, przypalonym i przeżartym jak dywan przez papieros. Waranów już nie było, ale ich ślady widziała wyraźnie: poprzestawiane krzesła, przewrócony wazon. A może już nic nie widziała? Przytuliła się do niego, zamykając oczy. I wtedy usłyszała Cristinę prosto z barcelońskiej plaży.

– Kochać? To dla mnie znaczyło... To, co dla nas wszystkich. Być nim. Siedzieć mu w kieszeni, napawać się jego zapachem. Tkwić zawinięta w chusteczkę do nosa lub pod folią pudełka papierosów albo w portfelu, w czymś, co wyjmowałby często, by o mnie pamiętać, gdy w ferworze spraw zapomni, i bym przez chwilę mogła go widzieć, podpowiadając, że się rozczochrał i powinien przynajmniej przejechać dłonią po włosach, albo pytając, czy musi być akurat taki naburmuszony, daj spokój, nie przejmuj się niczym, szeptałabym, gdy zobaczymy się naprawdę, gdy znów stanę przed tobą powiększona do ludzkich rozmiarów, niechowająca się już w chusteczce, papierosach lub portfelu, wynagrodzę ci wszystko, co cię naburmuszyło, to życie ci wynagrodzę, które na co dzień nie zawsze da się polubić...

❧

TAK BARDZO blisko, za blisko.

– Nie uważasz, że czasem jesteśmy za blisko? – spytał kiedyś przez otwarte drzwi ubikacji, w której właśnie się wypróżniał, owym przedziwnym tonem stwierdzenia faktu własnego zdumienia i irytacji. Nigdy nie zamykał tych drzwi.

Gdy zaczął mieć kłopoty z zębami i okazało się, że kilka trzeba wyrwać, przestraszony został u niej na noc. Siadła przy nim na łóżku.

– Nic się nie martw, na wszystko są sposoby. Zrobią ci coś takiego, a po kilku dniach nawet nie będziesz czuł, że to masz. – Wsadziła dwa palce do ust i wprawnym gestem wyjęła swój tylny mostek, kładąc go przed nim na poduszce. Bez słowa przyglądał się konstrukcji.

To nie było ani bardzo blisko, ani za blisko. To było po prostu najbliżej.

❦

Ta Druga Kobieta była najdalej. Tak daleko, że odległość zamienił w uczucie. Cztery tygodnie poznawali się głosowo, esemesami i na Skypie. Jaki miała głos, nigdy się nie dowiedziała, ale z wyglądu z pewnością odpowiadała tej „mocno zbudowanej", do jakiej niegdyś przez chwilę wzdychał. Duża, prosiakowata głowa opierała się na krótkiej szyi, obfite piersi podtrzymywał spory brzuch, podtrzymywany, no niech już będzie, na zaskakująco zgrabnych nogach. Tak zapamiętała ją z krótkiego pokazu zdjęć, jaki zaprezentował jej wiele miesięcy później, gdy już był w stanie je oglądać. A może widziała to, co najpierw poznała z długo tajonej opowieści? Wtedy głowa Tej Drugiej Kobiety nie mogłaby być tylko nieforemna i za duża, a właśnie prosiakowata, bo to głowa jakiejś sadystycznej świni była. W każdym razie typ ostrej pielęgniary, którą się zresztą okazała.

Zawróciła mu w głowie wirtualnie z zadeszczonego walijskiego Cardiff, dokąd kilka lat wcześniej wyemigrowała spod Bydgoszczy. Wyobrażała ją sobie, jak wieczorami, po dyżurze, siada przed komputerem, omamiając jej chłopca i pałaszując potrójną porcję fish&-chips, którą przepija jakimś walijskim piwskiem, od czegoś w końcu miała to „mocne zbudowanie". Albo jak siedzi po nocy w dyżurce, zażerając się okropnymi miętowymi herbatnikami w czekoladzie od pacjentów, lecz zamiast o nich dbać, stuka w komórkę, omamiając jej chłopca! Albo jak... cokolwiek by robiła, omamiła jej chłopca wyjątkowo skutecznie, bo zaprosiła go do siebie, pod warunkiem że sam sobie kupi bilet, i kupił!

Tyle że nie był wówczas jej chłopcem. Najpierw się z nią pożegnał, rzecz jasna nieoczekiwanie, bo choćby mówił przez miesiąc, że ma jej dość, i przez następny, że drugiego lipca odejdzie, i tak byłoby nieoczekiwanie. Co się wówczas stało? Lato było, on znudzony codziennym kieratem w ślimakowni, i nią znudzony. Ciągle to samo, westchnął pewnego wieczoru po krótkim przejeździe Jane Fondy przez prerię wśród lecących banknotów. Nudziło go już nawet to. Połączenie seksu z giełdą finansową było oczywiście jej wynalazkiem. Przecież i tak wciąż go wspomagała, więc dlaczego nie miała tego robić w ekscytujący sposób? Rozmieniała dwie setki na dwudziestki i obsypywała go nimi jak kwiatami, wtedy zbierał i szybko chował pod poduszkę, rozczulająco pazernie jak dwunastolatek. Albo nie rozmieniała, chowając pod prześcieradłem dwie setki. Bierz kutasa, wzywał. I gdy już się nachylała, łapał go w garść, szepcząc groźnie: To kosztuje! A wtedy drżącą ręką sięgała pod prześcieradło. Druga stówka szła na opłatę autostrady, choć Jane Fonda celowo tłukła się na niej jak po bezdrożach. Bywało, że gdy naprawdę potrzebował więcej, jeszcze wstawała, by biec do torebki. Biegiem, bo mi się odechce, doskonale grał tę rolę. Biegiem, bo mi się odechce, uwielbiała ten teatr.

Nie sądziła, żeby Ta Druga Kobieta miała podobne pomysły, przede wszystkim musiała być skąpa, skoro czterdziestolatka nie wykupiła mu nawet przelotu. Jaka by jednak nie była, i n n a   b y ł a   i   n o w a, w dodatku w nowym, niemal egzotycznym miejscu, podczas gdy on łaknął zupełnie nowego jak przysłowiowa kania dżdżu. Znacznie bardziej niż poprzednim razem, a wówczas każdy kanarek na dachu będzie lepszy od wróbla w garści! Dorośli ludzie w dojrzałym związku, gdy nuda zagląda im w oczy jak przedwczesny zmierzch, próbują ją opanować i odmienić, wiedząc, ile mają do stracenia. Lecz oni byli półdorośli. Jej podobała się ta stałość zamykająca się w czterech słowach wyświechtanych jak tytuł popularnego serialu: *na-dobre-i-na-złe.* Powtarzalność zdarzeń, powtarzalność jego nieprzewidywalnych humorów, uspokajająca, bałamutna pewność, że go tak zna, iż wręcz nie zna. Czyż istniała większa wartość? On nie był na etapie doceniania tego, co się ma – jak miałby to zrobić dwudziestodwulatek i po co?

Jeśli Ta Druga Kobieta była kanarkiem na dachu, to dach należał do kliniki psychiatrycznej. Nigdy nie dowiedziała się, co tam się naprawdę stało, ale normalne to nie było. Przez długie miesiące usiłowała potem złożyć puzzle, obraz wreszcie się zarysował, choć pełen białych plam i niedokończonych linii jak brzegi wysepek niewidocznych z Cardiff, ale przecież istniejących całkiem niedaleko.

Najpierw odszedł, potem zaczął szukać. Tego była pewna. Nie wokół siebie, a w internecie, co jej nie zdziwiło, sieć była jego najbardziej naturalnym środowiskiem, a zresztą jak, chodząc po klubach ze znajomymi rówieśnikami czy na domówki, miałby poznać kobietę w kwiecie wieku? Młódki go przecież nie obchodziły. Po jakimś tygodniu znalazł punkt zaczepienia, a może zaczepiła go Ta Druga Kobieta? W każdym razie chwyciła i nie puściła, przez trzy następne tygodnie sącząc mu do ucha słodki jad, owiany baśniowym czarem walijskiej krainy, której wieczne deszcze i wiatry miały im być niestraszne, gdy zamieszkają pod wspólnym dachem, by pięknie żyć i pracować za pieniądze godziwsze niż w okropnej Polsce. Bo TDK nie proponowała mu malowniczych wakacji, a od razu całe życie! Po trzech tygodniach jechał do narzeczonej z misternym planem do wykonania. Mieli zawrzeć związek partnerski czy konkubinat, w każdym razie coś, co by usankcjonowało jego dozgonny pobyt w Walii, pozwolenie na pracę i w ogóle wszystko ułatwiło. Tuż po przywiezieniu go z lotniska, przy pierwszej kolacji,

TDK wyjęła dwie grube, srebrne obrączki, wciskając mu na palec kawałek metalu, po którym ślad miał przez pół roku. Czyż nie zamierzali w ciągu kilku dni złożyć w urzędzie odpowiednich dokumentów?

Nazajutrz pokazała mu miasto, a wieczorem zaprosiła na dyskotekę. Zaczepiały go jakieś dziewczyny i kobiety, podobał się, trudno, by było inaczej. Księżnej Walii to się jednak nie podobało. Wypiła jeszcze jedną whisky i zrobiła mu scenę zazdrości, nie bacząc na ludzi wokół, po czym nakazała natychmiastowy powrót do domu. W taksówce, gdy jeszcze próbował coś wyjaśniać, zerwała mu z nóg buty i wyrzuciła przez okno. Zamurowało go i jednocześnie... wzbudziło szacunek. TDK miała charakter, nie to co ona, Maja, uśmiechająca się nawet wówczas, gdyby jej napluł w twarz. Rano po szacunku nie było śladu, strach tylko był. Obudził się w sypialni zamkniętej na klucz. W obcym mieście i obcym kraju. Na stoliku leżała kartka z informacją, że TDK poszła na dyżur i wróci za dwanaście godzin. Obok stał talerz kanapek i butelka coca-coli, a pod spodem czysty, wyniesiony ze szpitala nocnik. W koszuli nie miał portfela ani komórki.

Co było potem? Nigdy nie dowiedziała się w szczegółach, ale scenopis musiał wyglądać mniej więcej tak. Powrót TDK, udana próba ułagodzenia jej, uśpienie czujności, znalezienie portfela z dokumentami, tyle że bez stu funtów, jego całego majątku, zabranego przez nią na poczet kosztów utrzymania i urzędowych formalności. Długi seks kolejnej nocy, po jakim nie miała siły zejść do sklepu po jedzenie i parę piw, zwłaszcza że męczył ją celowo, gdy wróciła z dyżuru. Szansa, pozwolenie na samodzielne wyjście po zakupy, dobrze, że miał zapasowe trampki. Szybkie poszukiwanie internetowej kafejki, nie takie proste w dobie laptopów. Cudowne znalezienie komputera i wysłanie mejla. Jak to do kogo? Przecież nie do MamyBeni ani do sióstr, które się jeszcze nie martwiły, bo nie miały czym. Od telefonu, że dojechał, minęły ledwie trzy dni. Oczywiście, że nie powiedział im, że może nie wrócić. Nikomu nie powiedział, że zwolnił się ze ślimakowni. Zatem był mejl, a nazajutrz iście filmowa ucieczka na lotnisko, gdzie koczował półtora dnia, nim dostał się na samolot do Polski.

❧

TAK BARDZO się zdziwiła, gdy w piątym tygodniu znalazła w poczcie jego mejl. Oczywiście, czekała na jakikolwiek sygnał, inaczej nie zaglądałaby co chwila pod adres *MajadanutaM*, który znali tylko obydwoje, wysłała mu kiedyś z niego krzywe selfie, zrobione w łazience, Maję nagą, co purytańsko uznał za kiepski żart. A jednak tak bardzo się zdziwiła, że przez dłuższą chwilę wpatrywała się tylko w nagłówek *Adamadaśja, bez tematu*. W środku było jedno zdanie.

Maja, potrzebuję pilnie dwa tysiące na moje konto natychmiast nie pytaj o nic zwrócę.

To zdanie było jak rzeka. Nie miała pojęcia, że najbliższa nazywa się Taff, nad rzeką Taff leży Cardiff. Nie mogła wiedzieć, że rozpaczliwe zdanie jest elementem fabuły jak ze Stephena Kinga. Że to, co przydarzyło się jej Adasiowi, było rzeczywistym wariantem historii opowiedzianej w *Misery*. Potem już zawsze miała przed oczami znany film, ekranizację książki: sympatyczna Kathy Bates okazuje się niebezpieczną maniaczką, która więzi we własnym mieszkaniu ulubionego pisarza i łamie mu nogi, by nie mógł się ruszyć, a on próbuje różnych sposobów, by wydostać się z koszmaru. Annie Wilkes, grana przez Kathy Bates, była z zawodu pielęgniarką...

Najpierw natychmiast wysłała pieniądze, zastanawiać zaczęła się później. Stało się coś złego, ale tego, co stało się naprawdę, nie wyśniłaby w najśmielszych snach. Zadzwoniła do Lojki z pytaniem, co u Adama. W normalnej sytuacji nigdy nie zrobiłaby czegoś podobnego, lecz nie widziała wyjścia. W dodatku pytała się tak, by nie zdradzić się z jego mejlem i prośbą. Spytała się więc o niego jak zazdrosna eksdziewczyna, żenująca w swej ciekawości. Siostra była miła, ale chłodna. Jakby nigdy nie piły kawy i nie chichotały na ulicy.

– No, nie wiem, czy mogę powiedzieć, muszę być lojalna...

Kosa na kamień, lojalność na lojalność. Lojka lojalna, Lojka nielojalna.

– Powiedz tylko, czy ma się dobrze, czy pracuje...

– Pojechał na urlop, do Walii, do znajomej, czy znajomych... – wydukała wreszcie.

– Do znajomej, czy do znajomych? – Trudno, była żenująca jak eksdziewczyna.

– Nie wiem, wiesz, jaki jest, nie mówi za dużo.

Jeszcze chwila konwencjonalnej rozmowy, pa, pa.
A potem wiele, wiele chwil pisania mejli, esemesów,
prób dodzwonienia się na głuchy telefon, który wy-
straszył ją nie na żarty, i układanie scenariuszy, z których żaden nie okazał się prawdziwy. Okradli go, prze-
grał wszystko, co miał, w automatach, porwali go dla
okupu, dla jakiego okupu? Dwa tysiące złotych to ledwie ponad trzysta funtów. Na dziwki poszedł, gnojek,
do podejrzanego klubu... Sama w to nie wierzyła. I cisza. Upiorna, dwudniowa cisza, przy której cztery tygodnie pełne żalu, że odszedł, i oczekiwania, że wróci, zdawały się komfortowe. Gdy go wreszcie usłyszała,
chciała się rozpłakać. Najpierw usłyszała stukot szyn.
Dopiero potem drewniany, ledwie rozpoznawalny głos.

– Już jestem w pociągu, wszystko w porządku.
Dziękuję ci.

– W jakim pociągu?

– Z Berlina, z lotniska, byłem w Walii, nie miałem za co wrócić, długa historia, no nieważne, oddam
wszystko.

– Wyjdę po ciebie na Centralny... O której bę...

– Nie wychodź, Maja. Nie jesteśmy już razem, nie
pamiętasz?

Nie chciała tego pamiętać ani teraz, ani wtedy, gdy
od razu przesłała mu pieniądze, ani potem, gdy przez
dwie noce niemal nie zmrużyła oka, ani wcześniej, gdy
odszedł.

– Odezwę się. – Nagle zakończył połączenie.

Przez ostatnie tygodnie zapełniała esemesami notesik przytroczony do komórki jak za poprzednim razem. Tak bardzo to, tak bardzo tamto. Tak bardzo bardzo. Gdy się wyłączył, otworzyła go znów. Chciała napisać, żeby się nie przejmował, dodać otuchy, choć nie wiedziała... nic nie wiedziała. Wzięła do ręki cienkopis, po czym rzuciła na podłogę razem z notesikiem. Chwyciła za komórkę i wystukała bez żadnych zasad, ani swoich, ani interpunkcyjnych, wysyłając, nim się rozmyśli:

tak się nie robi tak się kurwa nikomu nie robi adam nawet mnie uważaj kiedyś nie odbiorę.

❧

Odebrała, odebrała od razu, choć zadzwonił nie od razu, a po kilku dniach, wieczorem. Głos brzmiał jeszcze gorzej niż ostatnio z pociągu, ten głos bał się własnego brzmienia.

– Ty w domu? Ja pod twoim płotem...

I przez cały wieczór jakby tkwił za wysokim, podłączonym do prądu ogrodzeniem. Nie pozwolił się ucałować, co tam ucałować, dotknąć się nie pozwolił jak zmasakrowany żołnierzyk po ucieczce z karnego obozu.

– A to? – Wskazała grubą, srebrną obrączkę.

– To? – Zaskoczony spojrzał na palec. – To nie ma znaczenia, nie ma znaczenia...

W kompletnej ciszy dłuższą chwilę mocował się z nieszczęsnym żelastwem, aż wreszcie spadło z impetem gdzieś pod kuchenną szafkę i żadne z nich nie próbowało szukać. Palił papierosa za papierosem, chybotał nogami. Kogoś, kto to sprawił, obdarłaby ze skóry, potem wielokrotnie wyobrażała sobie, że odziera ze świńskiej skóry TDK o świńskiej głowie i robi z niej nazistowskie buciory albo oprawia zatrutą księgę.

– Posłuchaj, czy... Czy jak ktoś się zadeklaruje, ale tylko ustnie, nic nie podpisując, więc czy jak ktoś się tylko zadeklaruje w rozmowie i... no i nie dotrzyma deklaracji, czy wtedy może go ścigać policja?

– Nonsens, jakaś bzdura, ale... co... zadeklarowałeś? I komu?

Nie chciał mówić, lecz musiał, bez konkretów nie uzyskałby koniecznej odpowiedzi. I już za to był na nią zły, czyż znowu nie potrzebował od niej pomocy?

– Ale już nie jesteśmy razem, Maja, pamiętaj, już nie jesteśmy razem, ja muszę wreszcie sam, przyszedłem, bo...

Właśnie teraz byli razem. Właśnie w takich sytuacjach bywali najbardziej razem. Nie w łóżku, nie przy kawce, nie wówczas, gdy dobrze, zresztą wszystkopsuj starał się, by, gdy tylko było dobrze, od razu było mniej dobrze, lecz jeśli naprawdę byli razem, to w owej chwili, gdy na siedząco plątały mu się nogi, gdy plątały mu się słowa, gdy była mu niezbędna, gdy na tyle nie żył, by ona czuła, że żyje.

– Więc... pewna kobieta...

Wreszcie niechętnie pokazał jej esemes. Gdyby nie zobaczyła, nie uwierzyłaby. Cóż z tego, że pogróżki, że naśle na niego walijską policję, bo był przecież murowanym kandydatem na jej partnera i jej to o b i e c a ł, były absurdalne, skoro przerażały?

A nie, to znajdę cię, głosiło ostatnie zdanie, *Tamara*.

TDK, Ta Druga Kobieta, nieszczęsna, obłąkana Księżna Walii, Kathy Bates alias Annie Wilkes, miała na imię Tamara.

Tamtego wieczoru nie chciał zostać na noc, nawet gdy zaproponowała, że sama prześpi się w salonie, uprosiła go więc tylko, by wracał za straszne pieniądze nocną taksówką do Łomianek. Dwa dni później przyjechał znów, bo TDK napisała mu, że... Został, spali w jednym łóżku, choć wcisnął się w ścianę w razie najścia cholernej walijskiej policji. Ta policja miała po niego przyjść, gdyby nie odesłał do Cardiff dwudziestu ośmiu funtów za nieszczęsną obrączkę. A nie, to sama cię znajdę. Tamara. I na następną noc został, przestraszony kolejnymi pogróżkami. Tym razem dał się przytulić i przytulił. Gdy wstali, pojechali na Starówkę na śniadanie. Sierpniowe słońce oświetlało jego pociągająco wymizerowaną twarz. Tak, chciała, by odzyskał wigor, i obawiała się, że gdy odzyska... Lecz teraz wreszcie spokojnie rozmawiali.

– Tylko nie wygadaj się Lojce, nikt nic nie wie prócz... ciebie...

Nikt prócz niej, więc miała odwagę zapytać:

– Musiałeś szukać seksu aż gdzieś tam, w Walii?

– Nie szukałem seksu, szukałem miłości – odparł cicho.

– Mało dałam ci miłości?

– Swojej szukałem – westchnął ze spuszczonym wzrokiem, jakby tłumaczył się z palenia papierosów przed dyrektorką szkoły.

– Nie wystarczyły ci tutaj jakieś różne...

– Jakie różne? – Podniósł na nią oczy.

– Nie wiem, takie, które zaspokajają cię od czasu do czasu, gdy nie śpisz ze mną przez tydzień albo dwa...

– Jakie różne?! Poza tymi dwiema, tamtą wtedy i tą teraz... Poza nimi nigdy cię nie zdradziłem!

Oniemiała.

– Ja cię w ogóle nigdy nie zdradziłem. – Ucieszył się. – Przecież gdy byłem z tamtymi, nie byliśmy w związku!

Zdrada. Nie zdradził. Byli. Nie byli. A miłość, której rzekomo szukał? Nie zdążyło rozboleć, bo wciąż czuwało nad nią coś, co może lepiej, żeby nie czuwało. I teraz z kawiarnianego głośnika usłyszała strzępy przeboju, którego zresztą jakoś specjalnie nigdy nie lubiła:

Kochać to nie znaczy zawsze to samo
Można kochać tak lekko, można kochać bez granic[11].

I natychmiast przyjęła, że on tak lekko, a ona, rzecz jasna, bez granic. Jak komunię przyjęła, na wiarę. Rozum mógłby to rozbić w drobny mak, co tam w mak, zetrzeć w pył jak prochy Cristiny.

TAK BARDZO potrzebuje jakiejś głębi. Prawdziwej, dotykającej, przeszywającej na wskroś, rebusu do rozwiązania, które olśni, mądrych słów, ogarniających w kilku zdaniach to, co bezładnie od miesięcy rozlewa się jej po życiu, nie dając się złapać. Nie sentymentalnych, choćby i najpiękniejszych piosenek, nie telewizyjnej papki, nie gazet, w których sama mogłaby udzielać psychologicznych porad. Żal tylko otumania, pustka jest pusta, nawet jeśli dałoby się ją namalować, wspomnienia rozleniwiają, zdaje ci się, że coś się znowu dzieje, a to tylko przeszłość, przeszłość.

Kolejny piątek, przedłużanie i opóźnianie powrotu do domu. Kiedy ostatnio weszła do księgarni? Kiedy wyjęła książkę z własnego, fakt, niewielkiego zbioru, poza pakowaniem przy przeprowadzce z apartamentu do mieszkanka? Książki – to był ojciec. I nawet jeśli za ich sprawą stał się chłopskim filozofem, mawiającym, że wszystko ma swój czas, co nie brzmiało mądrze, ale wkurzająco, nawet jeśli to one podsunęły mu upiorną zabawę „do końca wszechświata", podczas której niemal traciła zmysły, docierając do kosmicznego Nic, to jednak dzięki książkom, lekceważonym przez matkę jako źródło wszelkiego niedziałania, nabrała potrzeby owej głębi pozwalającej oprzeć się o ścianę, która nie runie za chwilę. W dorosłości, gdy tak idiotycznie dała się wyrzucić ze studiów na historii sztuki, nie czytała już wiele i w ogóle coraz mniej, lecz raz na rok budziła się kompletnie wydrążona, a wtedy kompulsywnie czytała dwie, trzy może i niezbyt starannie wybrane nowości, ale jednak z wyższej półki. Pisaniną w rodzaju *włożyła do torebki, wyjęła i znowu włożyła, szczelnie zasuwając zamek,* nie musiała watować sobie codzienności. Szukała tego, czego sama by nie wymyśliła albo nie nazwała, rebusu do rozwiązania, które olśni, czy nie po to potrzebni są pisarze?

Przez ostatnich pięć lat w momentach kompletnego wydrążenia czytała tylko, co do siebie napisali, od momentu gdy skasowała poprzednie esemesowe dossier. Nie była pewna, czy archiwum może się tak przepełnić, by pojawił się komunikat: uwaga, szuflada pełna!, pamięć poczt mejlowych, skrzynek esemesowych wydaje się przerażająco bezkresna. Kasowała więc co pewien czas na wszelki wypadek, żeby się nie zatkało, żeby nie stało się tak, że on coś do niej napisze i nie dojdzie, bo nie byłoby miejsca, do czegoś podobnego przecież nie mogła dopuścić! Raz skasowała wszystko, ponieważ usłyszała w telewizji, że po lekturze esemesów w komórce denatki policja odkryła motywy zbrodni i ostatecznie zabójcę. I choć w ich przypadku nikt nikogo nie zabił, jeszcze nie wtedy, wstrząsnęło nią, że w ogóle ktokolwiek mógłby prześledzić tę korespondencję, wniknąć nawet i w bałamutny szyfrogram, bo esemesy pozbawione kontekstu pozostają jednak szyfrem, jakiego nikt trzeci nigdy do końca nie rozgryzie. Przez pięć lat czytała więc jedynie Wielką Księgę Esemesów, swą osobistą literaturę typu *włożyła do torebki, wyjęła i znowu włożyła, szczelnie zasuwając zamek,* przetykaną jak refrenem jej „wszystko w porządku, kochanie?". Gdy odszedł na dobre, to znaczy na złe, została z dopiero co wykasowanym dossier i to było najlepsze, co z Wielką Księgą mogło się wydarzyć. W ten sposób ustrzegła się dodatkowego koszmaru obracania do góry nogami każdego wstukanego, nic już nieznaczącego słowa.

Po pięciu latach, prawie sześciu – niedługo obchodziliby przecież szóstą rocznicę poznania – zatrzymuje się na Chmielnej przy stolikach bukinistów, wydrążona pięcio-, sześciokrotnie, otumaniona do gołych ścianek, wciąż oblewanych kwasem żalu. I spływa na nią kojące uczucie pełni, emanującej z dawnych czasów, bo przecież nawet jeszcze nie zajrzała do leżących książek. Pełnia, przeciwieństwo pustki, niby oczywiste, a właśnie uświadamia to sobie jak nigdy. W dodatku jest trochę tak, jakby stanęła pod mahoniową biblioteczką ojca! Skąd oni wzięli stare książki, wydane w latach sześćdziesiątych i siedemdziesiątych, wyglądające jak nowe, takie same, te same, jakie stały w ich ponurym, socjalistycznym meblu? Płócienny Proust, komplet, nie czytała, nie te progi, ale zapamiętała część *Nie ma Albertyny*. To podobno był facet, śmiał się ojciec, Albert, nie żadna Albertyna, literaci czasem zmieniają życiu płeć...

Nieśmiało a łapczywie dotyka doskonale znanych okładek w beżowej skórce z PIW-owskiej serii klasyki (a może to tylko skaj), ze złoconymi literami, wydań, jakie potem przepadły gdzieś wraz z młodością. Wyjmuje coś pierwszego z brzegu i otwiera, ale nie na chybił trafił, konkretnie na sześćdziesiątej drugiej stronie, otwierali je z ojcem zawsze na sześćdziesiątej drugiej stronie, to przecież rok twojego urodzenia, mówił swej dziewczynce, ważna liczba, na pewno więc na sześćdziesiątej drugiej stronie znajdziesz coś ważnego, albo na tej obok, którą w zależności od złożenia była sześćdziesiąta pierwsza lub sześćdziesiąta trzecia...

Podobasz się kobietom, Oktawie, dlatego żeś młody, jurny, że masz regularne rysy twarzy, żeś starannie uczesany; ale dlatego właśnie, mój drogi, nie wiesz, co to jest kobieta – czyta na sześćdziesiątej drugiej stronie *Spowiedzi dziecięcia wieku*[12]. Ha, w słowach Musseta wystarczyłoby przecież tylko zmienić imię! Adam, Albert, Albertyna. Bawi ją ta ironia losu, tak, pierwszy raz od dziewięciu miesięcy uśmiecha się pod nosem, wypełniona eleganckimi słowami francuskiego romantyka. Odkłada książkę, trochę jakby siebie smutną odłożyła.

Widzicie, Robineau, w życiu nie ma rozwiązań. Jest tylko działanie sił. Te siły trzeba umieć stworzyć, a rozwiązanie samo przyjdzie – czyta na sześćdziesiątej drugiej stronie *Nocnego lotu*[13]. Saint-Exupery nie mógł myśleć o siłach, które stworzyła przed tygodniem, wchodząc na erotyczny czat, ani o fatalnym rozwiązaniu, które przyszło samo, gdy dopadła łazienki struta mefedronem, choć nie siebie miała struć, ale zjawę przysłaniającą łysola z internetu... A jednak według tej zasady zamierzała postąpić i dziś wieczorem, tyle że bez żadnej chemii. Zjawa na pewno się pojawi, w końcu spali ze sobą ponad pięćset razy. Jak stworzyć siły, które by sprawiły, że zniknie naturalnie, raz na zawsze, bez wspomagaczy, które, jeśliby w ogóle zadziałały, to przecież chwilowo? Nim odłoży książkę, sprawdza, czy na początku nie ma dedykacji. Tom z *Nocnym lotem* podarowała ojcu matka, loty książek bywają osobliwe. Dedykacje też. Pamięta koślawe litery: *Edziowi na urodziny Krystynka*. Wpisu nie ma. Krystynka. Kwaśna matka jeszcze nie była kwaśna, nie bała się dać mu takiego prezentu, jego czytanie jeszcze nie było dla niej konkurencją, wtedy musieli się kochać.

Kątem oka dostrzega coś pomarańczowego. Nie zna tej okładki i nie może znać, bo naklejka informuje: nowość. Ale pisarz... Kundera, oczywiście, ojciec miał szarą książkę Kundery *Żart*, lecz mówił, że zupełnie nieśmieszna. Pomarańczowa nosi intrygujący tytuł *Święto nieistotności*[14].

Nawet dialog prawdziwie zakochanych w sobie ludzi, jeśli tylko daty ich urodzin są zbyt od siebie odległe, to przeplatanie się dwóch monologów, które w dużej części pozostają dla obojga niezrozumiałe – wyłapuje na sześćdziesiątej trzeciej stronie. Tak, tak, lepiej by tego nie nazwała! Podchodzisz na ulicy do stołu z książkami, bierzesz, co pod ręką, otwierasz i stajesz oko w oko z tym, co czujesz, a czego nie umiesz zdefiniować. Tak było, Adaś sobie, Maja so... Święto nieistotności. Zerka na stronę po lewej, w końcu sześćdziesiąta druga.

La Franck utraciła właśnie swojego towarzysza, którego kochała tak bardzo, że dzięki magicznemu wyrokowi niebios jej smutek przemienił się w euforię i jej pragnienie życia stokrotnie urosło.

Czyta od nowa. I jeszcze raz. La Franck: kobieta, ale to imię, nazwisko? W każdym razie dziwaczne, choć mniej od smutku prowadzącego przez euforię do pragnienia życia, bo tak to odczytała, jakby *magiczny wyrok niebios* nie tyczył miłości, a tego, co zdarzyło się po jej stracie. Czy możliwe, by przebyć taką drogę, czy w ogóle się da? Literatura kłamie, orzekła kiedyś kąśliwie Krystyna, patrząc na milczącego ojca, czytającego przy kolacji, z którym chętnie zrobiłaby cokolwiek, nawet się posprzeczała... Kłamstwo, Albert, Albertyna. Nie odkupi skajowej klasyki z mahoniowej biblioteczki, wspomnienia odkurzyły się wystarczająco. Weźmie Kunderę, ile to czytania? Godzina, dwie? Zacznie znów, poszukiwanie głębi zacznie od krótkiego skupienia, nieobliczonego na długie wieczory. Może dowie się, jak przejść od smutku do euforii i w rezultacie do pragnienia życia? Wyjmuje portfel i wówczas dostrzega jeszcze coś, rzecz, która zmieściłaby się w kieszeni, malutki prostokącik, a na nim słowo – tytuł, wytrych, klucz:

Z a b u r z e n i e.

Nazwisko autora, Bernhard, nic jej nie mówi, ale tym jednym słowem mogłaby zatytułować... Tak długo odmieniała je na okrągło przez przypadki i rodzaje, jakby ta odmiana była w stanie odmienić to, co zaszło bezpowrotnie. Chaotycznie wyłapuje wyrazy z okładki. *Jednocześnie Bernhard pokazuje, jak wynaturzenia życia społecznego przenoszą się na więzi prywatne i relacje rodzinne... Bohaterowie książki... to ludzie... o wyraźnie zaburzonych osobowościach, nieumiejący nawiązać kontaktu ani ze światem, ani ze swymi bliskimi*[15].

Przekartkowuje małe, szczelnie zadrukowane wydanie. Wyraz na wyrazie, z dialogami wtopionymi w tekst, bez myślników, niemal bez akapitów. Pisarze z górnej półki nie ułatwiają czytania, nie przelecisz pobieżnie, nie przelecisz wycieczkowym samolotem nad tym krajobrazem, bo nic w ten sposób nie zobaczysz. Omiata wzrokiem sześćdziesiątą drugą stronę, trafiając w jedyne krótkie zdanie powieści jak w środek tarczy:

Wszyscy są trudni, powiedział.

Zapomina o Kunderze. By pojąć, co było nieistotne, niewarte jej bólu, najpierw musi sobie zrobić Święto Istotności. Teraz z koślawego, lecz jednak dystansu, teraz, żeby rozbolało po raz ostatni i przestało boleć. Trzydzieści sześć dziewięćdziesiąt. Cena jak stan, w jakim odchodzi od stoliczka, temperatura ni to zdrowia, ni choroby. Literatura nie kłamie, mamo.

❖

Nie chcę już z tobą być, mówił, i uwodzicielsko się uśmiechał. Nie chcę na razie z nikim być, mówił, i po ostatnich przejściach była w stanie go zrozumieć, a jednak przyjeżdżał na noc, by pędzić z Jane Fondą przez prerię ostro, długo i daleko jak za najlepszych czasów. Nie jesteśmy już w związku, mówił, i prosił o parę groszy, bo przecież chwilowo znów nie miał pracy, a potem szli na spacer. Oswajała go pół jesieni, nie zwracając na to uwagi, choć dla niego tak ważne były pieczątki, pudełka, etykiety, jakby się obawiał, że wszystko, co nieskodyfikowane, jest niebezpieczne, chaotyczne, więc nieważne. W trzecią rocznicę poznania przyniósł bukiet kwiatów. Zaskoczona, otworzyła szampana.

– Naprawdę chcesz być jeszcze ze mną w związku? – spytał w przebłysku serdeczności. – I znów dajemy sobie czas do maja?

Słodki był z tymi swoimi szufladkami, a tego wieczoru najsłodszy. Wciąż jeszcze nie wiedziała, że... Uznała, że to skutki jej jesiennego oswajania. Czy miałaby kogo oswajać, gdyby nie afera z Cardiff? Dziękowała więc w duchu Tej Drugiej Kobiecie, jak niegdyś Tamtej Kobiecie, która przestała z nim rozmawiać. Dziękowała, że nadal może być trampoliną do jego fochów i sprzecznych opinii, że może wpatrywać się w niego, gdy on wpatruje się w komóreczkę, że ma pozwolenie na mycie i wycieranie jego pleców, co kończy się delikatnym cmoknięciem w pośladek, i że nie musi go przepraszać, że jest obok, gdy na nią warczy, bo pomyliły mu się godziny i spóźni się na spotkanie ze znajomymi. W końcu to na nią warczy, nie na inną, i jej pokazuje, jaki jest naprawdę, nikomu innemu. I w ogóle był, jest, będzie... Będzie? Tej pewności już nie miała, nawet jeśli i wcześniej była irracjonalna. Czyż nie potrafiłby w każdej chwili z nią zerwać i kilka dni później wsiąść do samolotu z biletem w jedną stronę? No, może teraz zastanowiłby się dwa razy, ale czaiła się w nim jakaś straszna nieprzewidywalność, nieprzewidywalna dla niego samego i niemająca nic wspólnego z mniej czy bardziej oczywistą młodzieńczą spontanicznością.

Odkryła za to, że w niej samej tkwi jednak jakiś instynktowny mechanizm obronny, który nakazał jej choć trochę zabezpieczyć się na przyszłość bez niego, na tę przyszłość, jakiej sobie przecież nie wyobrażała. Trzeba było zapłacić za drugi rok Szkoły Reklamyśli. Nie stała już wówczas dobrze finansowo, oszczędności mocno stopniały, planowała nawet wziąć pożyczkę. Zaczęła o tym mówić, lecz tamtej środy był nie w humorze. Niemal robił łaskę, że w ogóle chodzi na te zajęcia, które chyba go nudziły. Siedzieli w pleksiglasowej gablocie prawie na środku ulicy, przylepionej do kawiarni, bo tylko tu mógł palić. Rozdzwoniła się jej komórka: MamaBenia. Rzadko dzwoniła, choć tak lubiły ze sobą rozmawiać.

– Witaj, Beniu, właśnie siedzimy z Adasiem na kawie i szkoda, że cię z nami nie ma – szczebiotała, wyjaśniając sytuację, w której nie pogadają, jak zwykle, o sensie życia.

Wyrwał jej słuchawkę: i pozdrowienia, uściski, całuski, kocham cię, mamo! Gdy skończyli, spojrzał na nią jak wygrany pokerzysta.

– A co będzie, jeśli z tobą zerwę i poproszę mamę, żeby już się z tobą nie kontaktowała?

Chciała mu powiedzieć, że MamaBenia ma swój rozum i... i... Cholerny egoista, w dodatku zupełnie bez wyczucia. Ona próbuje zadbać o jego sprawy, a on jakby w ogóle nie widział w tym swojego pieprzonego interesu. Akurat teraz musi z nią tak głupio?

– W takie gierki grasz na tej swojej konsoli, kochanie? – nie mogła się powstrzymać.

– W lepsze gram. I ciekawsze od ciebie! – Zaperzył się. – I nie mam już ochoty dziś do ciebie jechać!

Sama go nakręciła, unikała nakręcania jak ognia, przez te lata stała się mistrzynią uników, gryzącą się w język dla tak zwanego dobra sprawy, teraz jej się ulało z natychmiastowym skutkiem.

– I nie pójdę jutro z tobą na Starówkę, i w ogóle należałoby pomyśleć, czy nie trzeba by się jednak rozstać! Nie masz pojęcia, jak mam cię czasem dosyć, jesteś taka upierdliwa, paniusia najmądrzejsza z całej wsi, na każdy temat masz swoje zdanie, ochrzaniasz kelnerki w kawiarniach, jakbyś była nie wiadomo kim, a jesteś tylko starą babą, pajacem, i wciąż chciałabyś się tylko dymać...

Nie krzyczał, nigdy nie krzyczałby publicznie, bladł tylko. Pobielone warany szły więc niemal szeptem bez ładu i składu przez całą kawiarnianą gablotę, równo waląc ogonami po wszystkich stolikach. Ich stolika już dawno nie było, blat leżał na posadzce, przywalony odłupanymi nogami jak w katastroficznym filmie.

To wówczas zadziałał w niej ów nieznany mechanizm obronny: nie weźmie pożyczki na tę jego szkołę, niech MamaBenia teraz zapłaci, czyż nie wyłożyła pieniędzy na studia obu córek i nie deklarowała, że na co jak na co, ale na szkołę da też Adasiowi? To jej syn, MamaBenia musi, ona, Maja, nic nie musi, to jego rodzina, jutro może odseparować się i zakazać im kontaktu z nią, odciąć ostrymi nożycami jak przed chwilą nogi od ich stołu, a ona tylko z pożyczką zostanie... I MamaBenia zapłaciła, nie dostrzegła w tym nic dziwnego. Nie mogła dostrzec, że ostatecznie zapłaciła za coś zupełnie innego, za coś, czego Maja wstydziła się już na następnej randce, gdy był w doskonałym humorze, bo właśnie dostał pracę i jeszcze moment, a niósłby ją przez całe Krakowskie Przedmieście, podrzucając jak kolorową, plażową piłeczkę. Mogłaby teraz dla niego pożyczyć pięćdziesiąt, a nie pięć tysięcy.

Ta praca, informator na infolinii turystycznej, wciągnęła go. Po szkoleniu mógł czarować klientów swoim pięknym barytonem, zachwalać i wybierać tak zwane destynacje, udzielać najlepszych rad co do sposobów podróży i prowadzić serdeczne, błyskotliwe rozmowy, w których pewnie był taki, jaki chciałby być i poza pracą. Gdy dzwonił do niej z przerwy, pozostawał jeszcze w tamtej bajce: sam czar i urok! Bajką też było, że jego biuro mieściło się po drodze na jej osiedle, miał do niej dwadzieścia minut piechotą, więc oczywiście ona do niego też. Przychodziła czasem, gdy kończył i pozwalał, z kanapkami własnej roboty, bo w tych rejonach cywilizacja jeszcze się nie narodziła i dostępna była tylko chińszczyzna z budki niemal w szczerym polu, a za chińskim jedzeniem nie przepadał. Pomyśleć, że podobne kanapki robiła kiedyś Jarkowi, nie znosząc krojenia, smarowania, pakowania. Krojenie dla Adasia było cudowne, smarowanie urocze, a pakowanie ekscytujące. Wracali potem do niej, choć częściej szli w przeciwną stronę, skąd odjeżdżał autobusem do Łomianek. Z wieczornymi seansami gry na konsoli z reguły przegrywała.

Szczęście: idzie poboczem bez chodnika z własnoręcznie przygotowanymi kanapkami i puszką napoju energetyzującego, machając plastikową torebką, staje pod hangarem nawet nieudającym eleganckiego biura, on wychodzi, cmoka ją w policzek, zjada, od razu wszystko zjada, opowiada o klientach, grymaszących lub nic nierozumiejących z trybu zamawiania czy reklamowania usług. Przecież banialuki, i co z tego? On. Jej. Opowiada. Więc jakie znowu banialuki? Wsiada do autobusu. Ona oddycha z ulgą, jest dobrze, wszystko dobrze, wraca do domu, nie czując minut powrotu. Nawet w mróz nie bierze samochodu, spacer jest ciepły i przyjemny, choć na tym odludziu wiatr gwiżdże jak jakiś szalony sędzia na boisku.

Nieszczęście: esemesuje do niej przed wyjściem z pracy, że przyjdzie na kolację, że już się cieszy, że mniej więcej za pół godziny, że spędzą miły wieczór, żeby się przygotowała do... Jakże człowiek może się zmienić przez te mniej więcej pół godziny! Wchodzi zmęczony, poirytowany, wali się na krzesło przy kuchennym stole, jedną ręką je, drugą przegląda fejsbuka. Nie zamierza z nią rozmawiać, co najwyżej powarkuje, ani tym bardziej iść do łóżka. Czasem, gdy pochyla się nad jego zmęczeniem, reflektuje się.

– Jesteśmy razem, więc powinienem przychodzić, w końcu czekałaś na mnie, prawda? – oświadcza wielkodusznie, wszystkopsuj zmieniający dopiero co obiecywaną przyjemność w jeszcze jeden żmudny obowiązek.

Tłumaczyła sobie, oczywiście, że tłumaczyła, jak zawsze, jak wszystko, że źle obliczył siły, że jeszcze godzinę wcześniej naprawdę chciał zupełnie inaczej, że skoro przez wiele godzin dziennie musi być b a r d z o m i ł y, wręcz n a d u p r z e j m y, musi to odreagować. Na niej, bo na kim innym? Jak wspaniale, nie na kimś innym! Lecz to nie zmieniało faktu, że nie miała pojęcia, który Adam zadzwoni do drzwi.

Wciąż jeszcze nie wiedziała, że to zaburzenie, które ma konkretną nazwę i opisane symptomy, wystarczy zajrzeć do internetu.

❧

TAK BARDZO miły, wręcz naduprzejmy!

– Dzień dobry, Adam Jarzyna, czym mogę służyć?

Za każdym razem po okropnym wieczorze próbowała incognito namierzyć go w pracy.

– Dobry wieczór, Adam Jarzyna, w czym mogę pomóc?

Nie było to łatwe, firma miała wielu konsultantów dedykowanych klientom, jak mówił głos z taśmy w niedorzecznej nowomowie.

– Dzień dobry, Adam Jarzyna, bardzo przepraszam za długie oczekiwanie...

Nie wiedziała, czy wyświetli mu się jej zastrzeżony numer telefonu, więc dzwoniła z banku, z telefonu Teresy, z budki telefonicznej, od znajomego spotkanego na przerwie.

– Dobry wieczór, Adam Jarzyna...

Kilkakrotnie udało się jej trafić.

– Dzień dobry, dobry wieczór, czym mogę służyć?, w czym mogę pomóc?, bardzo przepraszam za...

Chłonęła każde słowo jak słońce po deszczu przez zachlapaną szybę, lecz potem mogła się tylko wyłączyć.

❦

Byli ze sobą trzy lata, ale za kilka godzin rozpoczynał się ich czwarty Nowy Rok. Witali go w zaprzyjaźnionej Melopei, w której jako dawny szklankowy miał nawet zniżkę na drinki. Poszli we troje z Lojką i to był świetny pomysł, z jego siostrą czuła się jakoś pewniej w tłumie o połowę młodszych gości, gdzie takie panie jak ona można było policzyć na palcach. Lubiły się i razem mogły śledzić Adasia biegającego po lokalu, zagadującego znajome kelnerki albo grupki kolegów i koleżanek, raczej dalekich, bo nie słyszała, by na co dzień się z nimi spotykał, nie umiał przecież podtrzymywać znajomości. Lojka, która od ponad roku w Warszawie wciąż nie miała swojego towarzystwa, nie mówiąc o osobistym towarzyszu, skryta nieco za przezroczystą ścianą jak jej brat, po kilku lampkach szampana rozgadała się.

– Wiesz, on w ogóle nie ma przyjaciół i czasem mówi, że to przez ciebie.

– Przecież mu nie zabraniam...

– Nie. – Zaśmiała się. – Mówi, że wyśrubowałaś poziom, że chciałby czasem pogadać o głupstwach i o niczym nie myśleć, i już nie potrafi, bo go to od razu nudzi...

Nie umiała rozstrzygnąć, miłe to, czy wręcz przeciwnie?

– Raz powiedział, że zabrałaś mu młodość. – Stuknęła lampką szampana o lampkę. – Ale wiesz, tak żartem, nie przejmuj się.

Żartem zabrała mu młodość? Tymczasem już był przy nich, obie ucałował w policzek, objął.

– Co ja bym bez was zrobił? – rzucił szarmancko, podekscytowany sylwestrową atmosferą.

Urosła, od razu urosła, głową na żyrafiej szyi przebijała się na piętro do drugiej tanecznej sali.

– Chodźcie, będzie konkurs karaoke, Lojka, zaśpiewasz coś?

– Może Maja?

– Maja nie umie. – Poklepał ją po plecach jak głuchoniemą klacz. – Ale ty mogłabyś...

Lubiła być jego klaczą, niechby i głuchoniemą. Jakiś chłopak zadedykował swój występ jakiejś Marcie. Gdy

Adam wziął mikrofon, pomyślała, że może, w końcu wyjątkowy wieczór... Witam wszystkich, powiedział, i już płynęła z głośników któraś z jego ulubionych piosenek.

– Serio nie umiesz śpiewać, czy ci to wmówił? – Lojka klaskała do rytmu.

– Nieważne, nie będę się z nim kłócić – co miała odpowiedzieć?

– I to błąd, ja mu nie odpuszczam! Wiesz, jakie iskry lecą u nas w Łomiankach? – Chichotała.

– Jesteś jego siostrą, ciebie się nie pozbędzie. – Jej także szampan luźno wirował po głowie.

– Unikasz kłótni, bo boisz się, że się ciebie pozbędzie? No coś ty? Wciąż o tobie mówi, Maja to, Maja tamto...

Brawa. Ukłonił się. Jak elegancko się kłaniał, jaki przystojny był w tej białej koszuli i muszce, mógłby odbierać Oscara! Na podium wywołano Lojkę. Wybrała starą, sentymentalną balladę, jaką i ona by może wybrała, gdyby jej wolno było zaśpiewać. Małym głosem, głosikiem ledwie, niewprawnie i nieczysto poprowadziła kantylenę.

– Brawo! – ryknął ukochany brat niczym na rockowym koncercie. – Brawo Lojka!

I przytulił nieco zawstydzoną siostrę, gratulując występu.

– Dobra, idziemy potańczyć! – rozkazał wesoło. – Zobaczysz, jak Maja śmiesznie tańczy, tylko nogami, jakby kapustę ugniatała! A ręce? Człowiek ma jeszcze ręce! – odezwał się do Lojki, klepiąc po plecach swoją głuchoniemą klacz, i wybiegł do przodu, by utorować im drogę.

– Nie pozwalaj sobie, żeby ci tak przygadywał! Jak mu się nie podoba, to niech cię nauczy, znalazł się Jukendens! Gdybym ja miała takiego chłopaka, to... to już bym go nie miała. – Lojka zdążyła jeszcze wziąć z tacy dwie nowe lampki szampana, wyjmując jej z ręki pustą.

W sali tanecznej stanęła pod ścianą, nadmiar szampana nie pozwalał jej nawet na ugniatanie nogami kapusty. A ręce? Oczywiście, że człowiek ma jeszcze ręce. Tymi rękami obejmowała Jarka, gdy prowadził ją przez różne wolne kawałki, byli pokoleniem dyskoteki, lecz co pewien czas didżej puszczał kilka wolnych kawałków. Czy teraz jeszcze w ogóle tańczy się wolne? Od kilku godzin ani chwili wytchnienia, zabawa na pełnych obrotach. Nie, na pełnych obrotach to ona bawiła się w dyskotece, teraz panuje zabawa na obrotach przepełnionych. Jak będą bawić się dzieciaki tych dzieciaków? Wypadną z orbit, dryfując swobodnie nie wiadomo gdzie w poczuciu, że na tym polega wolność? Faktycznie, nie umiała machać rękami jak Lojka, wykonująca z bratem najróżniejsze i całkiem zgrabne łamańce.

Stoi pod ścianą perfekcyjnie archaiczna jak Cristina, nazywająca komórką wyłącznie szopę dla kur hodowanych przez ciotkę Magdę. Stoi archaiczna jak Michael Jackson, jej bożyszcze z czasów, gdy była w wieku Adama i Lojki, całkiem niedawno ultranowoczesny, a teraz przerobiony, pokrojony nowszymi bitami, zapętlony w czkawce powtórzeń: *Billy Jean... Billy Jean... Billy Jean...*, bo inaczej przecież nie dałoby się już tego tańczyć, inaczej to niemal pawana i walc, relikty ery mezozoicznej jak księżycowy krok Michaela. W pewnym momencie wszyscy stajemy się tak samo przedawnieni... Patrzy, jak jej Okno Na Świat wywija z siostrą, a raczej przed siostrą, Billy Jean. Okno niby otwarte, gdyby nie on, nie miałaby pojęcia, że Jacksona pokrojono na plasterki, ale i okno zamknięte, ponieważ nie dołączy do nich, żeby nie być mimowolnie śmieszna, żeby jej nie odpadł nos. Mógłby jej pomóc, zaciągnąć na parkiet, szepnąć: miej to w dupie, jestem przy tobie, ale... O, właśnie szepcze coś Lojce, lecz to raczej nie otucha, bo wzrusza ramionami i już tańczy po drugiej stronie parkietu, już spaceruje po drugiej stronie ulicy w Barcelonie, cały on! A nawet więcej, półtora jego, ponieważ sądziła, że tylko jej trafiają się podobne spektakle. Lojka jeszcze moment podryguje, po czym nieswoja wraca do niej pod ścianę.

– Coś się stało? – pyta, chociaż nikt od niej nie wie lepiej, co się stało. Tak jej się przynajmniej jeszcze przez moment wydaje.

– Nie, nic, no nieznośny jest – wzdycha Lojka. – Obydwoje powinniśmy pójść na terapię!

– Na terapię dla nieznośnych? – Wizja całego świata na terapii rozśmiesza ją.

– To ma swoją nazwę – mówi poważnie Lojka.

– Nazwę?

– Tak, to się nazywa syndrom DDA.

– DDA?

– Dorosłe Dziecko Alkoholika. Zawsze jest bardziej popieprzone niż inni. Ale to zaburzenie da się podobno skorygować...

Zaburzenie. Skorygować.

– Tylko proszę cię, Maja, nie wygadaj się przed mamą, naprawdę zrobiła dla nas w życiu wszystko, co mogła, i byłoby jej przykro...

Zaburzenie. Skorygować. Przykro.

– Myślisz, że nie wie? Przecież jest lekarzem – dziwi się, choć nie o MamieBeni teraz myśli.

– Ale pediatrą. – Lojka chichocze. – Ludzie nie wiedzą, nie zdają sobie sprawy, wcale nie trzeba nikogo bić ani głodzić, żeby... No zobacz, ty chyba też nie wiedziałaś, co?

Skorygować zaburzenie, żeby nie było przykro. Robi jej się niedobrze. Zaduch. Szampan. Zaburzenie. Prowadzący informuje, że za pięć minut zacznie się Nowy Rok. Obie jak na komendę ruszają spod baru, by go odnaleźć, bo zniknął. Jest w drugiej sali, na piętrze, właśnie wybija północ. Składa najserdeczniejsze, najbardziej życzliwe życzenia komuś, kogo zupełnie nie znała, więc zapewne i nieodpowiednio oceniała. Komu?

❦

TAK BARDZO był niewinny, jakby się w ogóle jeszcze nie narodził.

To pierwszy wniosek, jaki wyciągnęła po noworocznym poranku, spędzonym w internecie na stronach o DDA. I jakaś lżejsza się stała mimo nóg, za ciężkich po nocy. Jakże się ucieszyła, że istnieje taki syndrom, że obiektywnie istnieje takie zaburzenie, które zwalnia ją z posądzania go o jakąkolwiek złą wolę! Miała rację: był niemal ideałem, pozostawiła sobie to „niemal", by w swym zapatrzeniu nie uchodzić za ślepą, i byłby nim, gdyby nie przypadłość, którą rzeczywiście się koryguje. Owszem długo, może latami, ale czy znów nie mieli przed sobą Wieczności? Wystarczy, że jeszcze przytrzyma go przy sobie tych kilka lat i zrobi wszystko, żeby go skorygować, a wtedy już będzie dobrze, lepiej, najlepiej.

S k o r y g o w a n y doceni, zrozumie, nie wypuści z szafy waranów, zresztą wtedy już ich tam nie będzie. Skorygowany będzie zawsze i w całości tym, kim jedynie bywał. Tym czarującym, czułym, przynoszącym kwiaty, proponującym spacer do Łazienek, piszącym z pracy, że gdy przyjdzie, to... I przychodzącym, i robiącym to. Skorygowany wjedzie z nią na wieżę Eiffla, nawet jeśli lęk wysokości nie ma nic wspólnego z wiadomym syndromem. I będą prowadzić skorygowane życie, w którym nigdy już jej nie opuści.

❧

Zadzwonił po południu, sam z siebie, nie pisała do niego, nie pytała, czy dotarli z Lojką spokojnie do domu, po tym jak zostawiła ich w Melopei około czwartej nad ranem. Trochę powarczał, niewyspany, mógłby się od Nowego Roku zdobyć na cieplejszy ton, ale to nic, to wszystko nic, bo przecież gdy się go skoryguje... Teraz od pytań zadawanych mu wprost ważniejsze były te, na które odpowiadała w j e g o i m i e n i u w internetowym kwestionariuszu cech, charakterystycznych dla DDA. Zaburzony on poszedł z powrotem spać, a ona, niezaburzona, patrzyła w monitor i klikała z coraz większą pasją: tak, tak, tak!

Czy masz trudności z przeprowadzeniem swoich zamiarów od początku do końca?

Czy kłamiesz, gdy równie dobrze mógłbyś powiedzieć prawdę?

Czy osądzasz siebie bezlitośnie?

Czy masz kłopoty z przeżywaniem radości i z zabawą?

Czy traktujesz siebie bardzo poważnie?

Tak, tak, tak! Rozmawiała z nim szczerze jak nigdy. Odpowiadał jak na Sądzie Ostatecznym.

Czy masz trudności z nawiązywaniem bliskich kontaktów?

Czy przesadnie reagujesz na zmiany, na które nie masz wpływu?

Czy bezustannie poszukujesz potwierdzenia i uznania u innych?

Czy jesteś albo nadmiernie odpowiedzialny, albo całkowicie nieodpowiedzialny?

Tak, tak, tak!

Czy bywasz niezwykle lojalny, nawet w obliczu dowodów, że druga strona na to nie zasługuje? Ileż wieczorów przegadali o niewartych go przyjaciołach...

Czy często ulegasz impulsom?

Czy czujesz się winny, stając w obronie własnych potrzeb, i często ustępujesz innym?

Czy czujesz strach przed cudzym gniewem i awanturami?[16]

Na wszystko miała przykłady z ich wspólnego życia lub z tego, co jej opowiadał. Podręcznikowe jak pytania, na które natychmiast odpowiadała twierdząco. Przykłady jeszcze do wczoraj niewytłumaczalne w jakikolwiek inny sposób, bulwersujące ją, zdumiewające, bolące, nierzadko z jej punku widzenia idiotyczne. Żeby zepsuć im wieczór, dlatego że ochrzaniła kelnerkę za podanie wyszczerbionej filiżanki? Gdy ta burknęła „przepraszam" i jakby nigdy nic wróciła do innych obowiązków, zamiast wymienić kawę, faktycznie wdała się z babskiem w pyskówkę. Ale czy nie miała racji? I czy to powód, by on przez godzinę siedział odęty, patrząc na nią jak na jakąś wariatkę awanturującą się bez sensu? Nie miałam racji?, spytała wówczas. Ale po co tak robić?, odpowiedział. Ale nie miałam racji?, spytała znów. Ale po co tak robić? A przecież nie zaciął się bez przyczyny i wcale nie był odęty, po prostu fatalnie się z tym czuł, tak fatalnie jak ona z nim, siedząca przy stole, niepijąca kawy z cholernej, wyszczerbionej filiżanki, pozbawiona oparcia w jakiejkolwiek logice.

Czy bardzo boisz się porzucenia lub utraty bliskich osób?

Czy obawiasz się okazywania swoich uczuć?[17]

Ha... Drżącą ręką kliknęła w „sprawdź wynik", choć rezultaty śledztwa były oczywiste jak w kiepskim kryminale. Taką charakterystykę napisałaby w tej chwili sama, nie będąc specjalistą ze strony psychologia.net.pl. Szybko i chaotycznie przeleciała tekst mieszający kwestie ważne i mało istotne. *Pracoholizm*, tak, najchętniej z tej pracy by nie wychodził, najczęściej ze wszystkich bierze zastępstwa, nawet w sobotę, *dobre przystosowanie do życia w poczuciu zagrożenia*, oczywiście, jego przezroczysty parawan, bycie i niebycie jednocześnie, bohaterstwo z komiksu *Nieuchwytny, ryzyko alkoholizmu*, cóż, nie pił często, lecz jeśli już, to faktycznie na umór... Nie musiała wczytywać się dokładnie w każde słowo. Przecież to jej Adaś był!

Być może rzeczywiście niekiedy zdarza Ci się krzywdzić inne osoby. Może być Ci bowiem trudno zachowywać harmonię między dbałością o siebie a dbałością o innych[18].

Delikatnie powiedziane.

Bliski związek z osobą spokojną i zrównoważoną emocjonalnie może wydawać Ci się „nudny", natomiast dysfunkcyjny związek może być dla Ciebie ekscytujący, gdyż często jest źródłem wielu silnych i sprzecznych emocji[19].

Coraz częściej zarzucał jej nudę, a całkiem niedawno orzekł, że Tamara z Walii miała też swoje zalety. Szurnięta pielęgniara z Cardiff miała swoje zalety! Zatkało ją. Czy gdyby Tamara psychopatycznie nie posunęła się do uwięzienia go w pokoju, zostałby z nią?

Możesz też... starać się zawsze i za wszelką cenę zachować niezależność, przez co nie jest Ci dane zaznać bezpiecznej bliskości z drugim człowiekiem. W rezultacie czujesz się osamotniony, nawet gdy formalnie pozostajesz w związku z inną osobą[20].

Osamotniony... Kochała go teraz jeszcze mocniej, choć jeszcze wczoraj to wydawało się niemożliwe. Kochała najmocniej swego szczurka laboratoryjnego, rosnąc w supersiłę superdyrektorki jakiejś superkliniki. Już nie był w stanie jej zranić. Przecież nawet gdyby jej teraz publicznie napluł w twarz, uznałaby, że tak naprawdę absolutnie tego nie chciał. I gdzie tu miejsce na przykrość?

❦

TAK BARDZO się wtedy zdziwiła, że przez trzy lata nie dostrzegła, iż coś jest nie tak. Lecz jak miała dostrzec? Nie musi czytać Bernharda, który ukradł jej cały dzisiejszy wieczór, bo nie włączyła nawet komputera, by przymierzyć się do seksrandki bez Zjawy. Nie musi czytać *Zaburzenia*, by wiedzieć, że *wszyscy są trudni*. W taki też sposób tłumaczyła sobie wówczas własną zaćmę.

Na jakie zaburzenie cierpiał ojciec, wolący książki od zabaw z córką, choć czasem bawiący się z nią z ich pomocą, otwieranych na sześćdziesiątej drugiej stronie, ojciec, który kiedyś rzucił niewielką, ale jednak książką w matkę, akurat w tym momencie niejojczącą mu nad uchem? Jaki syndrom kazał mu potem zostawić je obie i wyemigrować do Australii z dziewczyną, którą znał dwa miesiące? Kto albo co, gdzie i kiedy zaburzyło jej matkę, wiecznie utyskującą, zajmującą się nią jakby z obowiązku, dawkującą sympatię kroplomierzem, wymienionym na nieco większy wobec Michałka, gdy spostrzegła, że ona nie może znieść syna? I jak Krystyna przezwyciężyła swoje zaburzenie, skoro nagle stała się kimś innym, przefarbowała włosy na kruczą czerń i sprzedała, co miała, by zostać Cristiną, królową flamenco w Barcelonie, czekającą z wytęsknieniem wizyt córki, przekuwającą dawną obowiązkowość w demonstracyjną spontaniczność i przyjaźniącą się z parą gejów, co wcześniej wydawało się nie do pomyślenia? A jeśli dopiero to łapczywe łapanie życia było efektem jakiegoś syndromu, a wcześniej Krystyna była najnormalniejsza na świecie, choć może nieco sucha?

Bernhard opisuje wyrazistsze przypadki: ktoś w pijackiej złości zabija żonę karczmarza, kto inny tkwi całymi dniami w pokoju z wilczurem na smyczy, synowie młynarza duszą dziesiątki kolorowych ptaków, pozostałych po zmarłym wuju... Może ten cały Bernhard wszystko to sobie zmyślił, dążąc do powiększenia efektu? W końcu pisał swą powieść przed półwieczem, świat wówczas nie był mniej zaburzony, a tylko mniej nagłośniony, nie napadały nas codziennie informacje o chłopcach zabijających kumpli z klasy, dziewczynkach wieszających koleżanki, czterdziestolatkach strzelających do siedemnastolatków na stacji benzynowej, bo nie chcieli ściszyć radia w samochodzie, o matkach najróżniejszych Madzi, o mniejszych i większych Breivikach, dziwnych i osobnych już w dzieciństwie.

Adam nie zamordował karczmarki i nie ukręcał łbów kolorowym ptakom, a przecież był nie mniej okrutny.

To tylko zaburzenie, powtarzała sobie, idąc na pierwsze z nim spotkanie w Nowym, o jakże bardzo Nowym Roku, tylko syndrom, nie choroba umysłowa, raczej coś jak astygmatyzm, źle widzi, bo źle patrzy, i gdy dobierze mu się odpowiednie okulary... Tamtego popołudnia to jednak ona miała okulary, co tam okulary, lupki dwie miała, przystawione do oczu mikroskopy. W doskonałym nastroju wypił z nią kawę, zjadł noworoczną szarlotkę, a potem przeszli się malowniczą, zaśnieżoną Starówką. Czy ów nastrój nie był jednak podejrzanie doskonały? Co się za tym kryło? Niemal w palcach obracała każde jego słowo, chrumknięcie, cmok zniecierpliwienia, który oczywiście także wreszcie się pojawił. Powiększone przez lupy i mikroskopy, stawały się abstrakcyjnym wycinkiem jego mapy, mogącym przedstawiać i dokumentować niemal wszystko, co na w i a d o m y t e m a t wyczytała w internecie.

– Ładnie dziś wyglądasz – orzekł uśmiechnięty.

Jakąż przyjemność sprawiłby jej tym wyznaniem jeszcze przedwczoraj!

– No i co tam jeszcze masz ciekawego do powiedzenia? – dopiekał, bo przecież nie dociekał, kilka dni później w dobrze jej znanym stanie rozdrażnienia.

Jakże poczułaby się głupio... Ale obecnie ów stan był znany i nieznany. Nie umiała już uwierzyć ani w zaczepki, ani w komplementy, w żadną szczerość intencji, które były tylko pogubione, pogubione. Czyż w kontaktach nie miał się czuć *niepewny, zakłopotany, zalękniony, lub przeciwnie – zachowywać się arogancko lub agresywnie*? Gdzie przebiegała granica normalności?

Stary, pudełkowy zegar, jedna z niewielu rzeczy, jakie po przeprowadzce przeniosła z apartamentu do mieszkanka, obwieszcza pierwszą w nocy. Odkłada Bernharda. Potrzeba głębi – prawdziwej, dotykającej, przeszywającej na wskroś, rebusu do rozwiązania, które olśni, mądrych słów ogarniających w kilku zdaniach to, co bezładnie od miesięcy rozlewa się jej po życiu, nie dając się złapać – została zrealizowana. Trzydzieści sześć dziewięćdziesiąt za wizję, z którą pozostaje w ciemnościach, aż nadejdzie sen. Czyż nie siedziała przez lata w zamkniętym pokoju, trzymając wilczura na smyczy?

❧

Najnormalniejsza zdawała się MamaBenia. Zjechała do Warszawy niedługo po sylwestrze z noworocznymi życzeniami i słoikiem pysznych gołąbków babci, która pozdrawiała ją na Skypie przed Wigilią, wciąż zapraszając. Miała opory, choć akurat w szczerość sympatycznych kobiet z jego rodziny nie wątpiła. Może kiedyś pojedzie... To „kiedyś" niespodziewanie oddaliło się: może on wcale nie chciał, by tam z nim pojechała, choć kilka razy zapewniał, że chce. Teraz wszystko zaczynało się od „może", nieustannie falowało morze wątpliwości.

Najpierw musiała porozmawiać z Lojką. O tym, co odkryła, a z czym należało coś natychmiast zacząć robić, nie czekając pół roku na darmowe miejsce na se-ansach terapii grupowej. Przecież tylko siostra mog-ła go przekonać, gwarantując sobą samą, że im oboj-gu jest to potrzebne. Razem z nią poszedłby, nie wy-pytując nawet dokładnie, o co chodzi. Jak zaburzona była Lojka? Ba, prawie jej nie znała, nie miała przykła-dów z własnej obserwacji, a jednak nie wydawała się taka rozwibrowana i nieprzewidywalna. Nie wydawa-ła się... Cóż mogła o niej wiedzieć poza tym, że zacho-wywała się inaczej niż on i w ogóle miała świadomość zaburzenia, skoro zamierzała je skorygować? *Pamiętaj, że wyniki tu uzyskane mają jedynie wartość informacyjną i nie mogą zastąpić indywidualnej diagnozy psychologicz-nej ani diagnozy lekarskiej*[21]. Oczywiście, oczywiście, Lojka była kimś innym, miała inną tarczę i gdzie in-dziej mogło ją za mocno trafić.

W pierwszych tygodniach stycznia Lojka była jed-nak wyjątkowo zajęta, a wtedy pojawiła się Mama-Benia. Maja nie zamierzała jej o tym mówić. Ow-szem, niemal się przyjaźniły i na pewno obie chciały dla niego jak najlepiej, a jednak nie przeszłoby jej to przez gardło, tak jak bywają za trudni ludzie, bywają i za trudne sprawy. Czy nie deprecjonowałaby w ten sposób całego wychowania, jakim szczyciła się Benia, zadowolona z dwóch córek i syna, nie wspominając o sprzeniewierzeniu się tajemnicy, o zachowanie któ-rej prosiła ją Lojka? Ale warunki nie sprzyjały milcze-niu, zwłaszcza że spędziły ze sobą większość dnia, bo d z i e c i a k i akurat pracowały, i to ona wzięła wolne, by Beni towarzyszyć, nie one. Pracoholizm, pomyślała od razu, jedna z t y c h cech, jakimi charakteryzują się c i ludzie... Nie była w stanie myśleć o niczym innym, wszystko pasowało jej do groteskowej układanki, cóż z tego, że nie każdy pracoholik jest... Gdy raz jeszcze, na prośbę Beni, stanęły w Muzeum Narodowym przed *Bitwą pod Grunwaldem*, rozbuchaną w kiczu niczym koncert disco polo, miała przed oczami bitwę, jaką sama będzie musiała wkrótce stoczyć. I nim się zorientowała, siedziały na Nowym Świecie przy kawie, rozmawiając o tym, o czym rozmawiać z nią nie chciała.

– I to się nazywa sydrom DDA – kończyła na jednym oddechu.

Benia w obronnym geście wzruszyła ramionami.

– Tak, słyszałam, jeszcze jeden wymysł psychologów, by zarobić na naiwniakach więcej grosza!

– To jednak chyba nie wymysł i wydaje mi się, że można by, należałoby, trzeba delikatnie...

– Posłuchaj! – Benia chwyciła ją za nadgarstek i trzymała jak w kajdankach. – Może i moim dzieciom ojciec się nie udał, na pewno się nie udał, ale zrobiłam więcej niż wszystko, by nigdy tego nie odczuły, bywało różnie, biednie też, przepijał, co mógł, mleczną krowę przepił, konia przepił i ciągnik chciał przepić, lecz dałam dzieciakom uczucia i ciepła za siebie i za niego, więc proszę, nie mów mi, że mój syn jest zaburzony. Nerwowy, niepoukładany, wybuchowy, może kapryśny, nie wiem, nie znam go teraz tak jak ty, ale z pewnością niezaburzony. I jego siostry na pewno też nie.

– Ten syndrom jest szeroko opisany w internecie. – Patrzyła Beni w oczy.

– Internet! Wiadomo, jaka tam jest kupa bzdur!

– Terapie są, nie tylko płatne, także darmowe... Może jednak warto... To tylko zaburzenie, wymagające korekty, nie jakaś schizofrenia czy inna depresja maniakalna.

Benia mocniej ścisnęła jej nadgarstek.

– W takim razie wszyscy jesteśmy zaburzeni. I, nie obraź się, Maju, ty pierwsza. Nie lubię oceniać ludzi i nie robię tego, póki nikogo nie mordują, mają swoje powody, by zachowywać się tak czy inaczej, ale nie uważasz, że dobrze sytuowana matka oddalająca od siebie własne dziecko jest zaburzona? Przecież nie jest tak, że nie potrafisz się opiekować, że jakaś felerna jesteś, bo inaczej nie kręciłabyś się wokół Adasia... Czy to nie zaburzenie, że wymieniłaś swojego syna na mojego? Taki syndrom też pewnie się jakoś nazywa i również można znaleźć terapeutę.

– Taki syndrom to miłość, Beniu – odrzekła smutno. – A o DDA też nic nie wiedziałam, dopóki mi nie powiedziała Lojka...

– Lojka? Toż to najnormalniejsza dziewczyna na świecie, Adaś przy niej faktycznie jak primadonna. – Zaśmiała się szczerze.

– Wiedziałam o współuzależnieniu żon alkoholików, koleżanka z pracy chodziła na mityngi...

– Teraz jeszcze mnie chcesz wrobić w jakieś zaburzenie? – Benia nie przestawała się uśmiechać.

– Widziałam też kiedyś niesamowity reportaż o córkach alkoholików, które przysięgają sobie, że prędzej zostaną zakonnicami, niż wyjdą za mąż za pijaków, po czym właśnie to robią!

– Nigdy do tego nie dopuszczę! Zresztą chłopak Betki nie tyka nawet piwa. Nie znasz ich starszej siostry, nie jest łatwa, ale jest świetna i poradzi sobie w życiu!

– Posłuchaj mnie, Beniu. Adaś, nasz Adaś, się męczy. I ja przy okazji też już robię bokiem, bo nie wiem, co jest czym...

MamaBenia upiła łyk kawy.

– Powiedz od razu, przyznaj, że to ty jednak masz problem, nie on. – Czule pogłaskała ją po plecach. – I ja wiem, co to za problem, Maju.

– Co za... problem?

– Nie rozmawiajmy o tym. I jeszcze raz cię przepraszam, że tak prostacko wytknęłam ci twego syna, nie moja sprawa, zrobiłaś, jak czułaś, nie ganię cię za to, choć nie każ mi rozumieć.

– Więc jaki mam problem?

– Obawiam się, że nie masz ochoty tego wiedzieć...

– Mów, przecież się nie obrażamy!

– Jeszcze tego by brakowało. – Benia teatralnie wzruszyła ramionami. – Po prostu... nie jestem pewna, czy on cię jeszcze naprawdę chce...

– Zwierzał ci się?

– Coś ty, to najbardziej skryty osobnik na świecie, ale... myślisz, że gdyby był z tobą naprawdę szczęśliwy, nie miotałby się tak, jak twierdzisz?

– I właśnie w tym rzecz, Beniu, że tacy ludzie odczuwają szczęście jakby połowicznie... Może mnie zmienić na inną i też będzie z nią połowicznie, popełniając te same błędy wobec niej i oczywiście przede wszystkim wobec siebie. Dlatego to takie ważne!

– Zobacz, idą. – Wskazała na roztańczone kózki, wbiegające do kawiarni o tych kilka chwil za wcześnie, a może jednak w najodpowiedniejszym momencie? – Zobacz, jacy są szczęśliwi!

Za oknami marznący deszcz zmienił się w śnieg, ciężkie krople w lekkie płatki. I im obu też zrobiło się jakoś lżej: wysłuchały się. Teraz jedna i druga wmiatały pod dywan to, co uznały za konieczne, by w razie czego móc podnieść się, każda na swoim ringu, nim sędzia zliczy do dziesięciu.

– Halo, o czym plotkowałyście? Wyglądacie na przejęte! – Ucałował je obie.

– A, o takich tam różnych... zaburzeniach. – MamaBenia zachichotała.

Lojka ponad matką posłała jej zaniepokojone spojrzenie. Odpowiedziała niemym zaprzeczeniem.

– O zaburzeniach?! – zdziwił się. – A może o zadurzeniach? Mamo, zadurzyłaś się w kimś wreszcie?

– Tak, mamusiu, czas najwyższy! – podchwyciła Lojka. – Jesteś jeszcze młoda, ładna, trzeba ci romansu, stary nawet nie zauważy!

MamaBenia spąsowiała.

– A dajcież wy mi święty spokój!

I ryknęli we troje gromkim, najserdeczniejszym

śmiechem, dotknięci cudownym syndromem wzajemnej miłości, którego nie mogły podgryźć ni podkopać żadne pokrętne syndromiki, żadne tam ABC, DEF, GHI, nie mówiąc o DDA.

❦

TAK BARDZO chciała uwierzyć mu w cokolwiek. Ale jak, jak?

Zamiast się zapomnieć, w pierwszej noworocznej jeździe Jane Fondy przez prerię odkrywała dowód na to, że w tej chwili jedynie chce ją zadowolić, bo tego wymaga jego astygmatyzm, i leżąc pod nią, tkwi gdzieś poza całym, niepowtarzalnym dwuosobowym aktem zbliżenia, ponieważ wcale się do niej w ten sposób nie zbliża. Podobnie było z następnymi. Jechała w pradawnym westernie, a tak naprawdę kręciła horror jakiś, w którym niczego nie była pewna. *Być może unikasz konfliktów, starając się ustępować i zadowalać innych, nawet kosztem utraty w tym procesie swoich praw, oczekiwań i własnej tożsamości*, wyświetlało jej się w głowie równym szlaczkiem, choć miała przecież skakać po bosko nierównych wybojach. Niepewność, jak zachowa się w takiej czy innej sytuacji, roześmieje się czy warknie, obrazi ją czy pochwali, przejdzie na drugą stronę ulicy czy jednak pozostanie przy niej, była niczym wobec poczucia, że żadne zachowania nie mówią o nim prawdy, bo wszystko pogubione, pogubione, zdeformowane po drodze od myśli i potrzeb do celu.

Jeśli bywała niegdyś szczęśliwa, to teraz nie bywała. Jeżeli on był tylko zaburzony, to ona była aż chora. Nie czuła przykrości, tak jak nie czuła radości. Uzbrojona jedynie w tępe narzędzie bezgranicznego kochania, była chora na niego i na własną niemoc.

❦

Lojka niby chciała tej terapii, niby miała poczucie, jakie to ważne, obiecywała jej, że obie pogadają, że z nim pogada, i na obietnicach się skończyło. Może to właśnie był fragment jej oblicza DDA, że chciała i nic konkretnego ostatecznie w tym kierunku nie robiła? Był już luty, tego roku okropny, szarobury, niezdecydowany, czy ma udawać brzydką jesień, czy złośliwą wiosnę. Ona też udawała, raz kolorową jesień, kiedy indziej wesolutką wiosnę, czekając na dogodny moment, by samej poruszyć z nim drażliwą kwestię. Wyczekiwała jednak chwili wyważenia i spokoju, aż nadeszła...

Zaprosił ją na spacer, przyszedł pod bank po porannej zmianie, akurat też wychodziła i akurat wyszło słońce. Akurat szli pod dworcem i akurat korytarzem przy dziurce z zapiekankami po cztery złote, teraz już po pięć, więc zjedli jak niegdyś, smakując swe pierwsze miesiące. Pamiętasz? Pamiętam... I kawę wypili w pleksiglasowej gablocie, wciąż stojącej przed Novotelem, mekce zmarzniętych palaczy papierosów. Szarlotka? Czemu nie? Choć dawno pozbawiona komfortu, że za chwilę na pewno będzie jak teraz, że będzie akurat, uległa miłemu nastrojowi, wdychając wypuszczany przez niego wprost na nią dym lucky strike'ów.

– Gdzie pójdziemy na ten spacer, na Starówkę czy w stronę Łazienek? – Wzięła go pod ramię, gdy znaleźli się na rogu ulic. – Jeszcze przez jakieś dwie godziny będzie jasno...

Lecz on już pociemniał, a jej ręka sama wyślizgnęła się spod nagle drewnianego ramienia. Kilka tygodni temu zastanawiałaby się, co było w tej szarlotce, którą pochłonął z uśmiechem, że zamarł mu właśnie na ustach.

– Nie chcę iść na żaden spacer, to znaczy chcę, ale nie z tobą – wycedził, ruszając w stronę Nowego Światu. – Poszedłbym z kim innym, lecz nie mam z kim, więc idę z tobą, chociaż nie chcę z tobą!

Teoretycznie przygotowana na każdy jego wyskok, szła jednak na miękkich nogach. Zaburzenie zaburzeniem, lecz narastająca n i e p r z y j e m n o ś ć sytuacji wymykała się logice i ciążyła trosce. Mimo to szła, z bocznych uliczek wychodziły kolejne warany, a ona szła, ni to z nim, ni za nim, szła i słuchała, co już nieraz słyszała. Że nie ma przyjaciół, że znajomi znów go zawiedli, bo to z nimi zamierzał się umówić, a nie z nią...

– Nie chcę, nie chcę! No, co jeszcze powiesz ciekawego? – szukał zwady.

– Ale...

– Zauważyłaś, że zawsze masz jakieś „ale"? Zawsze „ale"! Ale to, ale tamto, czy ty się w ogóle słyszysz? No, posłuchaj się, mądralo!

Gigantyczny waran, zwany smokiem z Komodo, wypadł na nią wprost z ulicy Kubusia Puchatka. Uskoczyła i szła dalej, w ostre słońce na czystym niebie i w chmury jak z Turnera lub Ajwazowskiego.

– I przestań tak stukać obcasami, bo człowiek własnych myśli nie słyszy! Poszedłbym na spacer, ale nie chcę iść z tobą na spacer! I nie chcę chodzić do tej szkoły, nie będę zajmował się reklamą, nie obchodzi mnie to, po coś mnie tam wysłała!

– Ale przecież sam chcia...

– Ale, ale, znowu ale, czy ty się w ogóle słyszysz, kobieto? Kobieto? Staruszko, stara jesteś! I pajacowata!

Aż takiego zapętlenia nagłej złości, która nijak nie chciała przejść na nią, zostawiając go w spokoju, jeszcze nie doświadczyła. Na stronie psychologia.net.pl były pytania kontrolne i opis syndromu. Nie podano informacji, co zrobić podczas ataku wszystkich waranów jednocześnie, gdy jesteś obok i nie wiesz, gdzie się schować. Przystanął, więc i ona przystanęła.

– Idź sobie! Idź sobie w drugą stronę, nie mogę na ciebie patrzeć! Dlaczego jeszcze ze mną idziesz?

Powinna była w r e s z c i e sobie pójść. I nie mogła pójść. Jemu, dla niego, sobie, dla siebie, nie mogła pójść. Ruszył, więc ona też.

– Znajomym na pewno coś wypadło, jeszcze zadzwonią – mówiła jego plecom. – A tej szkoły już przecież końcóweczka... Nie musisz pracować w reklamie, ale warto chyba skoń...

– Znowu ale? Znów masz jakieś ale? – Odwrócił się, patrząc na nią jak na źródło wszystkiego, co najgorsze.

Nowy Świat był pełen smoków, lecz i ludzi. Ściszył głos. *Czy czujesz strach przed cudzym gniewem i awanturami?* Przed własnymi też czuł strach.

– Nie chcę z tobą iść na spacer – mamrotał w amoku.

Ktoś przez środek chodnika pchał wózek z makulaturą. Wciągnęła go do bramy, by ich nie staranował.

– Adam, ja naprawdę temu wszystkiemu nie jestem winna! – Wczepiła się w jego kurtkę. – Nie widzisz tego? – I potrząsnęła nim z siłą, jakiej nigdy by się po sobie nie spodziewała, z siłą nieprzyjemności, której już nie dało się znieść, choćby mieli się tu zaraz pobić.

– Widzę – odparł powoli, zaskoczony.

Opuściła ręce, a on nagle nachylił się ku niej, jakby chciał uszczknąć jej lepszej energii, a przynajmniej pozbyć się własnej, nieznośnej także dla niego samego. Jakby chciał się przytulić, ugryźć ją i zniknąć. I to był właściwy moment.

– Nie uważasz, że może powinieneś pójść do psychologa? – zdanie, którego intonację ćwiczyła od tygodni, wyobrażając sobie najodpowiedniejszą sytuację, w jakiej powinno było paść, padło na jednym oddechu, w bramie, w odorze bezdomnego prowadzącego wózek z makulaturą.

Wyprostował się i od szybkiego gestu niemal stracił równowagę.

– Myślisz, że jestem jakimś świrem? – żachnął się. – A może to twoje towarzystwo mi nie odpowiada? Może przy kimś innym nie byłbym taki?

Teraz… Mogli pójść na kolejną kawę, by oswoić go z tą myślą, albo i nie mogli. Teraz mogło zdarzyć się wszystko, także szarpanina. I wówczas na przystanku przy bramie zatrzymał się autobus w kierunku Łomianek. Dziki zwierz wybrał ucieczkę.

– Więc uwalniam cię od tego świra! Na zawsze! Po co ci to? Żegnaj!

I już go nie było.

Widzę, powtórzyła na głos. Co widział? Oparła się o ścianę elegancko wyremontowanej kamienicy… Żegnaj? Choć wyczerpana i skołowana, czuła, że to jeszcze nie jest ów prawdziwy koniec, ten, którego miało nigdy nie być. Wracała do samochodu na bankowy parking, a potem jechała do domu, nie czekając na nic poza rozwojem wypadków, na które nie miała wpływu, przekonana, że to nie było ich Żegnaj. I przyszło jej do głowy, że jeśli czegoś na pewno nie będzie, to końca, o jakim śpiewała Edyta Geppert:

A gdy uznamy, że to już
Niech dobry Bóg
Oszczędzi nam tych słów jak nóż
Karczemnych słów

Tej złości, która supła krtań
I pięści zwiera w siną grań

Rozpaczy, co ugina kark
I białą sól wyciska z warg

Odejdź szeptem w zapomnienie[22].

Pamiętała to z szybko zdartego longplaya, kupionego kiedyś dla słynnej piosenki o samobójczyni, bo która nastolatka nie przejęłaby się, że *dziesięć pięter i ciemność*...[23] Ballada o odchodzeniu szeptem kończyła płytę i też przecież opisywała samobójstwo, tylko łagodniejsze, nie jakieś bum i ciemność, lecz bum było widowiskowe, nastolatki poruszają widowiska, nic więc wtedy nie pojęła z odchodzenia szeptem. Nic wtedy nie pojęłaby z żadnego odchodzenia, które zawsze jest trochę i bum, dziesięcioma piętrami w dół, i w zapomnienie szeptem. Kiwała się w rytm nad kierownicą, bębenek to był czy modna wówczas mechaniczna, zaprogramowana perkusja? Mechanicznie kiwała się w przyczajonym półtańcu, nawet jeśli nie da się zaprogramować niemożliwego pożegnania.

❧

TAK BARDZO sam, w pojedynkę, z osobnego pokoju Dziad zrobił im tę krzywdę, że gdyby nie dramatyczne konsekwencje, byłaby dlań pełna podziwu jak dla talentów redaktora Słodowego, oglądanego z ojcem co czwartek w programie *Zrób to sam*. Dziad, choć w jej wieku, bo ledwie po pięćdziesiątce, skurwiel i sukinsyn, nawet jeśli jego matka nie handlowała własnym ciałem, potwór bez zębisk, prowincjonalny diabeł, mieszający na odległość w cudzych duszach, nazwijcie go, jak chcecie... W końcu nawet Hitler nie sam przetrącił kręgosłup Europie, Bin Laden nie sam przetrącił Ameryce, a Dziad sam. Samiutki poprzetrącał kręgosłupy swoim dzieciom, nie bijąc i nie krzycząc, bo głos podnosił ponoć jedynie na żonę. Poprzetrącał ich w białych rękawiczkach, nasączonych wódą.

Mało o nim wiedziała, Benia i Lojka mówiły niewiele, Adam milczał jak grób. Nie znała nawet jego imienia, choć powinien mieć w dowodzie Skurwiel Sukinsyn Jarzyna, urodzony gdzieś tam na zgubę swej przyszłej rodziny, zmarły, jeśli przedwcześnie umrze wyniszczony alkoholem, ku uldze całego świata. Jak zrobił to sam, w pojedynkę, z osobnego pokoju, w którym siedział lub leżał, napruty do nieprzytomności, napruty i złorzeczący, napruty i wygadujący niestworzone rzeczy pod adresem żony, córek i syna, biorącego sobie każde słowo do serca, za małego, by je przerzucać przez jakiekolwiek sito zdrowego rozsądku, niepewnego, co myśleć, niepewnego własnej osoby rosnącej w poczuciu słabości zamiast siły?

Jak Dziad zrobił to sam? Ano po prostu b y ł. W domu był, na podwórzu był, w polu był, u sąsiadów był, ale był, zawsze był. Nawet gdy dopiero wyszedł, bo przecież miał wrócić. I gdy wrócił, ponieważ nim rzucił się na tapczan i zasnął, zdążył jeszcze naurągać, poobrażać, ponaśmiewać się, poobdzierać własne potomstwo z dopiero co kiełkującej godności i żonę oczywiście też, owszem, o grubszej skórze, lecz jednak na ich oczach, w ich uszach.

Zamiast rosnąć w siłę i spokój – tuszowali. Tuszowała MamaBenia, machając lekceważąco ręką, co on tam może, tylko głupio gada i na dodatek nie wie, co gada, tuszowały córki, nie zapraszając do domu koleżanek, tuszował synek, wzruszając od małego ramionami, na znak, że nie wie, że on nic nie wie, gdzie ojciec, co robi, jak się zachowuje. A potem z synka stał się synem, nieufnym, osobnym, kochającym matkę tym, co przeznaczone matce i ojcu, i nienawidzącym Dziada tak samo podwójnie. Gdy córki wyszły z domu, a on z tego domu wreszcie uciekł, kiedy dzwonili do mamy, Dziad się czaił. Za ścianą, za plecami matki, kochanie, oddzwonię później, nad krajobrazem, który nigdy nie będzie nostalgicznym pejzażem sielskiego dzieciństwa. Nie dogadywał już, bo nie miał fizycznej siły, ale się czaił.

I sam, zrób to sam, w pojedynkę, z osobnego pokoju, ledwo zipiąc, Dziad zaczaił się także i na nią, na Danutę, będącą przez pięć lat Mają. Sterował nią, sterroryzował ją stworzoną przez siebie maszyną, zacinającą się na wyższych uczuciach jak doskonały samochód na chrzczonej benzynie: swym zaburzonym synem.

❧

Nie była rano w stanie iść do banku, bo do piosenek Edyty Geppert, a wyśpiewała i wytańczyła wszystkie, jakie pamiętała, otworzyła butelkę wina i zasnęła dopiero po czwartej. Telefon, z którego zadzwoniła do pracy, milczał. Wrzuciła go na dno torebki, żeby co chwila nie sprawdzać, napisał, nie napisał... Miała przed sobą długi, przedłużony o wolny piątek weekend, nic do zrobienia, nikogo do odwiedzenia, pusty jak refren „Kocham cię, życie", nucony bez przekonania w finale nocnego koncertu.

Postanowiła wyjść, wsiąść do samochodu i ruszyć gdziekolwiek, przed siebie, lecz nauczanie Cristiny, cel, cel, wszystko musi mieć swój cel, to bezcelowe, kochanie, i tamto bezcelowe, skarbie, opamiętaj się, kazało jej wytyczyć ów cholerny cel. Wymyśliła więc odkurzacz, mały, lekki, nowoczesny, którym sama mogłaby sprzątać nieszczęsny apartament, zamiast wynajmować panią Szarkę. Ostatnia kontrola własnych finansów przeraziła ją: absolutnie nie stać ją było na pałac pożerający oszczędności gigantycznym czynszem i mnóstwem dodatkowych opłat. Sprzątanie za sto pięćdziesiąt tygodniowo dawało już sześćset złotych, które mogła przeznaczyć na Adama. Znów przebąkiwał coś o kilku nowych grach. Nigdy nie przyszło jej do głowy, że młody, zdrowy, silny chłopak mógłby raz w tygodniu chwycić za odkurzacz lub od czasu do czasu umyć kubistyczne okna, opłacony jak pani Szarka, a nawet lepiej. Nie, jej Adaś był stworzony do czegoś wyższego! Gdy niedawno wreszcie wpadła na ten pomysł, spojrzał na nią nawet nie zdziwiony, ale po prostu jakby propozycja w ogóle do niego nie dotarła.

Winda do garażu, jazda żwirową alejką w tempie konduktu bez marsza Chopina... Jak długo będzie musiała czekać, aż wróci, a potem jak długo, by przestał się dąsać, aż będą mogli pognać przez prerię? Nie należeli do par, które godziłyby się w łóżku, a po odkryciu, że nawet wtedy, gdy bywała jego Jane Fondą, on tak naprawdę wcale do niej nie należał, to łóżko, ostatnia enklawa absolutnego piękna, było jak wszystko, co robili wspólnie: piękne i brzydkie, przełamane, zaburzone, najmilsze z pudełek dynamitu. Budka ochroniarzy, dzień dobry, pani Keller, dzień niedobry. Jak długo będzie musiała czekać, by wrócić do nieszczęsnej rozmowy o psychologu? Stała na pustej ulicy, przed pustym przejściem dla pieszych, tuż za równie bezludnym przystankiem, gdy do samochodu podbiegł mężczyzna.

– Przepraszam – mówiły usta o ładnych zębach przez półotwarte okienko. – Mogłaby mnie pani podrzucić do centrum, a przynajmniej kawałek dalej z tego odludzia? Autobus mi uciekł i spóźnię się na pociąg!

– Stoją taksówki. – Miała na końcu języka jak stopę na gazie, bo właśnie zmieniło się światło, lecz twarz pochyliła się i nad zębami ujrzała okulary ze wzruszającym zezem.

Ten zez otworzył mu drzwiczki, tak jej się przynajmniej wydawało.

– Jest pan moim pierwszym miejskim autostopowiczem – powiedziała nie wiadomo dlaczego, bo przecież raz podwiozła kobietę z dzieckiem stojącą na tym samym przystanku w kapuście w ulewnym deszczu, a kiedy indziej staruszkę, której autobus bezczelnie umknął sprzed nosa.

– Jak widać, warszawiacy nie są jednak tacy okropni. – Zachichotał.

– A pan skąd?

– Z Krakowa.

Pierwsze skrzyżowanie ulic i spojrzeń, choć gdzie właściwie patrzył? Zadbany, trzydziestoparoletni, ani przystojniak, ani brzydal, markowe dżinsy i buty. Drugie skrzyżowanie. Sympatyczny, prostolinijny. P r o - s t o l i n i j n y, uskrzydlająca, choć niesprawdzona konstatacja. Trzecie skrzyżowanie, lekarz onkolog na jakimś specjalnym szkoleniu...

– Człowiek nie ma nawet czasu na życie prywatne – westchnął, kończąc przedstawianie się.

– Czasem lepiej go nie mieć – odpowiedziała, myśląc o życiu prywatnym, które zapewne milczało na dnie jej torebki.

Czwarte skrzyżowanie, ręka bez obrączki, no tak, przecież wyjaśnił. Piąte, w czym i jak głęboko jest zaburzony? Na co źle reaguje, na kłamstwo, czy tylko na krzywo położoną serwetkę na stole przy obiedzie? Szóste. Ciepłe spojrzenie, choć gdzie właściwie patrzył? Czy zez wyklucza astygmatyzm?

– Może tu się pożegnam i wyskoczę, niedaleko już do dworca! Chyba że zamierza mnie pani odwieźć do samego Krakowa. – Ładne zęby błysnęły jeszcze raz.

– Mogę odwieźć – odparła. – Tylko muszę zerknąć w nawigację, bo nie wiem, gdzie jest wylotówka.

– Ale... żartuje pani?

– Nie żartuję.

To z niej żartowało jego malutkie „ale", jego i nie jego, ciągle masz jakieś „ale", usłyszała w głowie. Do Adama dołączyła Cristina: „Cel, cel, wszystko musi mieć swój cel!". No i miała, miała cel na pół piątku, a może i sobotę, bo na przykład zanocuje sobie w tym Krakowie? Nie była od wieków.

Kilka godzin później była, lecz mogły to być Kielce lub Jelenia Góra. Widziała tylko za wysoki sufit kawalerki w starej kamienicy i niesymetryczne źrenice, rozsypane tęczówki wędrujące po jej ciele, jakby szły po baśniowych krajobrazach pełnych seledynowego nieba, jedna wpatrzona tu, druga całkiem tam. Ona tkwiła jeszcze gdzie indziej, podwieszona pod za wysoki sufit, który wcale nie był za wysoki, nad czułymi spojrzeniami, których nie dało się jednocześnie uchwycić, i w dotyku, którego nie sposób uwięzić. Tkwiła i tkwiła, mocno pożądana w czymś bezproblemowym, nie Jane Fonda i nie na prerii mogącej w każdej chwili zmienić się w strome urwisko lub gigantyczny wodospad. Kocham cię życie, kocham cię życie, czy nie o to chodziło?

– Zrobię ci kawę, chcesz? Możesz zanocować…

Nagle byli na ty, nie znając swoich imion.

– Nie, dziękuję ci, pójdę już.

Miała się utwierdzić, a tylko wpadła w popłoch. Miała się zapomnieć, a tylko sobie przypomniała. Miała uciec, a tylko się znalazła. Do domu zjechała w nocy, po drugiej. I jak stała, tak padła na tapczan, w przepoconej bluzce, z obco woniejącym kroczem, nie słysząc nawet stuku butów zrzuconych machinalnie kostka o kostkę na podłogę.

❦

TAK BARDZO skutecznie przepędziła to z pamięci, że po trzech latach przysięgłaby, iż epizod krakowski nigdy się nie wydarzył. Jeszcze przed tygodniem, gdy umówiła się na nieszczęsną randkę przyprawioną mefedronem, przysięgłaby, że nigdy go dotąd nie zdradziła, ani gdy byli razem, ani przez wiele miesięcy od rozstania. I nagle znajoma twarz z zezem pod okularami na gazetowej fotografii, wtopionej w rozmowę z pewnym onkologiem. Łapczywie czyta wywiad, jakby mogła się zeń dowiedzieć, skąd déjà vu. Onkolog jednak opowiada tylko o profilaktyce, rakowi czasem można zapobiec, a luce w pamięci, panie doktorze? Takiej wyrwie może zapobiec wyłącznie szczęśliwe życie, nienaturalnie, nieustannie szczęśliwe, w którym dokładnie protokołowalibyśmy wszystko, by nic nam z owej niemożliwej szczęśliwości nie umknęło.

Nie pamiętam, mówiła na procesie zbrodniarka nazistowska w jakimś filmie, choć znęcała się nad więźniarkami parę lat. Nie uwierzono jej. Nie pamiętam, twierdziła żona po zabójstwie męża, co uznano za mord w afekcie, obniżając wyrok. Czy pojechała wówczas do Krakowa w afekcie? Czy słyszał ktoś o seksie w afekcie? Chodzi oczywiście o tak zwany afekt patologiczny: reakcję nieadekwatną do przyczyny, która może spowodować i amnezję. Przecież było tak, że brama, autobus, żegnaj, piosenki Edyty Geppert, wytańczone, choć zupełnie nie do tańca, połowicznie przespana noc, telefon do pracy, wrzucenie komórki na dno torebki, wyjazd po odkurzacz, dzień dobry, pani Keller, dzień niedobry, okropne zmęczenie, takie, że nie słyszała nawet stuku butów zrzuconych machinalnie kostka o kostkę na podłogę, i już było niedzielne popołudnie, gdy wyjęła z torebki komórkę i...

Sherlock Holmes szukałby w mieszkaniu nowego odkurzacza, lecz ona miała teraz większy problem.

❧

Jedenaście nieodebranych połączeń. Jedenaście razy próbował się do niej dodzwonić, nie pisząc żadnego esemesa? Jasna sprawa: chciał jej tylko dalej pourągać, wykrzyczeć, o czym mu się zdawało, że nie wykrzyczał, odsądzić od czci i wiary, nie pierwszy raz odbijało mu się czkawką, musiał wtedy mówić, mówić, a nie pisać. Napisałby tylko wówczas, gdyby chciał ją przeprosić, wycofać się z pochopnego „żegnaj", o nie, tego z pewnością nie zrobiłby bardziej bezpośrednio, ukryłby się za esemesem, za płotem z graffiti o krótkim i wyrazistym przekazie. Znów wrzuciła komórkę na dno torebki, trzeba jeszcze poczekać dwa, trzy dni, przejdzie mu, na pewno przejdzie, napisze, że...

Napisał już w poniedziałek. Klient za biurkiem wczytywał się właśnie w ofertę oszukańczo oprocentowanej lokaty, udającej, czym nie była, gdy odebrała esemsesa, odczytując z ręką na kolanach: *tak można na ciebie liczyć czyli jak zawsze wcale mama miała zawał a ty masz w dupie mnie ją i wszystkich jak zawsze.*

Banki mają nas w dupie, mruknął całkiem słusznie klient, w dupie, w dupie, obijało się jej o cieniutkie ścianki w głowie, mieszając wrednie bogacącą się bankowość z plajtą znaczeń jakichkolwiek słów poza tymi dwoma: w dupie, w dupie. Obiecała mu znaleźć lepszą ofertę za tydzień, by jak najszybciej się go pozbyć, a zawał MamyBeni dotarł do niej, dopiero gdy postawiła tabliczkę „przerwa obiadowa", którą przed kwadransem, po odbytej przerwie, usunęła, i już jej nie było na stanowisku pracy, już słyszała naczelniczkę wzdychającą, że może i jest jedną z najlepszych, najbardziej doświadczonych pracownic, ale przecież tak nie można, dopiero co wzięła nagle wolne na życzenie, czy ona sobie myśli, że..? A jak można? Jak można pracować w takiej sytuacji, gdy pomieszanie z poplątaniem, a zaburzenie z zawałem?

Teraz on nie odbierał telefonu, więc wystukała: *co się stało? Nic nie interesuj się już nic mi nie potrzeba.* Oczywiście, oczywiście. Na szczęście miała numer do Lojki. Po kilku minutach wiedziała, że zawał był lekki i niegroźny, Lojka jest w szpitalu w Radomsku, a jej brat... jak to gdzie, w pracy! Podjechała pod firmę na koniec jego zmiany. Mimo ciemności zauważył czerwone volvo od razu po wyjściu z budynku i demonstracyjnie poszedł w stronę przystanku. Jechała za nim powolutku niczym w jakimś gangsterskim serialu, a zrównawszy się z jego sylwetką, otworzyła drzwi. Wsiadł. Nie skręcił w jej stronę głowy, za to ona skręciła na pobocze.

– Przepraszam – niemal wyszeptał.

Nie triumfowała. Był tak zrozpaczony, że wypowiedziałby teraz każde słowo. I zamknięty, jak zwykle zamknięty, gdy spróbowała go objąć, zmniejszył się o połowę.

– Też cię przepraszam, schowałam komórkę, bo... wiesz, że nigdy tego nie robię, ale... Czasem trudno to wszystko znieść.

– Mama mogła umrzeć! – Odwrócił się ku niej, jakby to ona podłożyła Beni granat do torebki.

Wiedziała, że musi odreagować, i nie była w stanie wziąć tego na siebie, choć powinna, zbyt wiele przykrości ostatnio doświadczyła. Więc nic nie udawała i na nic nie miała baczenia.

– Gdy moja mama umarła, przeszedłeś w Barcelonie na drugą stronę ulicy!

– Ale... od razu przyleciałem!

– Ale... to za mało!

– No dobra, jestem winny, jak zwykle jestem winny, po co ci ktoś taki?

Wysiadł. Prośby, przekonywania, zaklinania. Wsiadł. Za kierownicą siedziała już ta Maja, jaka powinna była siedzieć cały czas. Tkwiąca na portalu psychologia. net.pl, przejęta i zawstydzona, że dopuściła, by poczuł się winny. Dla zaburzonego z syndromem DDA nie ma większej trucizny od poczucia winy. Zaburzonemu z syndromem DDA nic nie można powiedzieć, bo zawsze będzie pojmował opacznie. Zaburzonego z syndromem DDA można tylko tępo kochać, otępiając siebie coraz bardziej fałszywą rzeczywistością. Lub postarać się mu pomóc.

Bezbronnie ukrył twarz w swych długich palcach. Teraz albo nigdy.

– Zobacz, jaki jesteś wykończony – powiedziała, jakby mówiła do siebie. – Może jednak pogadałbyś z kimś naprawdę mądrym…

– Ale tak z obcym, z kompletnie obcym? Nie wystarczy… z tobą?

Objęła go, pozwolił.

– Nie wystarczy. Źle wtedy zrobiłam, gdy Cristina umarła, że nie poszłam do żadnego psy… specjalisty. Długi czas naprawdę okropnie się czułam i nawet ty, kochanie, nie byłeś w stanie mi pomóc.

Kłamała. Nawet on? On przecież tylko był. I aż był, oczywiście, lecz nie nadawał się, by jej pomóc, nawet gdyby wówczas tej pomocy wymagała. Bo kłamała i w tym, że jej wymagała. Nie rozpaczała ani nad losem matki, ani swoim, rozpaczała nad metafizyką odchodzenia, nad efektem końca, jeśli ktoś jej był potrzebny, to filozof, nie psycholog.

– Dobrze – wymamrotał. – Pójdę! Jeśli mamie nic się nie stanie, pójdę! Tylko… gdzie?

– Zostaw to mnie – westchnęła, idiotycznie wdzięczna MamieBeni za to, że właśnie leżała w szpitalu.

Tymczasem odwiozła go do Łomianek, jak sobie tego życzył. Nigdy dotąd u niego, u nich, nie była, więc podobało jej się wszystko, choć sama nigdy by się tak nie urządziła, cóż zresztą mówić o planowym urządzeniu: właściciel, jak większość właścicieli najtańszych mieszkań dla młodzieży, wstawił, co mu nie było potrzebne, a co niezbędne do istnienia, kanapę sprzed lat dwudziestu, p ó ł k o t a p c z a n, kto je dziś pamięta, krzesełka z piwnicy, stół sprzed potopu, dywanik wyblakły na balkonie. Lecz tu siadywał, tam jadł, tu się mył, tam, przed nowym telewizorem, sprawiającym wrażenie Japonii w Bangladeszu, grał na ulubionej konsoli, a tu spał.

I ona tu spała tej nocy, gdy padł jak nieżywy, przygnieciony po raz pierwszy nagłą bliskością śmierci, chojrak powtarzający po doświadczonych, że wszystko ma swój kres, który niczym papużka, nagle, we wciąż paplanym rytmie: ma-swój-kres, ma-swój-kres, odkrył wreszcie przejmujący sens... Leżała obok, obejmując go jak wykradziony z jaskini najcenniejszy skarb, tuliła swego papużka, też coś odkrywając. Za każdym razem wracał do niej za sprawą nieszczęścia i niepowodzenia, a gdy było mu lepiej, przyglądał się jej, jakby mu coś zabrała.

❦

TAK BARDZO zależało jej na szybkim znalezieniu dobrego psychologa, że dawnych znajomych odkopałaby w egipskim grobowcu, nie zważając na lekko żenujący aspekt sytuacji, w której dzwonisz do kogoś po roku, dwóch, a nawet trzech i jakby nigdy nic pytasz, co słychać, choć w ogóle cię to nie obchodzi. Nie była, no nie była zainteresowana nikim poza nim i niczym poza sesjami z idealnym fachowcem. Na zaskoczenie rozmówców, że do nich zadzwoniła, objawiając się niczym duch, odpowiadała niemym zdziwieniem, bo nie spodziewała się, że niemal wszyscy znają jakiegoś psychologa, korzystali sami, posyłali dzieci, a nawet, jak Anna, sędziwych rodziców, w każdym razie pod tym względem Warszawa szła w ślady Nowego Jorku, gdzie – jak wiadomo – każdy o pozycji wyższej niż bezrobotny ma swego psychoanalityka. Dla bratanka, tłumaczyła, dla bratanka, i tylko Lenka nie dała się na to nabrać, pamiętając, że przecież nigdy żadnego brata nie miała.

Umawiając się na wiele kaw, które nie miały dojść do skutku, wydobywała informacje, natychmiast selekcjonując, kto się ewentualnie nadaje, a kto nie. Mężczyźni odpadali, z mętnych powodów doszła do wniosku, że przed mężczyzną Adaś się nie otworzy. Za ideał uważała kobietę, niemłodą i niestarą, taką jak ona albo MamaBenia, bo czyż właśnie nie ideałem byłoby połączenie ich obu, siedzące przed nim i profesjonalnie gotowe na żmudne psychologiczne kopciuszkowanie, oddzielanie grochu od fasoli, a raczej grochu od grochu, prawdziwego od fałszywego, i fasoli od fasoli, fałszywej od prawdziwej? Zupełnie nie brała pod uwagę, że może się mylić, że jedyną osobą, przed którą by się nie otworzył, byłaby taka MajoMamaBenia, zbyt przypominająca te, przed którymi grał... Tego, z człowiekiem jakiej płci, w jakim wieku i o jakiej aparycji chciałby rozmawiać jej Adaś, z portalu psychologia.net.pl niestety nie wyczytała.

Ostatecznie wytypowała dwie kobiety, bo trzecia przyjmowała na Ursynowie, co byłoby mu kompletnie nie po drodze, i tak przecież nieustannie podróżował przez pół miasta. Najpierw postanowiła sprawdzić panią doktor G. przyjmującą przy trasie do Łomianek. Tak, sprawdzić, przecież nie mogła pchnąć go w niewiadome, na jakąś kozetkę, nie znając wzoru materiału na obiciu, pod czujne oko i ucho kogoś, kogo nie była sobie w stanie wyobrazić, wolne żarty! Wzoru na kozetce w gabinecie pani doktor G. jednak nie poznała, wystarczyły jej dziobata, surowa twarz i zachrypnięty głos, jakie zaistniały w progu, osaczając ją w nieprzyjemnym poczuciu wizyty u czarownicy. Nie słyszała tej chrypy przez telefon.

– To pani? – upewniła się w drzwiach, bo może pomoc jakaś, gosposia, czy kto?

– Ja – zadudniła czarownica, niby serdecznie, ale...

– Nie... jednak nie jestem jeszcze gotowa – wydukała najuprzejmiej i już zbiegała z trzeciego piętra bez windy na ulicę.

Co innego pani doktor W. Na oko ledwie po czterdziestce, łączyła pewny siebie spokój i elegancję MamyBeni z czułym nastawieniem na drugą osobę, i choć był to przecież tylko wyraz profesjonalizmu, trudno, by w swym zawodzie nie okazała się czułym odbiornikiem; w owym nastawieniu przypominała ją samą, Maję, absolutnie nakierowaną na Adasia. W delikatnym uśmiechu miała też coś z Lojki, a sztucznie kruczoczarne włosy przypominały w dodatku Cristinę, której akurat Adaś nigdy z niczego by się nie zwierzył, lecz to jeszcze potęgowało jej poczucie, że pani doktor W. nadaje się idealnie, jest bowiem idealnie znajoma. I rzeczywiście:

– Jak się pani czuje? – spytała tonem, jakby się dobrze znały, gdy znalazły się w przytulnym pokoju, jasnym i pełnym zieleni.

Miała opracowaną strategię. Zamierzała opowiadać o dziwnej pustce po matce, której nie brakowało jej fizycznie, a której brak wśród żywych jednocześnie dotkliwie odczuwała. Zamierzała więc mówić prawdę, bojąc się, że dobry fachowiec natychmiast zorientuje się w jakimkolwiek kłamstwie. Lecz to pytanie, jak się pani czuje, jak ona się czuje, pytanie, jakiego szczerze nie zadał jej nikt od czasów, gdy zadawała je Cristina, sucho, z pozoru wręcz urzędowo, a przecież najszczerzej, to pytanie sprawiło, że cała misterna strategia wzięła w łeb.

– Czuję się taka... rozbita się czuję na kawałki, i w tych kawałkach zatrzaśnięta. Ktoś, z kim jestem, okazał się nie tym, za kogo go brałam, to znaczy tym, tym, ale nie zawsze mówi, co naprawdę chce powiedzieć, i czuje nie to, co chciałby czuć, i robi rzeczy, jakich by nie zrobił, wiem, że to nie jego wina, ależ skąd, a jednak coraz trudniej mi to znieść, lawirować między waranami, które wypuszcza z szafy na salon lub ulicę... A przecież on chciałby wypuszczać tylko ptaki, lekkie, kolorowe, i czasem je wypuszcza, sfruwają wówczas na nasze głowy, ramiona i w dłonie albo zawisają nad nami, gdy suniemy przez prerię... Cóż, kiedy niepostrzeżenie pióra twardnieją w łuski, kolory szarzeją w pancerz, a dzioby spłaszczają się w gęby pełne zakrzywionych zębów i nigdy nie wiem, kiedy to się stanie, i moja miłość przestaje wystarczać, nie wiem już, czego się bardziej boję, że nagle klucz flamingów zmieni się w pochód smoków z Komodo czy że mojej miłości pewnego dnia nie starczy i sama zmienię się w smoka, rzucając się na tego chłopaka, już raz się prawie rzuciłam, na niewinnego, bo nigdy, przenigdy by mnie nie skrzywdził, gdyby nie...

Nie dokończyła, nie mogła dokończyć. I tak powiedziała za dużo. Miało być przecież o pustce po matce! Adaś mógł przed panią doktor W. pojawić się już jutro, pojutrze, nie mogła dopuścić, by skojarzyła ją z nim, a jej wizytę jako coś w rodzaju przeszpiegów, to przecież mogłoby rzutować... na co miałoby rzutować? Jeśli pani doktor W. jest profesjonalistką, a na taką wygląda, choć nie było w pokoju kozetki, usadowiła ją w wygodnym, głębokim fotelu, kozetka, też wymyśliła, kozetka to na filmie Woody'ego Allena, zatem jeśli pani doktor W. była profesjonalistką, nic nie miało prawa rzutować na to, co jutro lub pojutrze od niego usłyszy.

Pani doktor W. była profesjonalistką.

– Proszę mówić o sobie, nie o nim, o sobie – poprosiła miękko.

– Ja także od dawna nie mówię mu, co myślę, by mnie opacznie nie zrozumiał, i on nie mówi, bo przecież z ust wydobywają mu się całkiem inne słowa, i tak sobie nie mówimy, czekając, aż wszystko rozpłynie się w powietrzu, roztopi się po nocy, najlepiej roztapia się we śnie, by nazajutrz choć na moment schwycić to, czego normalnie chwytać nie trzeba, bo powinno być między nami zawsze, a nie złapane na chwilę... Tak sobie nie mówimy, przeczekując stany zapalne, bo gdy wreszcie gasną, bywa cudownie, on przecież jest najlepszym, naj...

– Proszę się skupić na sobie, o nim opowie pani później...

– O sobie? Ale co o sobie, skoro ja bez niego nie istnieję?

– Istnieje pani – westchnęła doktor W., robiąc notatki, po czym podniosła na nią wzrok znad okularów. – Istnieje pani i przyszła tu pani po to, by sobie o tym przypomnieć.

Nie zdążyła. Minęła wykupiona godzina i jeszcze prawie pół. Za sto pięćdziesiąt złotych pani doktor W. nie pilnowała zegarka. Cóż z tego, skoro więcej tam nie poszła. To on miał chodzić.

❧

I chodził. Raz, dwa razy w tygodniu, na ile pozwalał mu czas, choć o tym nie mówił. Nie spodziewała się, że będzie szczegółowo relacjonował sesje, ale miała nadzieję, że zdradzi cokolwiek, a ona przytuli go, bezbronnego po drenażu mózgu w połączeniu z gastroskopią, bo trudno, by nie rozbolał żołądek po nieupiększonej wersji swego życia, jaką z pewnością musiał opowiedzieć.

– Nie przyjdę – powiedział głosem, jakby właśnie przebiegł maraton, dzwoniąc po pierwszej wizycie, choć doktor W. przyjmowała całkiem niedaleko. – Zrozum, nie mam siły, musiałem...

Nie dokończył, wiedziała, co musiał.

– A... fajna jest ta pani?

– Nie wiem, czy fajna, ale umówiłem się za parę dni.

Tego wieczoru wracał do siebie do Łomianek na piechotę, dotarł ponoć dopiero przed północą. Potrzebował samotnie wychodzić kilometry, na jakie przełożył wygrzebane z siebie kilogramy, a nie dawać się przytulać.

– A... fajna jest ta pani? – Spróbowała po następnym razie, też komórkowo, bo przyjść nie zamierzał.

– Nie wiem, czy fajna. Ona nie ma być fajna, tylko ma mi pomóc.

Odetchnęła. Przyjął do wiadomości, że wymaga pomocy. „Pomoc" nie była jedynie słowem szablonem z mechanicznie wypowiadanej przez telefon frazy: „Dzień dobry, Adam Jarzyna, w czym mogę pomóc?". Rozgadał się nieco po dwóch tygodniach, jednej z pierwszych prawdziwie wiosennych niedziel, podczas długiego spaceru.

– Ona każe mi przypominać sobie takie rzeczy... Ale na pewno nie jestem żadnym świrem, po prostu muszę sobie poustawiać w głowie to i owo, i będzie wszystko w porządku... Tak powiedziała, bo spytałem. – Spojrzał na nią błękitnymi ślepiami z ulgą i satysfakcją. – Nie jestem żadnym świrem, po prostu trzeba p o u s t a w i a ć!

Na tym spacerze trzymał ją za rękę. MamaBenia dobrzała w szpitalu, lada dzień mieli ją wypisać. Lojka spotykała się z kimś. Ta wiosna była wyjątkowa.

– Jestem spokojniejszy, prawda? Już jestem spokojniejszy, zauważyłaś? – dopytywał się raz po raz niczym uczniak starający się nie robić ortograficznych błędów.

Starał się, widziała to. Pewnego razu jakiś nic nieznaczący drobiazg wyprowadził go z równowagi, a raczej wyprowadziłby, gdyby nie chwycił się obiema rękami mocno za poręcze fotela i nie zaczął głęboko oddychać. Wzruszyło ją to szkolne ćwiczenie, lecz może pani doktor W. posługiwała się także babcinymi metodami: Weź kilka głębokich oddechów i uspokój się! W maju, akurat tego maja nie miała co się bać, oświadczył najspokojniej, że zajęcia w szkole reklamowej skończyły się, ale reklamą zajmować się nie będzie.

– W tym zawodzie nigdy nie wiesz, co się zdarzy! Dostajesz zlecenie, biedzisz się, wymyślasz nie wiadomo co, siedzisz dniami i nocami, opracowujesz kilka projektów i okazuje się, że klientowi nie podoba się żaden! Nie bierze, nie kupuje, jesteś zależny od jego widzimisię. A ja chcę zrobić swoje, skończyć, wyjść i już o tym nie myśleć.

– Przecież to pasjonujące i gdybym umiała, gdybym zaczynała jeszcze raz, gdybym...

Gdybym była tobą, tak, tak. Chciała też, żeby zrobił prawo jazdy, którego nie zrobił mimo perspektywy pojeżdżenia czerwonym volvo. I zapłaciłaby za profesjonalne portfolio modela. Z taką twarzą, piękną i plastyczną – wystarczało, że zmieniał bejsbolówkę na kaszkiet, a stawał się przedwojennym oprychem – mógł zarabiać krocie, tak jej się przynajmniej wydawało, a na pewno ułatwić sobie życie. Tylko powinien był pochodzić nieco na siłownię, wzmacniając z natury szerokie ramiona, jakich nigdy nie wykształcą leptosomatycy, choćby pocili się nad sztangą na okrągło. Wystarczyło dwa razy w tygodniu... Tak wiele mógł osiągnąć niewielkim nakładem pracy, cóż z tego, skoro ryzyko było mu obce, a wystarczało, co niezbędne? Czy to charakter, czy także skutki zaburzenia? Tak czy owak, pewnego dnia oznajmił, że od następnego miesiąca będzie pracował w...

– Jak to w sklepie?!

– A tak to, że nasza firma ma także sklep turystyczny, będę zastępcą kierownika. Pilnowanie dostaw, kasy, ogólnego porządku, no wiesz.

– A twoja... kariera?

– Zawsze mogę zostać kierownikiem. – Roześmiał się, doskonale wiedząc, co ona ma na myśli. – Ech, zamknę majdan o dwudziestej i tyle mnie będzie wszystko obchodziło!

Tej wiosny dotarło do niej, że jej wyjątkowy chłopak

nie chce być wyjątkowy, choć przecież jest. Współczujemy tym, którzy nie mają żadnych talentów, a może bardziej powinniśmy żałować tych, którzy mają ich w nadmiarze i każdy wybór w zgodzie z ich osobowością uchodzi za pójście na łatwiznę, stanowi podstawę krzywdzącego oskarżenia o niewykorzystanie szans, jakby istniał jakiś przymus... Ważniejsze, że ponad dwa miesiące sesji z panią doktor W. nie poszły na marne. Nie wiedziała tylko, czy warany, których nie wypuszczał z szafy, wciąż tam tkwiły, czy opuściły szafę tyleż niezauważalnie, co bezpowrotnie, ulatniając się jak nieszlachetny gaz.

MamaBenia, niewtajemniczona w postęp, mogła dostrzec tylko regres.

– Naprawdę w sklepie? – dopytywała się przez telefon. – Może jednak nie na zawsze? Mówię ci, gdy pójdzie na prawdziwe studia... A zresztą, cokolwiek by robił, pozostanie dla mnie najważniejszy. – Oczywistością pokrywała ledwie słyszalne rozczarowanie.

Ta wiosna była wyjątkowa także dzięki rozmowom z MamąBenią. Miała przed sobą długą rekonwalescencję i roczny urlop, mnóstwo czasu na rozmyślania. Refleksyjną naturę porządkowała w naturze, umykając do pobliskiego lasu przed troską rodziny, znajomych z pracy i sąsiadów, pytających wciąż, jak się czuje. Zabierała butelkę wody i komórkę, z której dzwoniła do Mai co kilka dni. „Rozmowy przy zbieraniu jagód" – choć najpierw były to kwiaty, a potem grzyby – prowadziły do pierwszych mrozów.

Rozmawiały o sobie, kobietach po pięćdziesiątce, o tym, co minęło i o co trzeba się zatroszczyć, aby nie minęło, niby konkretnie, a jednak prędzej niż później zawsze odrywały się od codzienności. Wycinane przez same siebie z tła, w jakim tkwiły przez większą część doby, wyjęte z cienia swych mężczyzn, o których starały się nie mówić, utwierdzały się nawzajem w najważniejszym, osobne, samoistne, dumne, stłamszone, a niepodległe.

– Jesteśmy, żyjemy, wygrałyśmy los na loterii! Inni nie urodzili się wcale albo nigdy się nie urodzą! – zakrzyknęła Benia pewnego popołudnia.

Podwójnie wiedziała, co mówi, była przecież po zawale. I za chwilę miała wrócić do domu, do Dziada, o porzuceniu którego nie mogło być mowy, bo coraz bardziej chorował, do reżysera spektaklu, w którym wciąż grał Adaś. Czy dlatego, że nigdy niepochwalony przez ojca, uznał, że w niczym nie jest dobry i ostatecznie cieszy się z tego, co ma, traktując wszystko inne jak porywanie się z motyką na słońce i zręcznie sobie tłumacząc, że właśnie tyle mu wystarczy? Tak przynajmniej wyjaśniała sobie Maja ten sklep, uznając, że to jednak nie charakter, a jego deformacja, defekt. Zaburzenie. Lecz pani doktor W. z pewnością znała się na tym znacznie lepiej: szukanie przyczyn i skutków to nie rozbiór cepa i zdziwilibyśmy się, jak bardzo klocki, które z pozoru do siebie pasują, powinny leżeć od siebie jak najdalej, by ułożyć się w klarowny obraz.

TAK BARDZO przywierasz bokiem do materaca, obciążając całą swoją lewą stronę myślą, by nie dać się przekręcić na plecy i nie oglądać go, ani tym bardziej na brzuch, pozycji „na fokę” akurat nigdy nie lubiłaś, tak że on też, jeśli chce sobie poużywać, musi położyć się lewą stroną wzdłuż ciebie. Nie napisałaś mu na czacie, że chcesz tylko bokiem, sama tego nie wiedziałaś, poinformowałaś jedynie, że nie zamierzasz go dosiąść, bo... n i e p r z e p a d a s z. Dobre sobie! Przepadasz, a raczej przepadłaś, i żeby nie przepaść z kretesem, nie zamierzasz być już kiedykolwiek Jane Fondą pędzącą przez prerię w pradawnym westerne. Oto na jaki sposób wpadłaś, by odpędzić Zjawę, a potem znalazłaś jeszcze lepszy: tylko bokiem, zza pleców. Nie robiłaś z nim tego bokiem, ponieważ nie mogłabyś go widzieć, a najbardziej ze wszystkiego uwielbiałaś swego Adasia przecież widzieć.

Czujesz tamtego za sobą, trochę się kokosi, przymierzając się do nieodwracalnej sytuacji, bo przecież się nie odwrócisz, a potem prostuje się jak nagle wciśnięty automatyczny scyzoryk, choć tego, co ma wcisnąć, jeszcze nie wciska. Kiepsko obliczył długość nóg, a długie ma, za długie ma nogi siatkarza lub koszykarza, kiedy pochylił się w drzwiach, sądziłaś, że chce cię pocałować, tymczasem chodziło o zbyt nisko umieszczoną futrynę, w dawnym apartamencie zmieściłby się cały. Teraz musi jeszcze przesunąć się w dół, zostawić stopy, co tam stopy, całe łydki poza łóżkiem, czujesz jego przesuwanie się ruchem obłym jak u dżdżownicy, t o również ma jak dżdżownica, długie i cienkie, niepodobne, znaczy odpowiednie.

Wciska ci teraz tę swą dżdżownicę, doskonale obliczony, mistrzowski serw w siatkówce albo koszykówce, poruszasz się miarowo, wypinasz i cofasz pośladki, nie jesteś Jane Fondą, co za ulga, swoją matką jesteś, Cristiną, czyż nie w ten sposób tańczyła ukochane flamenco? Dżdżownica robi, co może, by to flamenco było przyjemne, wije się po ukrwionej siatce, wpada do kosza i wypada, i znów zdobyty punkt, i akord andaluzyjskiej gitary, struny obijają się o progi, i jeszcze jedna próba odchylenia cię i przyparcia plecami do prześcieradła, ale nieudana. Żeby twoja próba się udała, żeby Zjawa nie wróciła, jemu musi się nie udać. Leżysz twardo bokiem i miękko leżysz bokiem, tańcząc pośladkami, i przychodzi ci do głowy, bo jednak nie oddałaś się cała, głowy nie oddałaś, że od prawie roku już tak leżysz bokiem do całego świata, do rzeczywistości, że za tydzień byłaby szósta rocznica, której nie będzie, a jednak nie stało się tak, że już nic nie będzie, i już masz zamiar się zawstydzić, jak to, przecież miało n i c n i e b y ć, już niemal ci wstyd, że pustka nie aż taka pusta, a żałobie przygrywa skoczna gitara flamenco, gdy koszykosiatkarz wydaje z siebie przeciągły jęk, ole! ole!, więc tracisz czujność i choć nie doszłaś do swego fandango, nie wytupałaś rozkoszy, co łatwo wytłumaczyć: nie oddałaś głowy, leżysz nagle na plecach, pokonana, całowana w usta, i niepokonana, bo gdy otwierasz oczy, widzisz jedynie sufit sypialni, z którego nikt na ciebie nie patrzy. Ole!

Siatkokoszykarz odrywa usta i układa je na twej piersi, raz po raz owiewając ją ciepłym powietrzem z przyspieszonego oddechu, po czym chwyta cię za rękę. Nie, aż tak to nie, jak najdelikatniej wyplątujesz z jego dłoni swoją, aż tak to jeszcze nie, nawet jeśli przez ciepłe powietrze, w echu rozwibrowanych strun, wyraźnie dobiega cię głos Beni, nie jego matki, nie MamyBeni, ale głos twojej przyjaciółki Beni z rozmów przy zbieraniu jagód:

– Jesteśmy, żyjemy, wygraliśmy los na loterii. Inni nie urodzili się wcale albo nigdy się nie urodzą!

Wygraną na loterii jest brak Zjawy i nieważne, że także brak specjalnej przyjemności. Jesteś, żyjesz, złapałaś przed chwilą teraźniejszość, uchwyciłaś ją za bardzo jeszcze malutką pętelkę, ale uchwyciłaś.

– Mogę czasem wpadać – mówi sportowy kochanek, który jak zaczął znów ssać twą pierś, tak nagle przestał, wstał i po prostu wkładał spodnie. – Dopóki ci się nie znudzi lub nim będziesz miała... no wiesz...

– Nim co będę miała? – Narzucasz peniuarek.

– No wiesz, te tam wasze przypadłości. – Uśmiecha się głupawo.

O czym on... Przecież nie myśli o zwykłym okresie...

– Chodzi ci o menopauzę?

– No – potwierdza z nosem w skarpetce, powoli podnosząc wzrok.

Patrzysz w jego oczy, nieduże, niebłękitne, nieorzęsione, nieznane.

– Jak na faceta, który lubi dojrzałe kobiety, niewiele o nich wiesz.

– To znaczy?

– To znaczy, że po menopauzie kobiety odczuwają to samo, co przed, a czasem nawet apetyt na seks im się wzmaga.

– Serio? – Nie może trafić sprzączką w pasek, biedactwo.

Dlaczego więc podajesz mu numer telefonu? Bo lada miesiąc może ci się wzmóc? Ponieważ sprawił, że nie było Zjawy? Nie, to sprawiłaś sama, to mogłaś tylko ty... Zamykasz drzwi, słychać sportowe buty zbiegające z piętra, tacy nie zjeżdżają windami. I szelest słyszysz za plecami. A może to jednak tylko szeleszczący jedwab peniuarka? Bohatersko postanawiasz, że się nie odwrócisz, i bokiem, znowu coś bokiem, wślizgujesz się do łazienki, wprost pod szybki prysznic w rogu, choć jest niedziela i mogłabyś wygrzać się w wannie. Wprost pod strumień oblewający peniuarek, jakbyś stanęła w nagłym deszczu. Wprost pod pewność, że to jedynie woda szeleści, a jeśli faktycznie stoi w przedpokoju, usłyszy, jak śpiewała Kayah, której lubiliście słuchać oboje:

Nie tak nie tak nie tak nie tak miało być miły.
Obiecuję, że będzie
zawsze w sercu mym miejsce
głęboko nie znajdzie go nikt
ale teraz już idź[24].

❧

Całe lato przesiedział w sklepie, a raczej przechodził w tę i we w tę wzdłuż walizek, plecaków, namiotów, kurtek w góry, butów w dół, kłaniając się wchodzącym klientom, co raz obserwowała, czając się przy szybie, bo wejść, by go nie peszyć, nie zamierzała. Urlopu nie miał – i choć twierdził, że nie mógł go dostać, że inni wcześniej wpisali się w grafik – z pewnością nie chciał go mieć. Może jeszcze pracoholizmu z panią doktor W. nie przerabiał? Nie wiedziała zresztą, co w ogóle przerobił, a teraz mieli w sesjach wakacyjną przerwę. Tak czy inaczej, ucieczka w nową pracę, w miejscu oddalonym od niej godzinę jazdy tramwajem i autobusem, spowodowała, że spotykali się znów rzadziej, a o jakimkolwiek wspólnym wyjeździe nie mogło być mowy. Czy jednak był już gotów wyjechać z nią, zostawiwszy fochy w gabinecie pani doktor W.? Podczas spacerów i kolacji zdawał się bardziej stonowany, już nie dopytywał się, czy to widać, lecz oczywiście widziała. Stonowany był także niestety w trakcie i tak nieczęstych jazd przez prerię. Nie kpił już z niej niby półżartem, że znów ma ochotę, lecz i nie garnął się specjalnie mimo rozsypywanych banknotów.

– Już ci się nie podobam? – zaryzykowała bez ryzyka pewnego wieczoru, nad którym nie unosiły się nawet cienie chmur z Turnera czy Ajwazowskiego.

– Prawie cztery lata robią swoje – odparł najspokojniej skorygowanym tonem, gdy obmywała go z resztek nasienia.

To wtedy zakiełkowało w niej po raz pierwszy, że nawet skorygowany, naprostowany, wreszcie niezaburzony Adam nigdy nie będzie bardziej jej Adasiem. Skorygowany chaos myśli nie sprawi, że spojrzy na nią z większą uwagą, zauważając nową fryzurę. Naprostowany kręgosłup priorytetów, tak ponoć wyraziła się pani doktor W., nie spowoduje, że umieści ją wyżej w hierarchii. Niezaburzony system psychicznej odporności pozwoli mu nie pieklić się bez sensu i nie uciekać, ale go do niej bardziej nie zbliży. Przecież doktor W. nie była bogiem, a boga tu było potrzeba, żeby go stworzyć jeszcze raz, od nowa, takiego, jaki by ją najzwyczajniej po prostu obdarzył miłością. Wówczas nie mówiłby, że cztery lata robią swoje, albo przynajmniej dodałby, że muszą się zacząć mocniej starać, bo gdy miłość mija, trzeba ją zatrzymać.

Zatrzymał się tylko pociąg, w szczerym polu, gdy jesienią wybrali się wreszcie na weekend do Sopotu, by uczcić wspólne czterolecie. W przedziale siedziała jeszcze elegancka, niemłoda pasażerka. Obie przyglądały się drzemiącemu na przeciwległej kanapie Adasiowi. Pasażerka musiała zauważyć, że przebudzony nagłym przyhamowaniem, puścił do niej filuterne

oczko, odprężone, rozluźnione, korygowane od miesięcy. Obca nie mogła jednak dostrzec tego, co dostrzegła
ona: filuterne oczko było mechaniczne, owszem, miłe,
lecz mechaniczne, wszystko, co z nią robił, było tylko
mechaniczne, a mechanizm działał tyleż z przyzwycza-
jenia, co z pewnej kalkulacji. Nie z wyrachowania, to
nie było oczko puszczone dlatego, że opłacała mu sesje i jeszcze kilka innych rzeczy, nie był taki, kalkulacja
polegała na tym, że skoro przez cztery lata nie rzuciła
mu się do gardła, może się przy niej czuć bezpieczny.
Więc miłe oczko. *Miłe* nie pochodzi od słowa *miłość*,
jak *wyrok* nie pochodzi od słowa *wyrozumiałość*. Skory-
gowanie i ostateczne naprostowanie nowego Adasia –
to był dla niej wyrok. Dwuosobowy trybunał w skła-
dzie: doktor W. i jej pacjent, ogłosił, że skazuje ją na
uśmiechanie się do mile puszczonego oczka z ewentu-
alną możliwością równie miłego odmrugania. Niczego
więcej nie dostanie. Nadzieje na nadzieje, że niezaburzony wreszcie ją pokocha, zostały oddalone.

Pociąg ruszył, on zasnął, pasażerka wzięła gazetę,
a ona patrzyła przez okno, przyglądając się oszałamia-
jącym barwom jesieni, takim samym jak w Łazienkach
przed czterema laty, gdy nieoczekiwanie zaproponował, byśmy, k o c h a n i e, poszli na spacer, ponieważ
tak pięknie jest dziś, k o c h a n i e. Bo to nic innego
jak zaburzenie kazało mu się tak do niej zwracać, nic
innego jak zaburzenie popchnęło go w ramiona niemal trzydzieści lat starszej kobiety. Miała go, miała
wszystko, co najwspanialsze, właśnie dlatego, że był

zaburzony, uważając, iż sobie bez niej nie poradzi, że był zaburzony, nie umiejąc nawiązać przyjaźni, że był zaburzony i przypadkowo napotkał idealny odgromnik, straż przyboczną i pożarną. To nic innego jak jego zaburzenie mieniło się w niej przez lata najpiękniejszymi barwami jesieni, ciemnym złotem i połyskliwą rudością, opalizującym ugrem i przełamaną zielenią, idiotycznie „zgniłą" z nazwy, a tak naprawdę w najbardziej poszukiwanym odcieniu, w przyrodzie występującym rzadko. To zaburzenie kazało mu pocałować zgniłozieloną żabkę, która stała się przy nim księżniczką, też zaburzoną, bo wkrótce smutną i szczęśliwą jednocześnie. Bez zaburzenia nigdy by się nie spotkali.

W Sopocie był... no, skorygowany trochę był i gdy chciał przejść się sam, po prostu jej powiedział, nie zwiewając nagle na drugą stronę ulicy. Trochę skorygowana przez trochę skorygowanego, poddała korekcie swe myślenie: niezbyt rozumiała, dlaczego chce spacerować bez niej, skoro przyjechali razem, lecz sposób, w jaki to załatwił, pozwalał jej łagodniej znieść samotne popołudnie. Ostatecznie jednak tego nie sprawdziła, bo oto na środku deptaka matowy, damski głos zawołał:

– Danka? Wnuczka Baltazara?!

Danka, była kiedyś Danką. I wnuczką Baltazara była. Na niezapomnianej imprezie w ogólniaku, pierwszej z wódką i winem, w kilkanaście dziewczyn usiadły w kręgu, zgadując imiona swoich dziadków i pękając ze śmiechu. Natychmiast to sobie przypomniała, absurdy pamięta się najlepiej. Którą z nich była ta nadwerężona życiem kobieta o dziwnej twarzy z obrazu, namalowanej ponownie na tym samym płótnie, i o figurze gruszki jak jej wanna, w za ciasnym i za drogim płaszczu, mającym tuszować nietuszowalną gruszkowatość?

– Gabryśka? Wnuczka Teofila?

Absurdy pamięta się najlepiej. I głosy.

– Ja, ja, a któżby inny – ucieszyła się dawna koleżanka, że jednak została rozpoznana, choć fasolką wówczas była.

– Zwyciężyłyśmy wtedy w tym konkursie – powiedziała, bo co powiedzieć po ponad trzydziestu latach.

Co tu robisz, a ty co, mieszkam, zawsze chciałam w Sopocie, tu jak za granicą, nie znosiłam Warszawy, wpadłam na weekend, aha, na weekend, tak sama, nie, nie sama. Gadka surogatka, tyle różnic, a potem, już w kawiarni, przy pierwszej butelce wina, same podobieństwa.

– Mam piękny apartament – wyznała Gabryśka, wnuczka Teofila.

– Ja także – oświadczyła Danka, wnuczka Baltazara.

– Dorosłego syna...

– Ja również...

– No i wspaniałego faceta...

– Ja też...

– ...z którym, powiem ci szczerze, nie mamy żadnych ślubów...

– ...zupełnie jak my!

Z drugiej butelki wina wyskoczył dżin pełen opowieści, które pamiętała, a z trzeciej historie, jakich za nic nie mogła sobie przypomnieć, i nie chodziło o moc francuskiego wina, tylko o to, że była po prostu kimś innym, kimś znacznie bardziej innym niż Gabryśka, wnuczka Teofila, pozostająca tą samą naiwną dziewczynką, choć już nie w kształcie fasolki. Wracała do pensjonatu kompletnie pijana, raz po raz potykając się o równy chodnik. Siedział w pokoju z nieodłączną komóreczką, nie martwił się, obie napisały przecież *swym nieślubnym,* że spotkały kumpelę ze szkoły, lecz nie umknęło jej, że się zdziwił. Widział ją co najwyżej lekko wstawioną, a tu jak weszła, tak runęła na tapczan. Pochylił się nad nią niczym nad otwartą klatką z nieznaną krewniaczką pawiana.

– Śmierdzisz – orzekł z nieukrywaną odrazą.

Czuć od ciebie tę nasiadówkę, uśmiechnęłaby się do niego, głaszcząc po bujnej czuprynie, gdyby zdarzyło się odwrotnie. Ale to nic, to przecież nic, bo jednak się troszczy! Przykrywa ją kocem, oklejając kosmatą wełną piersi, które od razu się budzą, i biodra, które już się rozchylają, i nogi, które ulatują, choć ciężkie jak kloce.

– Chodź – chrypi. – Tak strasznie cię pragnę... – Chwyta go za nogawkę. – Tak strasznie...

– To czasem naprawdę jest straszne, teraz wyciągnęłaś rękę jak zombie. – Odsuwa się. – Myślisz, że to fajne?

– Przecież lubisz zombie. – Krzywo uśmiecha się piersiami, biodrami i nogami.

– Ale w grach na PS3.

– Czyż to nie gra? – bełkocze, zamykając i rozwierając pustą dłoń w odruchu wątpliwej kokieterii, Marilyn Monroe z horroru, a drugą próbuje ściągnąć majtki.

– Tobie też przydałoby się pochodzić do terapeutki – mówi. – Tylko może nie do mojej, bo tyle jej o tobie opowiadałem, że rozpoznałaby cię od razu.

– Tyle opowiadałeś o mnie? – W pijanym widzie rozbłyskują widma nieokreślonych komplementów.

– Kazała mi.

– Co jeszcze ci kaza... – Zasypia.

Nazajutrz, zażenowana, kupuje mu kwiaty. Dlaczego nie miałaby mu ich dać w czwartą rocznicę poznania?

– Dziękuję – wzdycha i ostrożnie całuje ją w policzek. – Nadal cuchniesz – dodaje, pełen wyrozumiałości dla siebie samego.

❧

TAK BARDZO chciała wiedzieć, co o niej opowiadał podczas sesji. Przecież na pewno mówił wreszcie, co myślał. Teraz prędzej dałaby sobie obciąć uszy, niż usłyszeć, co myśli, gdzie jest i z kim, jak mu się wiedzie, jak mu się nie wiedzie. AWJŻ. Adaś w jej życiu. BAWJŻ. Bez Adasia w jej życiu. Stanu pośredniego nie przewiduje się dla bezpieczeństwa uczestników survivalu.

Z tego powodu nigdy więcej nie zadzwoniła do MamyBeni, choć nieraz walczyła z odruchem, ani tym bardziej do Lojki. Czy siostra powiedziałaby jej, gdyby coś mu się stało, o co poprosiła ją w esemesie wysłanym w krótkim momencie rozsądniejącej rozpaczy, gdy całkiem nierozsądnie łudziła się, że wróci, jeśli nie sam z siebie, to gdy na przykład rozleje mu się wyrostek, bo obudzi się po operacji i pierwsze, co zobaczy na wciąż istniejącym świecie, będzie nią, Mają, warującą u wezgłowia szpitalnego łóżka? Benia, zawsze pełna empatii, z pewnością dałaby znać nieproszona. Przecież po kilku dniach od morderstwa na placu Bankowym jednak dzwoniła, choć ona, zamordowana, nie była w stanie odebrać. A potem Benia napisała: *Pamiętaj, że zawsze możesz się do mnie odezwać, nie jestem moim synem!* Nie zrobiła tego, może nie była aż tak niepodległa jak jej przyjaciółka, pozostająca jednak jego matką? Jak miałaby wyglądać niepodległość ich kontaktów ze Zjawą w tle? Odłączyła się także od Skype'a: nie mogła już mieć skajporodziny.

I niby tego wszystkiego jej nie zabrał, nikomu niczego nie był w stanie zabronić, a skasował bilet z obu stron.

❧

Do zapierającej dech kulminacji nie prowadziło nic, nie wysłyszała żadnych nut, których dźwięki zaniepokoiłyby ją. Wewnętrzny sejsmograf, nastawiony na Adasia oczywiście najczulej, jak się dało, nie zarejestrował podziemnych wstrząsów. Przeciwnie, ten ich ostatni rok był najspokojniejszy ze wszystkich. Trudno uznać za wstrząsy kilka pojedynczych warknięć, muchę w nosie przerywającą połączenie w środku rozmowy, jedno, drugie wzruszenie ramion na coś, co kogo innego by ucieszyło, czy nagłe rozziewanie się w trakcie jazdy Jane Fondy przez prerię. W końcu naprawdę był zapracowany, z ukochanej pracy niemal nie wychodził, świątek, piątek, a on *na sklepie,* jak mówił w zgodzie z panującymi w handlu standardami. W związku z tym rzadziej bywał też u pani doktor W., lecz jednak był pod kontrolą, co uśpiło jej czujność. Zwłaszcza że ona też była bardziej zajęta, bank reorganizował się, niebawem miało dojść do kolejnej fuzji, co oznaczało znów żmudne wdrażanie się w nowe procedury, szkolenia wyjazdowe, zostawanie po godzinach.

Wypełniony czas był dla obojga najlepszym spoiwem. Zakupy w Ikei bezpieczniejsze niż roztrząsanie idei, nowa kurtka z Zary ważniejsza od pytań, czy nam ze sobą do pary, i w ogóle szaszłyki w nowej restauracji, nie szantażyki w ramach manipulacji... Nierozmawianie o tym, co mu buzuje w środku, uznała za skutek jego wizyt u doktor W., która przejęła jej rolę, dysponując odpowiednimi kompetencjami: w końcu ile mógł się wywnętrzać? Było do tego stopnia dobrze, że wiosną zaprosił ją do piwnego ogródka na Powiślu, gdzie biesiadował z nowymi przyjaciółmi, kolejnym zestawem kilku osób, którymi na moment zastąpił poprzednie. Wpadnij, będzie miło, rzucił, jakby też znał ją od miesiąca, ale cóż to znaczy wobec samego wyróżnienia, stanowiącego dowód, że wszystko jest między nimi w porządku.

I któryś raz – fakt, że do policzenia na palcach jednej ręki – nie mogła się nadziwić, że spotkania z przyjaciółmi polegają w jego pokoleniu na opowiadaniu przy stole lepszych i gorszych dowcipów, że nie mówi się n i c   w i ę c e j, tylko dowcipy, że wszystko, co nieśmieszne, jest nie na miejscu, a jej próba spytania, czym się zajmujesz, gdzie mieszkasz, kim do cholery jesteś lub chciałbyś być, co sądzisz o tym czy owym, sytuuje ją natychmiast pośród jakichś archaicznych bab w typie ciekawskich matek i namolnych ciotek. Jedynie Lojka, która przyszła z nowym kandydatem na chłopaka, rozmawiała z nią jak z człowiekiem, nie wciskając żadnego dowcipu.

– To są moi przyjaciele! – stwierdził obrażonym tonem, gdy próbowała potem, a jakże, dowcipkować, że wieczór składał się tylko z dowcipów. – I już żałuję, że cię zaprosiłem!

Pani doktor W. ma jeszcze wiele do zrobienia, pomyślała wtedy, nie biorąc na poważnie jego żałowania ani tego, że i z nią chciałby się wreszcie zaprzyjaźnić, przejść na i n n y   s t o p i e ń   z a ż y ł o ś c i, o czym mniej więcej wówczas zaczął przebąkiwać.

– Chciałbyś, żebym opowiadała ci dowcipy jak twoi przyjaciele? – zażartowała.

– Lepiej nie, bo na twych sucharach można tylko połamać sobie zęby. – Zaśmiał się.

I zrobiło się wesoło, bo jego zawsze bawiło, gdy mógł jej efektownie dopiec, a ona za dowcip roku uznała perspektywę wspólnej przyjaźni. Nie wystraszyła się mirażem przejścia na inny stopień zażyłości, bo trudno bać się czegoś, co nie jest możliwe. Za niemożliwy uznała też wkrótce powrót waranów, nie pojawiły się przecież od wielu miesięcy. A gdy pewnego wieczoru po wyjątkowo udanej jeździe przez prerię rozbuchany szepnął jej do ucha: *cieszę się, że cię mam*, zamarzyła o innej eskapadzie...

Cieszę się, że cię mam. I nie pamiętasz już, że mu nie wierzysz w ani jedno słowo. Rozważna szepcze romantycznej, że przecież już trochę powinien wiedzieć, co mówi. *Cieszę się, że cię mam.* I zapominasz, co nie pasuje do układanki. *Cieszę się, że cię mam.* I jesteś gotowa najszczerzej zadeklarować mu przyjaźń, oczywiście w jakiejś nieokreślonej przyszłości, byleby jeszcze raz wyjechał z tobą na grecką wyspę jak kiedyś, na początku, jak wtedy. Mieć jego i morze w kolorze jego oczu. Być z nim w jednym z najpiękniejszych miejsc świata, bo kilka naszych biur podróży reklamuje nowy kierunek: Santorini... Gdy się zgodził, za co dziękowała w duchu pani doktor W., no cudotwórczyni, od razu wykupiła Magiczny Tydzień, jak głosił plakat z Firą, słynnym białym miastem, wbitym w niemal pionową skałę nad lazurową wodą i w tleniony kok wyszczerzonej sprzedawczyni wczasów. Pozostało dziewięć tygodni, by przygotować go do wyjazdu, i wykorzystała je, jak umiała. Pokazywała mu zdjęcia w internecie, opowiadała ciekawostki z przewodnika, idiotycznie, bo ciągle dopytywała się, co specjalnego na wyjazd można by kupić w jego

turystycznym sklepie, podsycała ciekawość towarzysza podróży, który kiwał głową i się uśmiechał.

❧

TAK BARDZO mam cię dość, ty zaburzony gnoju, nie-
naprostowany bucu ty!

Siedziała sama na kamienistej, santoryńskiej plaży, złorzecząc jego wielkiemu, błękitnemu oku, przed
którym nie dało się uciec, było przecież wszędzie,
z lewa, z prawa i z przodu, mieniło się w słońcu, falu-
jąc aż po horyzont. Milczące, złowrogie, zacięte i tak
zniewalająco piękne... Lecz przede wszystkim siebie
miała dosyć: zakochanej, oszukanej, umęczonej, Mai
znienawidzonej przez nich oboje, przez niego i przez
Danutę, że tak się głupio podłożyła, dając się znie-
nawidzić, wręcz prosząc się o to i płacąc za koszmar półtora tysiąca euro.

Do hotelu postanowiła wrócić dopiero na kolację,
teraz przeszła brzegiem kilka kilometrów, aż złość
ustąpiła melancholii. Naszła ją nad czymś w rodzaju zatoczki, kompletnie pustej, o brzegu z niespoty-
kanego tu miękkiego, kremowego piasku. Rzuciła się
w ten piach, gorący, suchy sos, i wcale nie było jej za
ciepło. Złość jak to złość, była tylko impulsem, którego się wystraszyła, nigdy mu jeszcze nie urągała, nawet w myślach, i nie zamierzała tej złości podsycać.
Melancholia usadziła obok matkę w kretyńskich plastikowych klipsach, to z nią siedziała po raz ostatni
na plaży.

– Co się właściwie stało? – spytała królowa flamenco.

– Nie wiem... Spędziliśmy cudowne dwa dni.

– Dla kogo cudowne?

– Podobało mu się! I kameralny hotel w bugenwillach, i nasz apartamencik odgrodzony od innych murkiem, z wyjściem przez niewielkie patio, i pobliska restauracja na kilkanaście stolików. I na długi spacer poszliśmy po przyjeździe, śmiejąc się, że wszystkie wioski turystyczne świata, z knajpkami oblepiającymi główną alejkę wzdłuż morza i nadpobudliwymi naganiaczami, są lepszym lub gorszym wariantem naszej Juraty. Nazajutrz w Firze, ledwie kwadrans autobusem i przejeżdżasz pół wyspy, był naprawdę szczęśliwy! Fira jest niesamowita z tym położeniem na wulkanie, piął się w górę miasteczka wąską serpentyną na krawędzi skalnego urwiska, tak dzielnie walcząc z lękiem wysokości, który nie pozwolił nam kiedyś wjechać na wieżę Eiffla, uśmiechnięty od ucha do ucha, i nawet komórkę schował do kieszeni... Popatrz, udało mi się, spójrz, jak wysoko jesteśmy, ja cię kręcę! Niemal na czubku skały zamówiliśmy frappé, ale widok, ja cię kręcę, boski, odpowiedziałam, taki widok musieli mieć greccy bogowie, za chwilę z morza pod nami wyłoni się Afrodyta, dodał i ścisnął mnie za rękę.

– Opowiadasz mi, co się zdarzyło. Ale co się stało? – Cristina tkwiła nieruchomo w słońcu, sędzina i spowiedniczka ulepiona z przezroczystości i piasku.

– To, co zawsze, a czego nie chcę wiedzieć: chwycił mnie za rękę nie dla mnie samej, nie po to, by ze mną przeżywać chwilę, w której wyłoni się Afrodyta, tylko z emocji, z otaczającego nas piękna. Każdego chwyciłby wtedy za rękę!

– Ale co się stało w o g ó l e?

– Wczoraj po śniadaniu pojechaliśmy w drugą stronę, na plażę w labiryntach ciemnoczerwonych skał, w porównaniu z Firą to już dzikie miejsce. I nie wiem, czy to brak miasta, czy kosmiczny krajobraz bez wi-fi... nie, nie do takiego wyjaśnienia. Przeszliśmy kawałek, zaczęłam się zachwycać, coś tam szczebiotałam i nagle usłyszałam: I co jeszcze mi powiesz, no? Co jeszcze masz mi do powiedzenia?! Skamieniałam, znam doskonale ów zaczepny ton... Szliśmy z godzinę w milczeniu, a może tylko pół? Cisza i tak nie miała końca. Nasza cisza, kamienny blok wśród chichotów i okrzyków turystów robiących sobie wokół zdjęcia. Oczywiście nie chciał mi zapozować, szedł przede mną, widziałam tylko coraz bardziej obce plecy, aż zatoczyliśmy koło i siedliśmy w kawiarence przy przystanku. Zamówiłam frappé, usłyszałam syk: Po co mnie tu w ogóle przywiozłaś, na tę wyspę? Na tę wyssssspę? Przecież chciałeś, wiedziałeś, wykrztusiłam, lecz nad bezchmurnym niebem już wisiały wszystkie burze z Turnera i Ajwazowskiego... Nie mam pojęcia, jak dojechaliśmy do hotelu. Usiadł z komórką na plastikowym krzesełku na patio przy wejściu do naszej dziupli i przesiedział tak do kolacji. Zjedliśmy bez słowa, wróciliśmy. On na krzesełko, ja prosto do łóżka. Gdy obudziłam się dziś rano, już siedział na patio, uśmiechając się do memów z fejsbuka, pisząc coś i czytając. Hej, idziemy na śniadanie?, spytałam lżejsza o przespaną noc. Jestem gotowy, mruknął, nie podnosząc na mnie wzroku. Podziubałam jakieś warzywa na talerzu i podjęłam nową próbę. Idziemy na spacer? Zostanę w hotelu, powiedział do niezjedzonego pomidora.

Nagły a lekki podmuch wiatru rozkołysał klipsy w uszach Cristiny niczym podwójne wahadło w jakimś dziwacznym zegarze. Tik, tak, pim, pam, tak, tik... Liczyła. Najpierw godziny, jakie pozostały im do powrotu. Trzy doby i popołudnie, siedemdziesiąt siedem godzin. Potem ich lata, pięć bez czterech miesięcy, pięćdziesiąt sześć miesięcy. Potem lata bez Cristiny, bo też minęły już lata. Klipsy w uszach matki wciąż kołysały się na wietrze, odmierzając czas, który jednocześnie tu, nad zatoczką, na jednej z najpiękniejszych wysp świata, stanął w miejscu, tik, tak, odmierzany, jakby od tego momentu miała go liczyć inaczej, stanął w osobliwej sprzeczności do poruszania się klipsów. Zdjęła kostium i wbiegła do morza. Jak dawno nie pływała! Nie kąpała się ani gdy byli na Korfu, ani w Barcelonie, bo on nie umiał pływać, a sama... cóż to za przyjemność, bez niego? Teraz pływała, rozpływała się i chciała się rozpłynąć, nigdy już nie wyjść z wody, zostać pochłonięta, ale nie dało się w wodzie roztopić bezradności.

Wracała na tę plażę jeszcze trzykrotnie, za każdym razem spotykając Cristinę dokładnie w tym samym miejscu. Klipsy wciąż odmierzały: tik, tak, pim, pam, tak, tik, choć po wietrzyku nie było ani śladu. Z siedemdziesięciu siedmiu godzin zrobiły się pięćdziesiąt cztery, z pięćdziesięciu czterech trzydzieści, a on siedział na plastikowym krzesełku na patio za murkiem, z komórką w ręku, wstając tylko na posiłki jedzone bez słowa, bo trudno nazwać słowami różne mhmm i aha, gdy próbowała jakiegokolwiek porozumienia. Mhmm, aha, a wokół przy stolikach ludzie, zadowoleni, roześmiani, i nawet jeśli właśnie skłóceni jak para jedząca nieopodal: łysy rzucił w blondynę łyżeczką, to jednak będący ze sobą w k o n t a k c i e.

– Mamo, on nie wypuścił nawet waranów, nic, rozumiesz? Nic, *mhmm, aha* i *nie, dziękuję* rzucane nie wiadomo gdzie, na każdą moją propozycję – tłumaczyła nad zatoczką, hipnotyzowana przez wahadła klipsów.

– Pamiętasz tych swoich znajomych, Pawlickich? – wychrypiała Cristina. – Wielka miłość, słodka córeczka, piękne mieszkanie, duże pieniądze ze wspólnie prowadzonej szkoły językowej i nagle... jak mu było, Marek? Pewnego dnia wstał jak zwykle, napuścił sobie wody do wanny jak zwykle i wszedł do niej jak zwykle, i nagle krzyknął do żony, jak jej było, Kaśka, jak zwykle parzącej właśnie w kuchni kawę, co potem mówiła, że co krzyknął? Jakoś tak: Kasiu, od dziś ty jeździsz po mieście i załatwiasz sprawy, a ja zajmuję się w domu

Beatką! I ona roześmiała się, przecież nie miała nawet prawa jazdy, nie znała bab w urzędach, no i w ogóle świetny żart... Chodź na kawę, krzyknęła podobno jak zwykle, ale nie przyszedł. Tkwił w tej wannie kilka godzin w zimnej wodzie, już bez słowa, aż zdecydowała się wezwać pomoc, najpierw chyba teściową, potem najlepszego kumpla, wreszcie lekarzy, którzy na pół roku wywieźli go do wariatkowa. To się nazywa załamanie nerwowe!

Młody, potężnie zbudowany Grek przeszedł przez plażę, uśmiechając się do niej zalotnie, jakby siedziała tu sama. A co innego miał pomyśleć? Matka była, choć nie było. Tak jak Adama nie było, choć był i nadal siedział na plastikowym krzesełku, gdy wróciła do hotelu na kolację.

– Masz załamanie nerwowe? Porozmawiaj ze mną, do kurwy nędzy! Jutro wyjeżdżamy!

– Nie trzeba mnie było tu przywozić...

– A co ty, paczka jesteś?

Spojrzał na nią po raz pierwszy od kilkudziesięciu godzin.

– Zrobiłem to... dla ciebie... Myślałem, że dam radę...

Być może unikasz konfliktów, starając się ustępować i zadowalać innych, nawet kosztem utraty w tym procesie swoich praw, oczekiwań i własnej tożsamości, wyświetliło jej się w głowie z wiadomego portalu. Ale przecież minęło wiele, wiele miesięcy, widział się z doktor W. wiele razy, tyle pieniędzy ukradła już ta oszustka... Wyciągnęła dłoń, by go pogłaskać.

– Nie dotykaj mnie – ni to poprosił, ni rozkazał.

Pani doktor W., złodziejka nadziei. W restauracji rysowali tylko coś na talerzach.

– Pójdziemy na pożegnalny spacer?

– Nie, dziękuję.

Sama poszła. Co żegnała? Przecież nie Santorini, olśniewającą wyspę skazańców, na którą nie chciałaby wrócić nawet w snach. Naduprzejmy naganiacz w alejce knajpek zagonił ją na drinka i wskazał stoliczek. Tam, pokazała brodą następny, dostrzegając siedzącą Cristinę. Patrzyła tylko w jej kolebiące się klipsy. Tik, tak, pim, pam, tak, tik... Naprawdę zamówiła seledynowy drink z czarną oliwką i amarantową parasolką, czy dostała z turystycznego rozdzielnika?

– Nie masz już czasu, nie masz już na to wszystko czasu – szepnęła matka. – Pewnego dnia skończyłam pięćdziesiąt, a nazajutrz nagle siedemdziesiąt. Terapia może trwać latami. I ty już nie masz tych lat. Jeśli wreszcie on w ogóle cudownie ozdrowieje, nawet nie będziesz się mogła ucieszyć, bo ci te szwy za uszami popękają, nie zapieraj się, pójdziesz, zrobisz, co trzeba, raz, drugi, trzeci, żeby nie być jak ta oliwka pomarszczona w szklance... Uciekaj!

– Ale taki był bezbronny, dla mnie chciał, myślał, że da radę...

Zjedzona oliwka stała się pestką wyplutą pod nogi znajomej pary z restauracji, wracającej z wieczornej przechadzki. Skinęła głową łysemu i blondynie.

– Dobry wieczór, przepraszam, o której jutro

wyjazd na lotnisko? – Przypomniała sobie, że po smętnej kolacji nie spojrzała na tablicę organizatorów.

– Jutro? – zdziwił się łysy. – Przecież wyjeżdżamy
pojutrze!

– A co, myśleliście, że jutro? Magiczny Tydzień to
siedem dni, nie sześć – wyszczebiotała blondyna. –
Choć czasem biura podróży faktycznie oszukują i liczą
dzień, mimo że powrót jest o świcie... Ale to super, że
się pomyliłaś, bo to tak, jakbyście dostali dzień w bonusie. – Zachichotała i pomachała jej na odchodne.

Dzień w bonusie. Nie wyjawiła mu tego od razu, bo
gdy weszła na patio, zobaczyła jego spakowaną torbę,
stojącą koło krzesła, na którym siedział z fejsbukiem
w ręku, j u ż czekając na samolot. Nie mogła spać,
przytulił się do niej we śnie, więc sen na pewno był głę-
boki. Obudziła się pierwsza. Bolał ją brzuch, jakby musiała go poinformować, że MamaBenia miała drugi zawał, choć chodziło o jeszcze jeden dzień pod rajskimi
skałami nad baśniowym morzem. Zbladł i podniósł
rękę. Myślała, że ją uderzy. Miałem iść jutro do pracy,
wycedził. Zadzwoń, ktoś cię zastąpi, powiedziała, wciąż
czekając na cios. Jak mogłaś nie wiedzieć, ni to spytał,
ni oskarżył, nie policzyć dni?! Ręka wciąż tkwiła w gó-
rze. Nie spojrzał nigdy na opis tych wczasów, uświadomiła sobie, ani na daty podróży, ledwie na zdjęcie hotelu, które mu podsunęła. Wiesz co, opuścił rękę, idź stąd
i nie pokazuj mi się na oczy! Żałowała, że opuścił rękę.
Może gdyby ją uderzył, zlitowałby się i pomógł wycie-
rać krew z nosa albo z brwi, krew, którą by mu oddała

do ostatniej kropli, gdyby tylko potrzebował. Jak tak można, usłyszała za plecami, gdy z plecaczkiem w jednej dłoni i butami w drugiej opuszczała patio. Odwróciła się.

– A jak można wyjechać razem na siedem dni na bajeczną wyspę i po dwóch przestać się odzywać?

Po kwadransie była już w autobusie do Firy, złorzecząc doktor W., że nawet z pracoholizmu go nie wyleczyła, a przynajmniej z tego, do czego był pretekstem. Z okna autobusu, pnącego się wyżej i wyżej, zobaczyła, jak z wody podnosi się jego gigantyczna ręka, nie, to nie ręka, to na brzeg wychodziła Afrodyta, ogromna jak morze miłości i straszna w tym ogromie jak wrosłe w posadzkę patio morze nienawiści, o czarnych włosach niczym królowa flamenco, z plastikowymi klipsami w uszach, podwójnym wahadłem zegara bijącego na ostateczny alarm.

Przeszła się wokół miasteczka, przysiadła na frappé, obok na pufie wygrzewał się kot. Drugie wypiła na najwyższych skałach i też wybrała miejsce przy jakimś santoryńskim kocie, obojętnie wpatrzonym w zachwycający widok nieskończonego błękitu. Kiedy nadejdzie ta cholerna obojętność? Czy dopiero obojętna, nieczuła na jego widok, na jego dotyk, głos, na jego stany, czy dopiero wówczas będzie szczęśliwa? Zatoczyła trzecie koło wokół Firy, miasteczko zbierało się do ceremonii zachodu słońca. Na głównym placu, a raczej placyku z jedynym pięciogwiazdkowym hotelem jak hawajski bungalow w tle, zastygła może setka osób, opierając się o niewysoki mur, chroniący przed spadkiem po skałach wprost w wielką łapę Afrodyty. Nieliczni, ci, którzy nie zmieścili się przy murze, też stali nieruchomo, jakby utkwili w namalowanym już obrazie. Była wśród nich, do słońca, do słońca, poddała się hipnozie. Ktoś położył jej nagle dłoń na plecach, wyczuła jego i tylko jego niepowtarzalny ucisk i ciepło.

– Jak mnie tu znalazłeś? – Nie odwróciła głowy.

– Buty wzięłaś lepsze niż te, w których chodzisz tylko po plaży, a zresztą musiałaś tu jeszcze raz przyjść, znam cię – wyszeptał w kompletnej ciszy niczym w teatrze podczas przedstawienia.

Znam cię, mam cię, nie znam, nie mam.

Słońce zachodziło długo, chowało się za horyzont i chowało, i nikt nie zauważył, kiedy ostatecznie zaszło. Nie uchwycili tego nawet dzielni Japończycy na swych najczulszych aparatach. Pani Kyoko, tak, ta Japoneczka bez wieku stojąca kilka metrów obok w bluzeczce koloru cebuli, wielokrotnie oglądała potem właśnie robiony filmik swego męża. Kończył się nagłą ciemnością, słońce było i było, pomniejszało się, spłaszczało od dołu, stało się równoległym do placu księżycem, ale było. A potem już nie i koniec.

Tik, tak, pim, pam, tak, tik… Puls miał równy, już nie ekscytował się startem samolotu. Trzymała go za przegub niemal przez całe trzy godziny lotu, niespokojnie wdzięczna za ten ostatni wieczór w Firze, gdy po zniknięciu słońca poszli na kawę bez słów. Spał słodko, przypięty pasem bezpieczeństwa, który niemile skojarzył się jej z pasem psychiatrycznym, wykończony koszmarem zgotowanym im obojgu, bo przecież sam też musiał się z tym czuć okropnie. A jednak nie zamierzała o tym myśleć. Jeśli po Paryżu go znielubiła, to teraz zaczęła się go bać. Doktor W. zmieniła tylko jego reakcję: wywalanie na oślep na jakieś wsysanie wszystkiego do środka. Przecież to było jak z tytułu kiepskiego kryminału: milcząca furia. Doktor W. zmieniła tylko jego reakcję na niemiłość.

– To już? – Obudził się nad Warszawą.

Czas we śnie przyspiesza, wiadomo, lecz choć nie spała, te godziny zleciały jej jeszcze szybciej. Myślała o równi pochyłej w dół, niemającej nic wspólnego z lądowaniem samolotu, o ich dwóch porządkach, wstępującym i zstępującym, które mijały się, nawet jeśli przez pięć lat się nie wyminęły. Samochodem, zostawionym na Okęciu, odwiozła go do Łomianek.

– Do zobaczenia. – Cmoknął ją w policzek.

– Uciekaj – szepnęła Cristina, która zajęła jego miejsce natychmiast, gdy wysiadł.

Zawsze wkurzały ją rady matki i czy się dawało, czy nie, postępowała odwrotnie. W tej chwili mogła jedynie docisnąć pedał gazu. Uciec, znaczyło przedłożyć siebie nad niego. Siebie, czyli kogoś, kto żył tylko nim. Kim poza tym była? Nieudaną eksżoną, nieudaną matką, nieudaną historyczką sztuki, zmienioną w nieudaną bankową kasjerkę i doradczynię, cóż z tego, że docenianą, skoro nieudaną, bo nie lubiła tej pracy. Nie-udanym człowiekiem była, lecz tego nieudania nie do-strzegłaby bez niego, nie należała do ludzi pielęgnu-jących własne nieudanie. Zobaczyła je w pełnej kra-sie, dopiero gdy jej się udało: kochać, opiekować się, Jane Fondą być z pradawnego westernu i gdy zdoby-ła... Sama na to by nie wpadła, choć usłyszała przecież z własnych ust, u pani doktor W.

Zadzwoniła do niej, ledwo weszła do domu. To przecież nie oni byli winni temu, co się stało, ale dok-tor W.! Postanowiła naurągać szarlatance, nastraszyć jakimś biurem kontroli, odebraniem koncesji, czy jak to się tam nazywa, a niechby i policją. Krzyczała do słuchawki, że doktor, jeśli rzeczywiście jest doktorem, w co wątpi, naciągnęła ją na kupę pieniędzy zupełnie bez rezultatu, a raczej z rezultatem w postaci Magicz-nego Tygodnia, za jaki teraz przynajmniej powinna za-płacić, oddając forsę za pobyt obojga.

– Nic nie rozumiem i nie powinnam tego robić, ale dobrze, proszę przyjechać. – Doktor W. była irytująco spokojna i podała adres, jakby Maja go nie znała.

Profesjonalistka, pomyślała nie po raz pierwszy, profesjonalna oszustka!, zakrzyknęła w samochodzie.

– Pani już u mnie kiedyś była. – Doktor W. stanę-ła bokiem w drzwiach, by ją przepuścić. – Pamiętam, bo rozmowa była dość zaskakująca. Opowiadała pani o waranach... tak, o smokach z Komodo!

– Tym razem ich nie wypuścił, udusił je w gard-le, w milczeniu, stało się coś gorszego, coś najgorszego i gdyby nie matka, którą spotkałam na plaży nad zatoczką i która hipnotyzowała mnie plastikowymi klipsami na wietrze, oszalałabym, po prostu nie wyszłabym z wody!

– Jaki on? I czyja matka? – Doktor W. wskazała jej fotel i nalała coś z dzbanka do filiżanki. – Proszę się napić zielonej herbaty.

Co było w zielonym płynie, że irytujący spokój pani doktor W. stał się wkrótce kojący, a ona sama z kłębka nerwów i pretensji wyciągnęła nitkę, zwijając ją w drugi, całkiem inny, niepodobny kłębek? Najpierw jednak doktor W. wyjęła napęczniały skoroszyt.

– Proszę mi przypomnieć, jak się pani nazywa... Mam tu notatki ze spotkań z tymi, którzy przyszli do mnie tylko raz. Trzymam je rok. Nie przepadam za takimi wizytami, czas stracony dla obu stron, jednorazowo można najwyżej odtruć żołądek po zjedzeniu za starego ciastka, to, czym się zajmuję, wymaga nawet nie miesięcy, ale lat.

– Maja Keller – rzuciła odruchowo, choć Mają Keller była przecież tylko dla siebie i dla niego, ale w obliczu papierów sprostowała. – Danuta. Danuta Keller.

– Nie mam tego nazwiska. – Doktor W. szeleściła kartkami. – Musiała pani podać wówczas inne.

Prawda, szła do niej przecież incognito.

– Danuta Kowalska. – Czyż nie tak, superbanalnie, nazywała się przez pierwsze pół życia, nim wyszła za Jarka, elegancko kosmopolitycznego Kellera?

– Nie mam Danuty...

– To... Maja, Maja Kowalska!

Urzędowo taki ktoś nie istniał, lecz właśnie tak powinna się teraz nazywać. Jego Maja, urodzona z tamtej małej Kowalskiej, w której musiała już przecież być cała późniejsza ona, musiało już być wszystko, co kazało jej potem rzucić się w wir tych pięciu lat, który ją ostatecznie wyrzucił na puste skały Santorini.

– A może... Teresa? – Doktor W. omiatała wzrokiem znalezioną kartkę, kiwając głową.

– Tak, Teresa! – Przypomniała sobie, że użyła imienia koleżanki z banku, jako Maja jednak nie przyszłaby incognito, doktor W. mogłaby się przecież potem przed nim wygadać...

– Mówiła pani o pustce po śmierci mamy, a potem tak jakoś... enigmatycznie... o mocowaniu się z kimś w związku...

– Pani go zna. On chodzi do pani, przyszłam wtedy, żeby sprawdzić, czy jest pani dla niego odpowiednia, nie rozpoznała mnie pani w jego opowieściach? To...

– Proszę nie mówić, to nam nie pomoże, a ja jestem związana tajemnicą.

– To jest Adam! Jarzyna! I miała go pani n a p r a - w i ć, i co?

Rozpłakała się, rozszlochała za cały Magiczny Tydzień, podczas którego złość, zdumienie i przerażenie zacięło jej aparat łzowy. Upiła kolejny łyk zielonej herbaty. Doktor W. zdjęła okulary i westchnęła.

– Pani... jak właściwie mam do pani mówić?

– Maja, wciąż jeszcze jestem Mają, jego Mają. – Łzy
i herbata powoli uspokajały ją. – Choć matka kazała
mi uciekać, a klipsy zaczęły odmierzać czas w p r z e -
c i w n ą   s t r o n ę.

– W przeciwną?

– Tak, ku końcowi, którego miało nigdy nie być. Najpierw wcale, a potem… przynajmniej jeszcze nie teraz.

Nitka, przez chwilę niewprawnie wysnuwana
z kłębka, rozprostowywała się. Szła po niej jak lino-
skoczek między drapaczami chmur, opowiadając, co
najważniejsze. Drapacze miały co drapać, chmur jak
z Turnera i Ajwazowskiego nie brakowało, pojawiały
się właściwie w każdym epizodzie, bo albo miały na-
dejść, albo nadchodziły, albo rozchodziły się wcześniej
czy później, mozolnie przez nią rozpędzane. W łóżku
i w sklepie, na ulicy i w samochodzie, w kraju i za granicą, aż po milczącą furię na santoryńskim patio.

– Z tego, co pani mówię, wynika, że nieustannie,
przez pięć lat byłam na jakiejś wojnie, mniej lub bardziej widocznej, ale zawsze na froncie pod ostrza-
łem – po trzech kwadransach wymknęła się żalowi,
dystansując się od własnych słów. – Lecz bez niego byłabym tylko nieudana i nawet bym tego nie wiedziała.
Miłość jest…

– Miłość jest władzą, Maju.

– O tak, on ma nade mną wielką władzę!

– A pani?

– Ja? Co ja? No przecież opowiadam…

Jak to się stało, że omamiona kolejnymi, z pozoru nieistotnymi pytaniami, których sensu zrazu nie pojęła, usłyszała się, opowiadającą zupełnie inną historię? Kłębek, który zaczęła zwijać z dopiero co rozwiniętej nitki, był twardy, ubity i egoistyczny.

W ł a d z a! Czyż ostatecznie zawsze nie wracał, nie zwierzał się, czy nie robił tego, co sugerowała lub proponowała, nawet jeśli nie od razu? Czy nie poszedł do szkoły, którą mu wybrała, choć nie był przekonany, i nie nosił tego, co mu kupowała, choć ileś razy dawał do zrozumienia, że zamiast grafitowej kurteczki trzydziestolatka i szalika dla korporacjonisty wolałby luźną katanę z boiska i bejsbolową czapeczkę? Władza! Czy od czasu, gdy dowiedziała się o jego zaburzeniu, nie walczyła z myślą, że gdyby go odpowiednio podejść, jeszcze długo lub zgoła nigdy nie uwierzyłby, że jednak sobie bez niej poradzi? Oczywiście nie próbowała tego robić, wysłała go przecież do doktor W., lecz poczucie, że to także zależało od niej, przedziwnie ją wzmacniało. Władza. Nie obnosiła się z nią, nie była jawnym dyktatorem, starym Koreańczykiem na trybunie w mundurze z medalami, ale i nie mogła być, bo na to by sobie nie pozwolił. Upajała się tą władzą po cichutku, niewidocznie, w rozmytych odcieniach szarości, szara eminencja. I nigdy nie przyszłoby jej do głowy, że oddał jej pięć lat, więcej niż jedną piątą swego życia, że zawłaszczyła całą jego pierwszą młodość i nie miała dość, że rządziłaby jak stary Koreańczyk, do upadłego, gdyby jednocześnie sama nie upadała coraz boleśniej, bo jej jednoosobowy naród coraz dotkliwiej dawał się we znaki, aż po Santorini, gdzie złowrogo milcząca opozycja zaczaiła się do ostatecznego skoku, ostatecznego zamachu stanu, jak nigdy wcześniej.

Wyszła od doktor W. Wyszła? Wyczołgała się... Co ona z niej wyciągnęła za nitkę? Czy na tym polega seans terapeutyczny, by doprowadzić człowieka do fałszywego kłębka? Jak to, zabrała mu całą młodość? Przecież tylko dawała, dawała i dawała, nic nie zabierając! Że zamiast kochać, nauczyła się lawirować tak, by skoro nie dostała miłości, mieć przynajmniej władzę? I że to nic innego jak utrata władzy nie pozwalała jej teraz od niego uciekać bez względu na konsekwencje? Że tak naprawdę wcale nie chodzi o niepodważalne oddanie, ale o n i e o d d a n i e... w ł a d z y? Że ów świadomy wpływ, jaki mamy na drugiego człowieka, jest najbardziej uskrzydlającym uczuciem na świecie, w przeciwieństwie do wpływu nieświadomego, do miłości, jaką po prostu na nią rzucił niczym jakiś urok, niczego nie rzucając?

Latarnie w uliczce, którą szła do samochodu, nie paliły się. Nagle poczuła na czole coś lepkiego... Przecież ptaki po zmroku śpią. Starła to coś jednym wprawnym ruchem i strzepała z palców. I razem z kupą gołębia, bo chyba tym właśnie była ni to ciepła, ni zimna, ni zupa, ni lawa, tak samo odruchowo, odruchem obronnym, zrzuciła z siebie to, czym obciążyła ją doktor W. jej własnymi słowami. Inaczej po prostu nie doszłaby do auta. Nigdzie by nie doszła. Czerwone volvo

wskoczyło w rześkie powietrze, odrywając się od ob-
sranej ziemi niczym ferrari 410.

❦

TAK BARDZO wpatruje się w to okienko, że gdy za
szybką woda zaczyna się pienić, ma wrażenie, jakby
tkwiła na statku nagle idącym na dno. Okienko pralki jest przecież okrągłe, wygląda jak bulaj na Titanicu.
Spienione fale zaraz wedrą się do środka...

Gdy wczoraj zepsuła się pralka, pomyślała, że to fa-
talny przypadek, akurat na święta, Nowy Rok, kto by
miał teraz czas się tym zająć. Ale cóż znaczy zepsuta
pralka wobec pierwszych Świąt i pierwszego Nowego
Roku b e z, BAWJŻ? Macher, polecony przez nową są-
siadkę zza nowej ściany jej nowego mieszkania, przyszedł od razu, ledwie wróciła z pracy. Siedzi teraz tuż
obok i zupełnie gdzie indziej, w jej łazience siedzi na
stołeczku i też wpatruje się w okienko, lecz nie spo-
dziewa się żadnej katastrofy, ot, służbowy podgląd
prania. Zadziała po wymianie paru duperelii, czy nie
zadziała? Pali papierosa, dostał pozwolenie, i fachowo
ocenia międlące się pranie pod kątem szybkości obrotu
bębna, dolewania wody i dawkowania proszku. Ona,
oparta o futrynę za jego plecami, zaraz utonie: przez
luk mignęła jej czerwono-biała kratka! Całkiem jakby
pomachał do niej ręką! *Gdy się miało czyjeś ciało i ziemię całą...*

– Za pralką znalazłem koszulę, to wrzuciłem, żeby
sprawdzić, czy wszystko okej, bo tam prosta sprawa,

programator poszedł! – macher czuje się zobowiązany wyjaśnić, co zrobił, skoro już klientka wisi mu na ogonie.

Zupełnie jakby pomachał na przywitanie jak kiedyś, gdy nie dostrzegła go w tłumie na ulicy, a nawet niechby na pożegnanie, którego nigdy nie było, bo bez żadnego gestu po prostu się odwrócił i zbiegł schodami do metra na placu Bankowym. *Ciao, ciao bambino.*

– Więc od razu się wypierze – mruczy jeszcze.

Tak, od razu znów wszystko się pierze, choć czyste jak łza i zarazem wciąż jakieś niedoprane, przez prawie rok wymiędlone, wytarmoszone, suszone i moczone, prasowane i gniecione, wielokrotnie, codziennie, każdej nocy, przezroczyste od tego ciągłego prania dziwną przezroczystością, przez jaką widać za ostro, nieostro lub nie widać nic. Szarpane, dźgane i wygładzane przy uwzględnieniu zaburzenia albo tak, jakby go nigdy nie zżerało.

– Jasne, programator i oczywiście, jak zawsze, uszczelka…

Oczywiście. Byli raz sobie programator i uszczelka, jak zawsze. *Nasza miłość była prosta. Nie, nie możesz teraz odejść. Siądź z tamtą kobietą twarzą w twarz. Inne będą nasze dni, adresy, telefony.*

– Dobrze, że standardowy, raz trafiłem na taki, że go za diabła nie szło dostać!

Standardowy, standardowo, standard. *Kochać to nie znaczy zawsze to samo.* Woda zalewa kajutę, zaraz się utopi, choć sądziła, że już się nie utopi, ale on wciąż macha do niej i macha w czerwono-białą kratkę, z jaką od dawna nie je już śniadań, obiadów i kolacji. Po co tak macha, czego jeszcze chce? Nie musi się przypominać! A jeśli to on tonie, nie ona? Jeżeli to jakiś znak, omen, macha, bo potrzebuje pomocy? Dość, co do cholery, przecież już była, już jest silniejsza, zdjęła koszulę z kuchennego krzesła, żeby uprać, a potem, w przypływie bohaterstwa, wrzuciła za pralkę, by zniknęła jak jego pozostawione buty, wrzucone na pawlacz, więc umie już unikać momentów słabości, choć nadal nie chodzi tamtymi ulicami... SOS kontra SOS, lecz jeśliby teraz tonęli, to każde na swoim, osobnym Titanicu!

– Przepraszam, gdzie ta kawa?

Kawa, przecież zaparzyła macherowi. Odrywa się od futryny, nie jest najgorzej, niewielki atak panikomelancholii, ataczek, idzie do kuchni, słysząc kilka piknięć sygnalizujących koniec prania. Gdy wraca z wystygłym kubkiem, macher stoi na środku łazienki, trzymając za rączki-rękawki sflaczały korpusik utopionego dziecka. Widmo przedszkolaka nie ma główki ani nóżek, zdechłą koszuleczką tylko jest, ni to czerwoną, ni białą, ni czerwono-białą, rozmiarów krasnalka.

– Coś nie tak nastawiłem, ale to już przecież na szmaty było, nie? Sprawdzę jeszcze pokrętło...

Kiwa głową, na szmaty, na szmaty. Macher chce rzucić topielca na podłogę, w ostatniej chwili wyrywa mu go z rąk. *Nie tak nie tak nie tak nie tak miało być miły...* Trzyma topielca za rękawek i czuje się taka mała, jeszcze mniejsza niż ten rękawek, najmniejsza, skrzywdzona, poniżona. Po chwili, już w kuchni, z zawiniątkiem w ręku stoi zła, po prostu zła, nie żeby wściekła na niego, zła, wypełniona irracjonalną chęcią zemsty, bo przecież nigdy by go nie skrzywdziła, a jednocześnie chciałaby przyczynić się do czegoś, co go podobnie sponiewiera, choć jak zważyć owe podobieństwa? W zapamiętaniu pada na kolana, wyciera topielcem czystą, kuchenną podłogę, a gdy macher wychodzi, myje jeszcze i łazienkę, po czym wrzuca utytłanego krasnalka do kosza na śmieci i od razu z tym koszem wybiega do zsypu. Lecz to tylko ujście złości. Prawdziwe zło, to, które zasiał, porzucając ją u wejścia do metra na placu Bankowym, wzrastające w niej przez wiele miesięcy nawet nie szeptem, bo zupełnie niezauważalnie, wymagało prawdziwego ujścia.

❧

Ostatnie miesiące? Oglądała niegdyś *Ostatnie dni Pompei*. Śmiertelnie nudne to było: romanse, zdrady, uczty, niekończące się dialogi o niczym i dopiero w ostatnim odcinku bohaterów malowniczo pokryła lawa Wezuwiusza. Gdyby nie katastrofa, dni nie byłyby ostatnie i nie różniłyby się od wcześniejszych. Poza tymi pierwszymi oczywiście, zawsze na specjalnych prawach, zawsze z myślą, że gdyby nas teraz pokryła lawa Wezuwiusza, skamienielibyśmy w zachwycie najszczęśliwszych ofiar świata.

Nawet z ostatnich miesięcy, z kilkudziesięciu spotkań, nie wyłuskałaby tylu szczegółów, z iloma mogła opisać początkowe randki. Przechodziły gdzieś mimo, obok, banalnie powtarzalne. Gdyby wiedzieć, że już się nie powtórzą... Kochanie, to nasza kawa trzynasta od końca, no, uśmiechnij się, jeszcze tylko tuzin. Słońce, chodź kawałek dalej, nie szkodzi, że deszcz, przed nami już tylko dziewięć spacerów. Adaś, nie milcz tak, powiedz coś, czego będę się mogła uchwycić, gdy wszystko stanie się tak beznadziejnie nieuchwytne, zostało nam jedynie siedem rozmów. No, postaraj się, dotknij mnie jeszcze tu, tam uszczypnij, a tu klepnij, mocniej, mocniej, i pocałuj, o tak, rozciągnij ten pocałunek na wszystkie strony ziemi, na góry, lasy i morza, nie tylko na tę prerię, przez którą będę pędziła już tylko trzykrotnie... Ostatnia jazda Jane Fondy była tak udana, jakby była nieostatnia, bo miał dzień, godzinę, przypływ sił witalnych. Ostatnią powinna być ta przedostatnia. To właśnie wtedy zażartował sobie całkiem serio, łaskawie idąc z nią do łóżka:

– Miejmy to już za sobą...

Będzie się chwytać potem tych słów, jakby nie było innych, milszych, ślizgając się po nich jak po brzytwie. Będą ją uwierać, kaleczyć, choć okazały się ledwie forpocztą ostatecznego upokorzenia.

Okrutniejszy był tylko wtedy, gdy próbował mówić o przyjaźni, bo to znaczyło, że z tego, co ich łączy, nie pojmuje zgoła nic. Może i w ostatnich miesiącach wracał do tej kwestii częściej, ale jak miała to uznać za prawdziwy sygnał chęci zmiany, skoro wciąż był chodzącą sprzecznością. Czyż niedługo po powrocie z Santorini nie oświadczył, że jest mu z nią j e d - n a k bardzo dobrze? Przyjaźń. Ani jej uczucia, ani jego niemiłości nie dałoby się przecież zmienić w przyjaźń. Mogli być tylko kochankami z wzajemnymi zobowiązaniami, wiszącymi w powietrzu jak ptaki do wypchania. On jej to, to, to, ona mu tamto, tamto i tamto. Nie coś za coś, wszystko za wszystko. Zbudowali misterny kosmos naczyń połączonych, kolb i butli, kanistrów i kroplomierzy, wiader, lejków, tygli i parownic, korzystając z głaszczek, tłuczków i wymazówek, wlewali, wylewali, spalali, wyżarzali, barwili, połączeni rurkami perfekcyjnie krzywo: zawsze w jego stronę. Na fotografii, gdyby dało się taką zrobić, całe ich laboratorium byłoby przechylone, jakby zaraz miało się zsunąć, jakby działało wbrew fizyce, choć rzecz w połowie w chemii. Machinę napędzało przecież jej ślepe zapatrzenie, zaćmione oddanie, to ona kochała za dwoje.

Przyjaźń jest znacznie bardziej sprawiedliwa i nieprzechylona. W przyjaźni przejmujemy się sobą nawzajem i do pewnych granic. Rozumiesz i będziesz zrozumiana, doradzisz i zostanie ci doradzone, nawet jeśli opacznie. Zmartwisz się, że twoja przyjaciółka została okradziona, ale nie będziesz złorzeczyła złodziejowi całą noc. Zasmuci cię los przyjaciela, który stracił pracę, ale po powrocie do domu najspokojniej zaśniesz, zawieszając sprawę na kołku, wbitym w plecy komuś bliskiemu, lecz jednak daleko. Jako przyjaciel Adam był dla niej bezwartościowy, nie zrozumiałby, nie doradził, ledwie by półsłuchał, zajęty sobą i swoją młodością, raz po raz zaglądając w komóreczkę. Jako ten Jeden Jedyny a ż jej półsłuchał, to oczywiste, że zajęty sobą i swoją młodością, to normalne, że raz po raz zaglądając w komóreczkę, całe jego pokolenie jest uzależnione od gadżetów i lepiej, że co pół minuty wpatruje się w ekranik, niż miałby na przykład ćpać.

Jeżeli rozważała tę przyjaźń, a raczej coś, co miałoby się kryć pod szczytną nazwą, to tylko dlatego, że nigdy, przenigdy nie chciała stracić z nim kontaktu, na samą myśl, że kiedykolwiek mogłaby go n i e z o-b a c z y ć, logika brała w łeb, rozpryskując się w nieuchwytne kryształki histerii. Próbowała więc sobie wyobrazić jakieś kompletnie niewyobrażalne Kiedyś, gdy nie będą już ze sobą sypiać, a jej nie będzie obchodziło, czy on ma na zimę ciepłe buty i czy tylko jedne. Gdy nie będą już ze sobą sypiać, a jej nie będzie obchodziło, że zepsuł mu się kolejny ząb. Gdy nie będą już ze sobą sypiać, a... Bo z przyjaciółmi przede wszystkim się nie sypia!

– O to ci chodzi? – podjęła raz niewygodny temat.

– No, można by się spotykać tak, wiesz, jakoś bardziej niezobowiązująco – westchnął, może i mówiąc, co chciał powiedzieć, choć wyjątkowo oględnie jak na niego, ale nie wiedząc, co mówi.

(Była to dwudziesta ósma rozmowa od końca).

– Niezobowiązująco – powoli powtórzyła długich siedem sylab.

To oznaczałoby, że ona mu nadal wszystko, a on jej już prawie nic, ponieważ tylko z chwil fizycznej czułości, nawet jeśli nie dla niej przeznaczonych, choć po cichu wierzyła w jakiś wyłącznie swój ułamek, to z tych chwil, nawet będących tylko skutkiem głuchych potrzeb jego ciała, z kłusu i galopu Jane Fondy, z lotów czarnym sterowcem uwiecznionym na obrazie w błękicie jego oczu, czerpała, co niezbędne, by dać mu, czego potrzebował. Podejrzanie dobre, niedorzecznie pojemne serca nie biorą się znikąd. Zatem jednak nie *wszystko* za *prawie nic*. Nie byłoby już wszystkiego, bo nie byłoby niczego. Usiedliby przy *przyjacielskiej* kawie i opowiedziałby jej, co w sklepie, a ona mu, co w banku, i nawet szczerze pośmialiby się z podobnych klientów, a może i tych samych? W końcu apodyktyczne babsko, które kilka dni temu czepiało się bez powodu oczywistych procedur, mogło wziąć od niej pieniądze i iść do niego po nową walizkę i termos na wczasy. Może któreś z nich wymyśliłoby nawet takie babsko, byle nie rozmawiać o niczym więcej? Przeszłość byłaby tabu, musiałyby minąć wieki, by byli w stanie się od niej zdystansować. Teraźniejszość byłaby tabu, o swych obecnych życiach nic przecież nie chcieliby wiedzieć. Przyszłość… O jakiej przyszłości mieliby rozmawiać, o tej, w której nie będą nawzajem uczestniczyć?

A jednak zaczęła o tym myśleć, choć trochę tak, jak rozpatruje się podróż dookoła świata, nie mając na nią ani grosza, ani siły. Bo gdyby nie było już innego sposobu, aby go zupełnie nie stracić, gdyby już nastąpiło owo niewyobrażalne Kiedyś... Tylko kiedy, kiedy będzie tak, że opowie jej, jak go okradziono albo pozbawiono pracy, a ona wróci do domu przejęta nie bardziej niż przyjaciółka, czyli spokojnie zaśnie, zawieszając sprawę na kołku wbitym w plecy komuś bliskiemu, lecz jednak daleko? Z kompletnego zamętu próbowała wyłonić to Kiedyś, oskrobać z uczuciowego absurdu i z wszelkich niemożliwości, przyjrzeć się racjonalnie nieracjonalnej sytuacji, w której on będzie samowystarczalny i samostanowiący, a ona nastawiona, by tak rzec, jedynie przyjacielsko...

– Rok! – nie wiedzieć czemu orzekła na głos w pustym przedpokoju. – Przy wszystkich sprzyjających okolicznościach potrzebny jest jeszcze co najmniej rok!

Zupełnie jakby już za rok mógł dwa razy więcej zarabiać, nie potrzebować jej ręki ściskającej go w poczekalni u dentysty i hasać po świecie zadowolony a niezaburzony. I szybko ofiarowała sobie ten c o n a j - m n i e j rok, jakby mogła go sobie sama ofiarować.

Zmienić od razu i bez wątpliwości mogła jedynie mieszkanie. A właściwie musiała, oszczędności roztopiły się, czynsz apartamentu był niebotyczny i teraz, gdy sprzedała swe komnaty z tarasem, okazyjnie kupując dwa zwykłe pokoje w centrum, znów mogła go spytać, czy coś fajnego by chciał, i zaszaleć z nowym płaszczem, kozaczkami oraz modną torebką w kształcie sześcianu. Niezbyt interesował się całym przedsięwzięciem, było jak zwykle, najpierw ją ucieszył, proponując, że gdyby chciała kupić jakiś sprzęt domowy, to jego kumpela z Ikei da pracowniczą zniżkę, a chwilę później tym samym tonem stwierdził, że dwa pokoje jej wystarczą, bo i tak by nigdy z nią nie zamieszkał.

Opuszczała osiedle bez żalu, nie czuła się tam na miejscu, choć pozostawił w apartamencie tyle śladów. Zrobiła zdjęcie podeszwy buta, wielokrotnie odciśniętej nieopodal fotela, na którym czasem kręcił się, hamując w białej ścianie. Mogłaby całować ślad jego stopy bez poczucia śmieszności, jak nie mieli go tubylcy gdzieś w dżungli, przekonani, że to bogowie, nie ludzie, odcisnęli się w ziemi, spadając im z nieba z jakiegoś warczącego gigantycznego ptaszyska, że to bogowie, nie ofiary katastrofy samolotu, które wkrótce miały ich zniewolić.

Windą do garażu, autem jak w kondukcie bez marsza Chopina, budka ochroniarzy, do widzenia, pani Keller, do niewidzenia. I pierwszy wieczór w mieszkaniu bez jego żadnych śladów. Musi je szybko zrobić, usiąść, kopnąć po swojemu w ścianę, koniecznie! Spojrzała w okno na Pałac Kultury i nowe wysokościowce. Żaden z nich nie dymił, ani trochę. Uśpione Wezuwiusze, za dnia zwyczajne biurowce, dawały korporacyjne poczucie bezpieczeństwa.

❦

TAK BARDZO nie lubisz tu mieszkać, wszystko przez ślady, przez ślady, których przecież nie ma, bo obrotowy fotel ustawiłaś za daleko od ściany, nie odcisnął więc stopy, kręcąc się w nim kilkukrotnie, niczego nigdzie nie odcisnął, a odciski palców przez ponad rok zewsząd się wytarły, jego obecności nie zidentyfikowałaby już nawet najlepsza angielska policja, a jednak był, bywał, dlatego wciąż jest, choć już bez koszuli i bez butów, jest i przeszkadza.

Tak przeszkadza, że umówiłaś się z agentem, patrzył na ciebie jak na wariatkę, jak to chcesz sprzedać mieszkanie i kupić podobne gdzieś w pobliżu, nawet na ulicy obok, czy naprawdę zamierzasz lekką ręką oddać państwu kilkadziesiąt tysięcy, bo tyle będzie cię kosztował antyspekulacyjny podatek, płacony przy sprzedaży nieruchomości przed upływem pięciu lat od kupna? A przecież miał już takie klientki: jednej w salonie umarł mąż i nie życzyła sobie podejmować w nim koleżanek, inna chodziła po pięknym domu z wahadełkiem, a potem wyznała mu, że coś jej nocą otwiera szafę, z której wyłażą potwory. Nie ubawiła cię ta historia. Jakie potwory, spytałaś, konkretnie, no jakie, gatunek, podgatunek... Agent zamilkł, a ty rozejrzałaś się jeszcze raz po mieszkanku, które byłoby idealne, gdybyś kupiła je kilka tygodni później, gdyby on nie zdążył już tu wejść... Podatek antyspekulacyjny? Przecież pięć lat to cała wieczność!

– Nie wiem, skąd ten pęd do zapuszczania bród! Przecież to swędzi, do żarcia włazi, w ogóle fe, a prawie całe miasto już tak chodzi... No, zapuściłabyś, gdybyś mogła?

Roześmiała się. Dużo jeszcze było o brodach, właściwie tylko o brodach, minuty długie jak same brody, że moda, że kiedyś, że nic nowego pod słońcem. Szli od Starówki w stronę alei Solidarności, widziała tam lampkę w sam raz do wciąż wykańczanego mieszkania. Szli po ostatniej kawie. Ostatni kilometr szli, ostatnie pół, ostatnie dwieście metrów szli, ostatnia anegdota, z brodą i o brodzie. Gdy ojciec się nie ogolił, bo akurat była wolna sobota, nie mówiło się jeszcze wtedy „weekend", lub gdy miał urlop, matka nie prosiła go: Ogól się!, lecz po swojemu zwracała się do ścian i sufitu: Zdaje się, że tylko Pan Bóg może się nie golić!

– I wiesz, gdybym miała to zapisać, „pan bóg" byłby małą literą, bo oboje byli przecież niewierzący.

Czy to wtedy, na setnym lub sto dwudziestym z ostatnich metrów ostatniej wspólnej przechadzki, ostatniej zimy w ostatnim braku śniegu, na ostatnich metrach ostatniego wspólnego czegokolwiek, bez odzewu na anegdotę, nagle padło to zdanie?

Nic już od ciebie nie chcę.

Mogło paść ot tak, nic nowego pod słońcem, nie potrzebował powodu, znała jego nagłe zmiany nastrojów, ale też może najpierw coś tam jeszcze powiedziała. Co? Wielokrotnie potem usiłowała czymś wypełnić

ów moment, lukę w łańcuchu przyczynowo-skutko-
wym, może jednak spytała, czy chciałby... albo nie spytała? I czego, jej zdaniem, miał akurat potrzebować?

Nic już od ciebie nie chcę. Nic okropniejszego nie
może wyjść z najważniejszych ust. Ale najgorsze było,
że tym razem nie umiała tego zmniejszyć, zlekcewa-
żyć. Coś takiego pobrzmiewało w tonie jego głosu, jakieś ostateczne alikwoty, nie dało się udawać, że ich nie
słyszy, że to jeszcze jedna nieznacząca fraza z operetki „Muchy w nosie", nie, to była jego summa niechęci, niechciejstwo z analiz i przemyśleń, nie pojedyncze
danie wyrazu, to było coś nowego pod słońcem, nie-
wysoko, ale wciąż jeszcze świecącym. Spojrzała na Pałac Kultury i otaczające go biurowce, majaczyły z daleka, właściwie ich nie widziała, tylko wiedziała, że tam
są, bo dymiły. Wezuwiusze dymiły, wkrótce dym spo-
wił cały plac Bankowy. Milczała zaskoczona i milczała, bo na końcu języka miała tylko „ale...", które dopro-
wadzało go do szału. Milczała, bo nie było czego zmienić w nawet najsłabszy żart. Bo jeszcze chwila, a pró-
bowałaby go zrozumieć.

– Rozumiesz? – Spojrzał przez nią, nie wiadomo
gdzie. – Rozumiesz, co do ciebie mówię? To koniec.

Koniec bez wykrzyknika, bez żadnych emocji.
Otworzyła usta do „ale...", może powinna go doprowadzić do ataku furii, do ataku czegokolwiek. Ale nic
już od niej nie chciał. Odwrócił się i zszedłby spokojnie do metra, gdyby jednak nie krzyknęła:

– Ale...!

Zatrzymał się, biorąc haust powietrza, które dymem już tylko było.

– Posłuchaj, Maja… – Patrzył na nią, kogo widział?

Uchwyciła się murku przy zejściu. Słuchała i mówiła. Mówiła i słuchała. Aż odwrócił się raz jeszcze. Nie schodził, zbiegał, pan bóg z małej litery.

❦

TAK BARDZO poczuła się słaba, że była pewna, sturla się zaraz po tych schodach wprost do podziemi metra i zamiast zatrzymać się w tunelu, będzie turlać się dalej, nie żeby za nim, już niewidocznym, lecz przecież idącym gdzieś przed siebie do tego innego życia, cokolwiek oznaczało, na tramwajowy przystanek, do samej kolejki lub na przestrzał, by wyjść z drugiej strony nasłonecznionej ulicy, z drugiej strony słońca, które od tej chwili będzie innym słońcem, więc nie żeby miała turlać się za nim, po prostu przeturla się siłą rozpędu, nie będąc w stanie się zatrzymać, tak jak jego nie była już w stanie zatrzymać, gdy rzucił jej pod wiatą: co mam zrobić, byś wreszcie dała mi spokój? znaleźć sobie inną kobietę? nie chcę cię już, Maja, dość!, gdy rzucił jej pod wiatą: nie chcę z tobą być, muszę iść dalej, dalej, i odwrócił się na pięcie jak w kiepskim melodramacie, zbiegając po schodach, jakby się spieszył do tego *dalej*, które nic nie oznaczało, bo zamiast niej nie miał przecież nic.

Turla się po tych schodach i nikt nie próbuje jej zatrzymać, happening, myślą ludzie wokół, turlająca się nie wygląda przecież na bezdomną, pobitą ani naćpaną, ma na sobie włoskie kozaczki na szpilkach, legginsy i drogi płaszczyk z ekofuterkiem droższym niż szynszyla, przez który przeciągnięta jest jeszcze droższa torebeczka, o jaka fikuśna, w kształcie sześcianu, poznać od razu, artystka jakaś, pewnie mało zdolna, dlatego postanowiła się sturlać po schodach i nie zatrzymywać w tunelu, nie miała już bowiem żadnego lepszego pomysłu, by zwrócić na siebie uwagę.

Turla się aż po bramki wpuszczające do metra, pod którymi prześlizguje się bez żadnych kłopotów, zahaczając o następne, ruchome schody i turlając się wprost na peron, gdzie też jej nikt nie zatrzymuje, bo ochrona zawsze znajduje się akurat w miejscu, w którym nie doszło do wypadku, artystka samobójczyni, rechocze na jej widok jakiś hipster, nie wierząc, by mogła to zrobić, by była w stanie doturlać się na krawędź peronu dokładnie wtedy, gdy będzie nadjeżdżał pociąg, i spaść wprost pod koła, spaść, nie monumentalnie, tragicznie skoczyć z obłędem w oku jak jakaś Anna Karenina, tylko zwyczajnie spaść, nie niżej niż tam, gdzie upadła kilka minut wcześniej, gdy stali przed wiatą i prosiła: daj nam jeszcze szansę do czasu, kiedy wyjdziesz na prostą, a on rzucił: Maja, ja już wyszedłem na prostą, nie mów mi ciągle d o c z a s u, kiedy wyjdziesz na prostą, bo nigdy nie będzie takiej prostej, która się nagle nie zakrzywi, wiem, odpowiedziała, ale zaufaj mi, jeszcze nie teraz, nie teraz, to wciąż będzie falstart!, i wtedy spojrzał na nią po raz ostatni i krzyczał: co mam zrobić, byś wreszcie dała mi spokój? znaleźć sobie inną kobietę? nie chcę cię już, Maja, nie chcę z tobą być, muszę iść dalej, dalej, i odwrócił się na pięcie jak w kiepskim melodramacie, zbiegając po schodach, i teraz ona, przeturlana, zwisająca z krawędzi peronu, wreszcie przyznaje mu rację, nie ma żadnych falstartów, nie w uczuciach, nie ma żadnych falstartów, i zsuwa się na tory wprost pod pociąg, żałośnie kiczowata, rozpacz jest zawsze kiczowata, i to z pewnością też nie jest, na pewno nie jest żaden falstart...

Budzi się spocona, obolała i natychmiast lgnie do za chudego, za długiego ciała siatkokoszykarza, zadowolona, że pozwoliła mu jednak zanocować. Nie była zachwycona, przyszedł dopiero po raz drugi, a zostawać mógł przecież jedynie ten, który z reguły zostawać nie chciał, lecz rozszalała się ulewa, a on jak na ironię mieszka na końcu świata, w pobliżu jej niegdysiejszego osiedla. Przytrzymuje się teraz twardych mięśni, wystraszona, podrapana, zaspokojona, choć nie Jane Fonda, inna jakaś podróżniczka przez zupełnie inną prerię. Przytrzymuje się go jak wówczas murku przy zejściu do metra, bo owszem, zrobiło się jej tak bardzo słabo, że myślała, sturla się zaraz po schodach wprost do podziemi, lecz oparła się o ścianę, chłonąc mroźne, styczniowe powietrze, a potem pokuśtykała w stronę Ogrodu Saskiego przecinanego fioletowymi błyskami latarni, bo ostatecznie powstajemy i kuśtykamy, kuśtykamy, Kareniny są tylko wyjątkami potwierdzającymi regułę, że jednak jesteśmy w stanie przeżyć.

Siatkokoszykarz, za mocno ściśnięty w za cienkim pasie, próbuje się wyswobodzić, najpierw przez sen, a potem już na jawie, i prostując za długą rękę, zrzuca z hałasem książki i gazety z nocnego stoliczka.

– Sorry – mamrocze i podnosi, co spadło, niemal nie poruszywszy się, za długa ręka sięga także po małą, żółtą karteczkę, która wypadła z piramidki. – Zamierzałaś mnie ODTRĄCIĆ? – Chichocze, z metrowego dystansu wyprostowanej kończyny odczytując koślawy druk liter.

– Zostaw! – Jednym ruchem skacze niemal pod sufit i jest to tak nieoczekiwane nawet dla niej samej, że udaje się jej wyrwać mu tę karteczkę, choć wydawała się nieosiągalna. – Idź już. – Zgniata zdobycz w kulkę, trzymając ją w zamkniętej dłoni jak jakiś fant wygrany na loterii, w którą nie chciała grać.

– Daj spokój. – Oplata ją żylastymi ramionami.

Przyzwala, więcej, wtula się w niego, wcałowuje, oddaje mu się jeszcze raz, choć tak naprawdę chce oddać mu tylko okropny sen, a w ręku wciąż ściska żółtą karteczkę, żółć, której nie ma gdzie wylać.

❦

ODTRĄCIĆ – *1. nagłym ruchem odepchnąć, odsunąć, oddalić od siebie 2. odjąć od czegoś jakąś część, odliczyć, potrącić 3. odbić, odtłuc, utrącić*[25].

Zapisała to jak wszystko, co zapisuje się na karteczkach, przyklejając do szafki kuchennej (*płatki kukurydziane*), łazienkowej (*odżywka do włosów*), przedpokojowej (*szewc*), do monitora lub do ściany (*życie jest jak pudełko czekoladek*). Zapisała, żeby zapomnieć, jak płatki, odżywkę, szewca, by pamiętać. Odtrącenia nie przykleiła, zresztą gdzie? Musiała je tylko najpierw oswoić. Jak oswoić kobrę?

W słowniku były jeszcze przykłady. *Odtrącił go tak, że upadł. Odtrąciła łyżkę z lekarstwem. Odtrącić czyjś dar. Odtrącić z pensji zaliczkę. Odtrącić koszty przesyłki. Odtrącić ucho od dzbanka. Odtrącić głowę figurce*[26]. Przymierzała słownikowe kategorie niczym sukienki w butiku pasujące tym lepiej, im bardziej nie chciałaby ich nosić. Odtrącił ją tak, że upadła. Odtrącił łyżkę z lekarstwem. Jej dar odtrącił jak z pensji zaliczkę lub koszty przesyłki. Dzban bez ucha wody nie nosi, można by to przykleić do ściany zamiast tamtego o życiu, które jest jak pudełko czekoladek. Wyjęła czekoladkę. Została figurką bez głowy.

Możemy być z n a j o m y m i, napisał kilka godzin później w porywie półserca, jakie dla niej czasem miewał, lub w poczuciu, że czegoś nie dokończył. Nie możemy być znajomymi, nie odpisała mu, i n i e z n a j o m y m i też nie. Przecież już się poznaliśmy i nic tego nie zmieni. Już się spotkaliśmy, już wiemy o swoim istnieniu, znamy się, czy nam się to podoba, czy nie, nie odpisała mu. Przejdziemy na swój widok na drugą stronę ulicy lub zostaniemy po tej samej, ale już nigdy nie będziemy się nie znać, nie w tym życiu, nawet jeśli nie będziemy się znać. Ludzie mówią: nie chcę cię znać, i wydaje im się, że to coś załatwia lub wręcz, że wszystko załatwia, a przecież nic nie załatwia. Możemy nie chcieć nic od siebie, więc nie brać i nie dostawać, możemy się wymazywać i wymazywać bez końca, lecz gdy nie chcemy się znać, możemy tylko nie chcieć, nic więcej, nie odpisała mu, możemy tylko tupnąć nóżką jak trzylatka, która nie chce jeść, ale wreszcie będzie musiała zjeść, możemy nie chcieć się znać i będziemy musieli się znać. Chyba że oboje zginiemy w wypadku, nie odpisała mu, lub razem, w tej samej chwili, dostaniemy amnezji, oboje, bo jeśli zginie jedno, jeżeli zachoruje jedno, nadal będziemy się znać. Musiałby zniknąć świat, co stanie się, dopiero gdy któreś z nas zniknie jako drugie i ostatnie, nie odpisała mu, a tymczasem, na zawsze, dopóki trwamy bez uszczerbku na pamięci, ani będziemy, ani nie będziemy, tak czy owak połączeni samym zetknięciem się i tym, co z niego wynikło, bez żadnego na to wpływu, nie odpisała mu, nigdy mu nie odpisała.

❦

– TAK BARDZO chciałabym pani pomóc, ale nie mogę, nie mogę... I muszę być uczciwa, dlatego nie zapraszam pani nawet na spotkanie, bo ja z t e g o pacjentów nie wyciągam – głos doktor W. irytował spokojem.

– Z tego, czyli z czego? – Nawet nie starała się o spokój.

– Potrzeba pani teraz ludzi, przyjaciół, jakiegoś miłego, bezpiecznego ferworu, na który długo nie będzie pani miała ochoty, mówię to jako czło...

Nie miała ludzi, przyjaciół ani miłego, bezpiecznego ferworu. Nazajutrz rano, w dziwnym letargu, nie zmrużywszy oka ni w łóżku, ni w tunelu metra, zadzwoniła do pracy, od nowego roku na szczęście od nowa liczyły się wolne dni na żądanie, a potem wcisnęła ten numer.

– Z tego, czyli z czego pani nie wyciąga pacjentów?

Doktor W. westchnęła do słuchawki zupełnie nieprofesjonalnie.

– Rzucił cię, tak?

– Skąd wiesz? Powiedziałam tylko, że czuję się gorzej od gówna... Doradziłaś mu to, tak? Kazałaś mu, tak?

I znów rozpłakała się jak przed chwilą, gdy doktor W. odebrała telefon i gdy szlochając, wyznała jej, że wczoraj wieczorem na placu Bankowym... i że ona wie, czuje każdym swoim centymetrem, że to koniec, koniec i dzwoni, bo tak się w życiu urządziła, że nie ma do kogo.

– Nic mu nie kazałam i nic nie doradzałam. Ja tylko...

– Utwierdziłaś go w przekonaniu, tak?

– Pracujemy nad jego pewnością siebie, nad mechanizmem takiego podejmowania decyzji, by odpowiadała temu, czego on naprawdę sobie życzy. I tym samym nad odpowiedzią, czego faktycznie chce. Po to go do mnie skierowałaś.

Spokojnie płynące słowa doktor W. falowały: słyszała je to bliżej, to dalej, to wcale. Zatem skierowała go
tam i płaciła, by dowiedział się od siebie samego, że
nic od niej nie chce, że to nie ona, nie oni, nie razem.

– Zrobił to z własnej woli czy jako DDA?

– DDA? – Odniosła wrażenie, że doktor W. się zaśmiała. – Oczywiście też, lecz to ledwie fragment
skomplikowanej całości, niedojrzała osobowość w jego
przypadku nie musi być żadnym defektem, mózg roz-
wija się do dwudziestego piątego roku życia, są teorie,
według których ludzie poniżej tego wieku nie wiedzą,
co robią, bo po prostu nie mogą jeszcze tego wiedzieć,
synapsy...

– Fragment? Nie wiedzą? – Nic już nie wiedziała,
poza tym że sobie poszedł.

– Nie zdziwię się, jeśli teraz rzucisz słuchawką, bo
chcę ci powiedzieć, że jednak tak będzie dla ciebie
najle...

Doktor W. była świetnym psychologiem. Oczywiście, że Maja nie zamierzała tego słuchać. Od razu
przerwała połączenie, zostając z poczuciem, że koniec,
amen, szlus, że on już nie wróci. Chyba żeby wrócił.
W pierwszych miesiącach BAWJŻ najbardziej pomog-
ła jej właśnie ta niepewność.

Teraz, gdy siatkokoszykarz wreszcie wyszedł, gdy
minął ponad rok, gdy pewność niepowrotu okazała się
pewna jak nadal trzymana w dłoni kulka z żółtej karteczki, dzwoni do doktor W. jeszcze raz.

– Pamięta mnie pani?

– Tak. I pamiętałabym, nawet gdyby nie wyświetlił mi się pani numer. Szczerze mówiąc, rzadko mi się to zdarza, nie sposób spamiętać wszystkich... A jednak zastanawiałam się parę razy, jak potoczyły się wasze losy.

– Nie mówił, że już nigdy potem się nie widzieliśmy?

– Nie, bo więcej do mnie nie przyszedł.

– Nie przyszedł – powtarza, choć nie jest zaskoczona.

– Przepraszam, nie mogę teraz dłużej rozmawiać, zaraz mam sesję...

– Możemy się spotkać? – Musi się z nią spotkać, więc nawet nie daje jej dojść do głosu. – Znaczy, wykupię wizytę, ileś wizyt, jeśli będzie potrzeba, nie wiem, w każdym razie nie chodzi o to, z czego pani nie leczy...

– Ja w ogóle nie leczę, to nie tak...

– Nie chodzi mi już o wielką miłość, ha! – Krótkie ha! winduje ją ho, ho, gdzieś najdalej.

– To dobrze, bo wiesz... Są ludzie, którzy nie mogą wytrzymać ze sobą, lecz myślą, że nie mogą z tobą. Ale człowiek ze sobą wytrzymać jakoś musi, a z kimś drugim już nie, wylewa więc dziecko z kąpielą, wszystko wyleje, byleby się ostać.

– Wylał nas obie, ha! Musiał się wystarczająco pewnie poczuć i to już chyba pani zasługa – sama nie wie, czy ją komplementuje, czy jednak ma o to pretensje.

– Albo wystarczająco niepewnie... Szkoda, że więcej nie przyszedł.

Doktor W. zapisuje ją na pojutrze, na czwartek. Dziś jest dzień na kosmetyczkę, fryzjerkę, ginekologa. Piękna cera, wzdycha pierwsza, doskonały wybór koloru z tym miedzianym poblaskiem, ocenia druga, wszystko w najlepszym porządku, orzeka trzecia, jeśli chciałabyś, kochana, jeszcze się umęczyć w życiu i zaserwować sobie jakieś in vitro, pójdzie jak po masełku, dowcipnisia z ginekolożki. Ale po głowie tłucze się jej inne dziecko. To wylane z kąpielą. Nawet terapię wylał, wolał nie chodzić, niż prosić o pieniądze. Jakże musiał mieć jej dosyć razem z nieszczęsnymi pieniędzmi! A jeśli faktycznie poczuł się wreszcie gotowy do życia także bez doktor W.? Przecież skończył dwadzieścia pięć lat.

Wszystko w porządku? Po masełku? Nic nie jest w porządku. Po masełku ślizga się jedynie on, wślizguje się wciąż przez pory, o istnieniu których zdążyła zapomnieć, otwiera i hyc, jestem, a ponieważ dzieje się to rzadziej, gdy się jednak wślizgnie, nakłuwa boleśnie całe jej ciało niczym źle dokonana akupunktura. Ot, choćby przed chwilą. Po wyjściu od ginekolożki tak zachciało jej się pić, że straciła czujność, sięgając w sklepie po pierwszy lepszy sok pomarańczowy w małej buteleczce. Przez tyle miesięcy pamiętała, by omijać szerokim łukiem właśnie te buteleczki, mało to soków innych firm? Zorientowała się po wyjściu na ulicę, otwierając sok, że hyc, on już jest tam, w środku, nie w buteleczce jak dżin, lecz w granatowej zakrętce, w której producent umieszcza wyjaśnienia trudniejszych wyrazów lub turystyczne ciekawostki. Nim upijał łyk, choćby najbardziej spragniony, najpierw odwracał zakrętkę, czytając na głos ukrytą informację.

Złoty Stok. Podziemny spływ łodziami w dawnej kopalni złota, słyszy jego głos, wpatrując się w wydrukowane słówka. A potem wypija duszkiem całą buteleczkę i brak jej tchu, jakby za mocno zaciągnęła się papierosem, jakby za szybko zawirowała w walcu. Nie będzie już nigdy podziemnego spływu łodziami w żadnej kopalni złota, nie będzie szalonej jazdy wariacką kolejką w podparyskim Disneylandzie. Gdzie jest zdjęcie, które im wówczas zrobiono, to jedno jedyne papierowe, nie elektroniczne, za dwadzieścia pięć euro? Jeszcze niedawno pobiegłaby do domu szukać fotografii. Już nie biegnie. Już nie chodzi o wielką miłość. Nie o takich podziemnych spływach musi porozmawiać z doktor W.

W szybie, o którą się oparła, gdy sok uderzył jej do głowy, widzi, owszem, siebie, ale... Atrakcyjna babka z pani, powiedziała ginekolożka. I choć bacznie wpatrywała się w pacjentkę dłuższą chwilę, nie spostrzegła, nikt nie zauważyłby, co ona w tej szybie dostrzega od razu, co ją pobrzydza i poszarza mimo doskonałego wyboru koloru włosów z miedzianym poblaskiem i mimo fachowo dziś, przez wizażystkę z promocji, zrobionego makijażu. To jakby kręgi są, rozchodzące się z niej niczym linie wygięte w łuki, półnawiasy na obrazkach przedstawiających, że coś z czegoś emanuje:

światło z żarówki, głos z głośnika, fale z radioaktywnej planety, siła z cielska gladiatora lub opuchlizna z rosnącego guza bohatera kreskówki. I ona tkwi w zwielokrotnionym półnawiasie n i e z a ł a t w i o n e j s p r a w y, niedokończenia, niedomknięcia drzwi, bez jakiego nie da się otworzyć następnych. A przecież powinny się już zamknąć, w czternaście miesięcy same powinny szczelnie przywrzeć do futryny, zwłaszcza że wykonała potężną robotę, dzieląc wszystko, co się zdarzyło, jak włos, przynajmniej na czworo, i oglądając pod przeczulonym mikroskopem. Nie chce go już, nie przyjęłaby go z powrotem, ale nie chce też brzydnąć, nie chce szarzeć od natręctwa okropnych myśli o oddaniu choćby jednego ciosu...

Musi być jakiś sposób, by zamknąć za nim te cholerne drzwi, nie życząc mu źle, nie mówiąc o z r o b i e n i u czegokolwiek. Musi być jakiś sposób, by stanąć ponad, by stać się wzorem ze spiżu, świeckim Chrystusem w spódnicy, kimś, kogo można podziwiać, sobą, z jakiej byłaby dumna. Musi być jakiś sposób na przewalczenie poczucia krzywdy, która więzi nas w najzwyklejszym, banalnym człowieczeństwie, małym, dyskretnie podłym, niepuszczającym w niepamięć, owładniętym żądzą zemsty za niezliczone nadstawienia drugiego policzka.

To o tym chce rozmawiać, to ów sposób zamierza znaleźć, nawet gdyby miała chodzić do doktor W. przez następny rok, przerabiając wszystko raz jeszcze, choć na samą myśl o powtórce robi się jej mdło.

Poczuj się tylko przez moment jak ja, najgorzej, nie potrafiłeś się zachować, to przynajmniej niech cię też... ale co, jak? I nieważne, czy jesteś zaburzony, czy nie, młody, więc nieodpowiedzialny, stary, więc bezlitosny. Teraz, natychmiast, niech ci się... niech się coś... bo nie ma na świecie istotniejszej rzeczy poza moją krzywdą. Tego poczucia, rozdętego jak wadliwy balon, który rośnie i rośnie, kradnąc powietrze, jakim mam oddychać, zamiast pęknąć, trzeba mi było oszczędzić. Gdybyś udusił mnie w miękkich rękawiczkach, zadzwonił, skoro nie umiałeś na spokojnie w oczy, przeprosił, powiedział, że więcej nie zadzwonisz, gdybyś napisał, żebym cię nie szukała... Może bym dzwoniła, pewnie bym dzwoniła, może bym pisała, pewnie bym pisała, może bym szukała. Ale nie musiałabym walczyć z pół-nawiasami, z niedokończeniem, z kręgami piekła. Nie zbrzydłabym aż tak, lecz poszarzała tylko na trochę, dziś już zapewne byłabym jaśniejsza, może wręcz całkiem jasna. Przeprosić mogłeś i później, po miesiącu, dwóch, gdy roztopiłeś emocje, jednym słowem, jedenastoma literkami, które wystukujesz przez ułamek sekundy, korzystając z funkcji pisania domyślnego. Ważna i pyk, stałam się nieważna, nie ja pierwsza, nie ostatnia, lecz człowiek nie pet, pyk w popielniczkę, pyk do kosza, pyk do zsypu albo pyk wprost do kibla.

Mogłeś mnie zostawić, nie porzucając. Porzucić, nie odtrącając. Gdybyś udusił mnie w rękawiczkach, ale zaciukałeś nożyczkami, na oślep, w ataku, na jaki nie zasłużyłam, Kuba Rozpruwacz z wejścia do metra na placu Bankowym. Są zwłoki i zwłoki. Moje zostały zbezczeszczone. I nie przerywaj, chojraku, nie obmyślaj mi tu mema, choć jesteś w nich świetny, bo tego nie prześmiejesz: wiem, że Kuba Rozpruwacz nie przepraszał.

❖

TAK BARDZO go kochała, że chciała, by już nigdy mu się nie powiodło. Żeby przeżywał porażkę za porażką, garnąc się do ludzi, których nie będzie obchodził, szukając większych pieniędzy, których nie zdobędzie, goniąc za czymś, co mu się nagle wymknie z rąk. Tak bardzo go kochała, że chciała, by spotkało go najgorsze: by pozostając przy życiu, rozczarowywał się nim wzdłuż i wszerz, na każdym kroku, co godzina, co dzień, co tydzień, co miesiąc, aż do końca w jakimś późnym wieku, czyli jeszcze bardzo długo. Lecz chwilami, strasznymi chwilami, jakie po ponad roku wciąż redagował jej na odległość, uważała, że to jednak nie dość, że to po prostu za mało. Że chciałaby jednak, żeby... Jak miała powiedzieć o tym doktor W.? Jak w ogóle miała to na głos wypowiedzieć?

❖

Najpierw zaprzeczy, żeby nie było nieporozumień, o których będzie i tak, bo w końcu pójdzie do doktor W. z największym nieporozumieniem, z jakim kiedykolwiek miała do czynienia. To przecież nonsens: jak przez ostatni rok mogła stać się taka zła, skoro taka dobra jest?

Zgodnie z prawdą zaprzeczy więc, że przyszła, by grzebać w przeszłości, by dowiedzieć się, czy wylał ją ze swego życia niczym dziecko z kąpielą, czy jak fiolkę z trucizną, która może i kiedyś leczyła, ale przestała i teraz uniemożliwia mu kierowanie jedynym, czym może sam kierować: własnym Ja, ponieważ nawet jego sklepem turystycznym zarządza grupa kierownicza. Potem opowie, jak za nim szalała. Za istnym cudem, za wszystkopsujem, za kimś, kogo się nie lubi. O nieziemskich jazdach Jane Fondy też powinna opowiedzieć, jej wyuzdany purytanin na pewno tego doktor W. nie przybliżył, może dlatego, że aż tak nie uwielbiał tych jazd? A ona uwielbiała, ciało, umysł, swoją uwagę poświęcaną mu od rana do nocy i w nocy... A potem był upadek na placu Bankowym, utrata władzy, niech będzie, choć wciąż ma wątpliwości, w każdym razie pani doktor W. powinna wziąć pod uwagę wszystko, co mogło wprawić w ruch Kręgi Niedokończenia i spowodować, że... chciałaby... czuje się z m u s z o n a... Nie nazwie tego, obejdzie dookoła, opowiadając, co sobie przypomniała po niemal czterdziestu latach. Zabrzmi idiotycznie, ale jakoś łagodniej.

– Przypomniałam sobie Justynę – powie. – Uśmieje się pani, Bogutównę, tak, biedną służącą z *Granicy*, lecz nie ze szkolnej lektury, ale z filmu.

Film spadł z nieba całej klasie, byli chyba pierwszym rocznikiem, który nie męczył się z książką, i radośnie popędził do kina. Dziś mają go na YouTubie, dwadzieścia pięć tysięcy odtworzeń przez uczniów, którzy ambitnie sięgnęli po więcej niż stronicowe streszczenie. Lecz nie musiała szukać Justyny w sieci, ta scena wyświetlała jej się od pewnego czasu sama, przywoływana na osobistym ekranie ze wszystkimi szczegółami. Dziewczyna, w wyjściowym białym kostiumiku i kapelusiku, w końcu przyszła do miejskiego ratusza, wchodzi do gabinetu Ziembiewicza. Jej ukochany mężczyzna, dawny kochanek i ojciec nieurodzonego dziecka, wstaje zza wielkiego biurka prezydenta miasta. Czyżby znów czegoś potrzebowała? Przecież załatwił jej pracę, mieszkanie i regularnie dawał pieniądze. Ze ściskanej w ręku białej, lakierowanej torebeczki Bogutówna wyjmuje pistolet i strzela mu prosto w serce.

Opowie doktor W., jak budzi ją ten strzał, jak przysiada na łóżku i trzęsie się przez chwilę niczym pistolet w rozedrganej dłoni Bogutówny, a gdy uświadamia sobie, że to sen, kładzie się z powrotem, uspokojona i... zazdroszcząca jej tego wyzwolenia. Wtedy, niemal czterdzieści lat temu, sądziła jak policja na początku śledztwa: wariatka, biedna, niepoczytalna wariatka, ale cóż wtedy wiedziała o miłości?

Jest jeszcze Doug, musi również o nim. Zresztą może doktor W. oglądała *House of Cards*, dokształcając się z ludzkiej bezwzględności i demonologii? Doug się nie wyzwolił. Przypadkiem zobaczyła w telewizji utykającego faceta w średnim wieku z kamienną twarzą, który zaczaja się na wychodzącą z baru dziewczynę, dopada jej, usypia nasączoną szmatą, wciąga do pick-upa, przykuwa do podłogi i wywozi na pustkowie. Zamierza ją tam zastrzelić, choć porwana przekonuje go, że się zmieniła, że żałuje, że jest już kimś innym, nawet dokumenty ma na inne imię i nazwisko. Doug każe jej się zamknąć i wykopuje grób, co zdaje się trwać w nieskończoność, kopie i kopie z jakąś przerażającą satysfakcją, po czym rozkuwa ją i puszcza wolno... Żeby dowiedzieć się dlaczego, obejrzała wszystkie poprzednie odcinki serialu w internecie. Czuła, że to jakaś n i e c h c i a n a z e m s t a, i nie pomyliła się. Owszem, dziewczyna próbowała kiedyś zamordować Douga, ledwie się wylizał i wciąż pociągał nogą, lecz nie dlatego obsesyjnie szukał jej długimi miesiącami po całej Ameryce. To nie miało być zabójstwo za próbę zabójstwa, nie takie oko za oko. Kopał grób, bo go odtrąciła.

— Uwalniając ją, odniósł najszlachetniejsze zwycięstwo, nad samym sobą!

Nie, u doktor W. chyba z tym nie wyskoczy, nie zrobi z siebie idiotki choćby i w najlepszej wierze. Przecież Doug się w ten sposób nie wyzwolił, owszem, wypuścił dziewczynę, lecz to nie koniec, musi coś jeszcze obmyślać, nie bez powodu kręcą kolejną serię. Z pewnością tak tego nie zostawi, to wbrew odtrąceniu, co najwyżej upust nienawiści, która nie jest zadośćuczynieniem...

Nie siądzie przed doktor W., by wyzbyć się nienawiści, bo nie nienawidziła Adama. I całe szczęście, to
tylko strata czasu, która do niczego nie prowadzi, nie
załatwia sprawy.

– Że też nie szkoda jej czasu na wieczne nienawidzenie wszystkich i wszystkiego – wzdychała Cristina
po każdej wizycie u kuzynki, którą ona widziała tylko
raz, ponieważ matka uznała, że nienawistnica nie jest
odpowiednim przykładem dla dorastającej dziewczyn-
ki. Rozśmieszało ją to. Mogło być szkoda czasu na od-
rabianie lekcji, na sprzątanie pokoju, na chodzenie do
sklepu z listą zakupów, ale na nienawiść? Nienawidziła Mirka z siódmej c i nawet już nie pamiętała za co,
w każdym razie nie było jej szkoda czasu, ponieważ
wcale na to nienawidzenie nie musiała go poświęcać.
S a m o się nienawidziło, jak samo się oddycha, a nawet gdyby, przecież w życiu jest tyle czasu!

Tik, tak, tak, tik, było tyle czasu. I już go prawie nie
ma, więc wszystko, czego oczekuje, to żeby było tylko
miło, bez burzowych chmur jak z Turnera czy Ajwazowskiego, po których za ostre słońce. Promienie rażą,
niech już nic nie razi ani nie poraża! Niech niebo będzie szaroniebieskie, nie smutnoszare i nie ach-jak-cu-
downie-błękitne, niech tak sobie potrwa, utkwi w tym
niebie na jeszcze parę lat, popluska sobie w tę i we w tę,
nim po sześćdziesiątce stanie się niewidzialna. Dla
mężczyzn oglądających się za kobietami i dla reklamo-
dawców, wyjąwszy producentów superkleju do protez,
dla innych kobiet, pędzących w poczuciu, że za nic nie

mogą stracić, co mają jeszcze do zyskania, i dla ubezpie-
czycieli, bo od pewnej chwili bezpieczniej nie ubezpie-
czać. Nim stanie się niewidzialna dla siebie samej, chce
już tylko, by było po prostu miło. I jeśli coś jej przeszkadza, to Kręgi Niedokończenia, które doktor W. musi
powstrzymać, nim ona zrobi jakieś głupstwo. Boi się
ich, serdecznie nienawidzi (*serdecznie* – podaje słownik
od matki – z *głębi serca, szczerze, z życzliwością, z uczuciem*, nienawidzi się zawsze serdecznie, z życzliwością).
Gdy znikną, znajdzie się wreszcie w kojącym środku
tajemniczej a mądrej piosenki, której słowa brała przez
lata za jakiś żart z surrealną puentą:

Dokończę swą najlepszą książkę
Na chandrę znów będę za twarda
Całkiem spokojnie wypiję trzecią kawę
Więc nie dzwoń do mnie, kiedy będę stara[27].

❧

TAK BARDZO go, że.

❧

Przez te dwa dni przyszła wiosna. Topniejący z para-
petów śnieg zalał burą zupą i tak ledwo przezroczyste okna, niewymienione, więc nietłumiące klaksonów
ani szurania ślizgających się po jezdni, nagle hamują-
cych aut: odgłosów, jakby duch przesuwał meble na
nieistniejącym strychu lub raczej w piwnicy, niepewny, gdzie je postawić.

I sąsiadka przyszła, staruszka o załzawionych oczach, którą kilka razy spotkała na korytarzu. Zapukała w momencie, gdy Danuta kręciła się po mieszkaniu, nie wiedząc, co zrobić z godziną, jaka została jej do wyjścia do doktor W. Zapukała, gdy Danuta uświadomiła sobie, że wizyta czy też wizyty u psychoanalityka ostatecznie jej nie pomogą, ponieważ doktor W. nie będzie dysponować kompletem niezbędnych danych. Nigdy jej przecież nie powie o Michałku, nigdy nie wyzna, że sama też jest sprawczynią... Po co miałaby mówić? Porzucenie to nie to samo, co odtrącenie. F o r m a! Tak naprawdę chodzi o formę. Forma to już pół treści, mawiał jej profesor na historii sztuki, a niekiedy cała, dodawał, krzywiąc się w uśmiechu. Nie odtrąciła syna, nie zrzuciła ze schodów do metra na placu Bankowym, nie zbezcześciła, lecz tylko porzuciła, odsunęła go, odsunęła się, delikatnie w bok, na margines, za margines, ale jednak jak najmniej boleśnie. Nie wrzeszczała: jesteś osłem i kretynem, synku, i nie jestem w stanie cię znieść, nie, jedynie delikatnie w bok, za margines, za horyzont. I nie nagle, lecz stopniowo... Sąsiadka przypatrywała się jej bacznie w poszukiwaniu zaufania.

– Przepraszam, ja w sprawie kota.

nie wrzeszczała: nie chcę cię, synku

– Zaginął? Nie widziałam.

jedynie delikatnie w bok

– Nie zaginął, jest chory, chodzimy na zastrzyki.

za margines, za horyzont

– Aha, i w czym mogę pomóc?

nie napisała mu: możemy być znajomymi

– Bo ja dziś nie mam siły, te roztopy, ślizgawica, w moim wieku...

nie zbezcześciła

– Ale ja zaraz muszę wyjść!

porzucić to jeszcze nie odtrącić

– Świetnie, a w którą stronę? Tam nie ma kolejki, zajmie to pani ledwie...

porzucenie nie wyzwala w nas wszystkiego, co najgorsze

– Ale...

– Bardzo panią proszę...

Nie była zła, dobra była. Dobry człowiek robi dobre uczynki. Staruszka zakręciła się na pięcie i po chwili tłusty, rudy kot siedział w przedpokoju w specjalnej kociej klatce, przypatrując się jej z ukosa, jakby wiedział więcej niż wszystkie doktor W. razem wzięte. Miała w zapasie trzy kwadranse, weterynarz był po drodze, a potem, cóż, kot posiedzi z nią u pani doktor, niech słucha, może to on będzie najlepiej wiedział, jak skończyć Kręgi Niedokończenia, jak już nie szarzeć i nie brzydnąć, jak spokojnie wypić trzecią kawę.

Prawie nie dawało się iść. Ślizgała się po burej zupie jak po własnych myślach, może powie jej jeszcze to, może tamto... Umarł pani już ktoś bliski?, spyta, a potem: „Odszedł ktoś najbliższy, nie umierając?". Bo jeśli cię to nie dotknęło, jeżeli sama nie znalazłaś się nagle w kleszczach czasu, przyłożysz do mnie tylko swe akademickie, naukowe termometry, porównując z tym, co odczytałaś, wsadzając je w tyłek lub pod pachę innych cudzych doświadczeń. Masz własne?, spyta ona. Bo jeśli nie połączy nas osobiste zaskoczenie niewiecznością, nie zyskam pewności, że nie walę przed panią grochem o ścianę, i to za własne pienią...

Zachrypnięty klakson wydaje z siebie kwik niczym zarzynana świnia. A może to kot miauknął, niesiony jak torba z zakupami? Owszem, potknęła się, cholerna breja, cholerna klatka, ale to przecież przejście dla pieszych! W podziemiach, którymi może dojść niemal do następnego skrzyżowania, nie ma jeszcze tłoku, gdzieś za godzinę zacznie się szczyt. Za to harmider jest, jakby ktoś włączał i wyłączał przesterowane głośniki, zbliża się do jego źródła, nie ma innego wyjścia. Za rogiem, na drewnianej skrzynce, stoi siwy brodacz i z obłędem w oku ściska mikrofon.

– Pamiętajcie, co napisano w Biblii! *WSZYSCY BOWIEM ZGRZESZYLI I POZBAWIENI SĄ CHWAŁY BOŻEJ!*

Wszy... bo... zgrze... i pozba... chwa... bożżż, obija się o ścianki tunelu, zapętlając słowa w bełkot, to wracający, to oddalający się, choć ona przecież tylko się oddala. Cholerna klatka, cholerne schody ruchome, jak na złość nieruchome, cholerna breja... Weterynarz musi być gdzieś tu, numer dwadzieścia cztery, nie, to jednak dopiero za skrzyżowaniem. Ściemniało się. Staje przy kolejnym przejściu, odwraca się, by sprawdzić, czy nieszczęsny kot w ogóle jeszcze dycha, popukać w klatkę czy co, nie wie co.

I wtedy go zauważa.

Stoi tyłem, kilka metrów dalej, przy prostopadłym przejściu, koło kobiety w berecie i łysego w czerni. Tyłem stoi jego niebieska kurtka, niebieskie oczy stoją tyłem. I dżinsy granatowe, zawsze trochę za szerokie. I torba przez ramię, nie zna tej torby, ale przecież kupowali co najmniej dwie rocznie, bo torby szybko niszczy, niszczył... niszczył i niszczy, z nią czy bez niej... Ściął włosy? Możliwe, lubi, lubił... lubił i lubi, z nią czy bez niej, zmieniać fryzury. Konstatuje to w dwie sekundy. I skręca głowę z powrotem. Głowę? Jaką głowę? Przecież nie ma głowy, odtrącił głowę od figurki. Nogę, musi podnieść nogę, światło zmieniło się na zielone, musi podnieść nogę i iść, w swoją stronę iść! Usiłuje podnieść tę cholerną nogę i nie może.

I nagle ślizg, stuk, szuranie, w którym pobrzmiewa coś złowieszczego, coś więcej niż odgłosy, jakby duch przesuwał meble na nieistniejącym strychu lub w piwnicy, nie wiedząc, gdzie je postawić. Szkło. Ten rechot to szkło, sypiące się po masce samochodu. Odwraca się, ale tak, by za dużo nie zobaczyć. Żeby się p r z y p a d k i e m n i e z l i t o w a ć. Dostrzega więc tylko niebieską plamę leżącą na jezdni i łysego, który się pochyla nad tym czymś niebieskim. I już patrzy na swoje światło, które znów zmieniło się w czerwone, chociaż wszystko jest przecież niebieskie. Niebo, tak wygląda niebo? Czuje zaciśnięte zęby, jest w tym zacisku psychofizyczna, niebiańska rozkosz, większa nawet niż podczas jazdy Jane Fondy przez prerię. Nie znajduje w sobie ani krztyny litości, także tej przypadkowej, jak twierdzą optymiści, organicznie wpisanej w nasze charaktery, pominąwszy wyjątkowych zwyrodnialców. Nie ma, nie ma, nie uruchomił się żaden z mechanizmów odróżniających nas ponoć od zwierząt. Żaden? Jeden się przecież uruchomił. I sprawia, że czuje się lekka, taka lekka, więc i nogi lekkie, za chwilę wręcz przefrunie przez swoje przejście dla pieszych... Przyspiesza kroku. Kot miota się w klatce, serce o pręty.

On oczywiście by pomógł, natychmiast rzuciłby się w jej kierunku. Czyż nie wymaga tego najzwyklejsze człowieczeństwo? Każdy, kto udaje, że nie zauważa, i ucieka, potworem jest, karać się takich powinno i może nawet istnieje paragraf za świadome nieudzielenie pomocy, za niebycie człowiekiem? Lecz ona wciąż była. Była znów tylko człowiekiem. Przez pięć lat była aż człowiekiem. Aż poprzedniej zimy, bo to już zima poprzednia, sturlała się po schodach do metra na placu Bankowym, z głową osobno, przed ciałem. On oczywiście natychmiast rzuciłby się... Dzień dobry, Adam Jarzyna, w czym mogę pomóc? W niczym, już w niczym. Była tylko człowiekiem. Została jej jedynie nieludzka niepomoc. Odruch naturalny: niewybaczenie mordercy. Nie wybaczam, rzuciła do kamery matka zabitej córki w drodze z sądu do kościoła, by pomodlić się za jej duszę.

Idzie przed siebie, choć do weterynarza powinna była chyba skręcić. Lekkość staje się nielekka, nie może sobie na to pozwolić. Nieważkość nieważka jakby do połowy. A przecież cała, cała powinna fruwać, choćby i z kotem w klatce! W pulsujące skronie wdzierają się pulsujące syreny, przejeżdża policja, za nią pogotowie, nieznośne, nieznośne, nie tylko ze względu na dźwięki. Otwiera najbliższe oświetlone drzwi, schroni się tu, w sklepie... O, to księgarnia jest, księgarenka właściwie, jakich już prawie nie ma, niewiele większa od jej mieszkania.

– Dzień dobry, w czym mogę pomóc?

– W niczym, już w niczym.

Nie przygląda się okładkom, nie odczytuje nazwisk autorów ni tytułów, nie podąża za ozdobnikami, nie przypatruje się fotografiom czy rysunkom twarzy albo krajobrazów. Chłonie feerię barw: kolory, kolory, świat jest taki piękny, kolorowy. Mogłaby tak stać, i stać, i patrzeć, i podziwiać barwy czyste i mieszane, oczywiste i złamane, zgaszone i opalizujące, przywitalne i pożegnalne, karnawałowe i postne, krzyczące i milczące, bezczelnie rozpychające się i wyrozumiale melancholijne, mogłaby tak stać i podziwiać całą niesłychaną różnorodność barw, jakby widziała je po raz pierwszy. Najchętniej wzięłaby szeroki oddech, jakiego wziąć wciąż nie potrafi, łapiąc powietrze jak ryba na brzegu, i wessałaby je wszystkie, zassała do samego środka, by napawać się nawet po zamknięciu oczu, by jak najdłużej czuć w sobie niewyobrażalną ekstazę istnienia. I zarazem cały fałsz, cudowny pozór: czyż barwy nie są jedynie mirażem powstającym w mózgu, spowodowanym promieniowaniem elektromagnetycznym i grą fal?

O, i odblaskowa zieleń, w takim kolorze miał tę nową torbę, w takim kolorze t e n k t o ś na skrzyżowaniu ją miał, bo to wcale nie musiał być on! Nigdy nie lubił ostrych kolorów, wolał raczej wtapiać się w tłum, zresztą przebąkiwał, że wreszcie przerzuci się na plecak, wygodniejszy... I czy ostrzygłby się tak krótko, niemal do skóry? Wyśmiewał przecież tę modę, powiedział raz, że czułby się goły, tak, tak właśnie powiedział... Przez niewiele ponad rok mógł się tak zupełnie zmienić? A niebieska kurtka? Ile w mieście jest identycznych kurtek? I zresztą może już jej nie nosi, sfatygowana była, chciał inną, nieszeleszczącą... Jeśli to był on, zadzwoni do niej Benia, na pewno, na pewno, w ciągu kilku godzin, jeżeli to nie był on...

Na stoliku, przed którym stoi, niemal tuż pod ręką dostrzega niewielki pomarańczowy prostokącik z esami-floresami w kolorze jego lub nie jego torby. Kundera, *Święto nieistotności*. Pamięta tę książeczkę, przeglądała ją u bukinistów na Chmielnej, kupiła wtedy *Zaburzenie*. Stawia klatkę z kotem pod stolikiem. Święto nieistotności. Nieistotne, czy to był on, czy nie. To tylko gra fal. Ważne, że nie ma już po co iść do doktor W. Zaraz, w książeczce zdanie było, intrygujące, nie do zapomnienia, które zapomniała. Zapewne na sześćdziesiątej drugiej stronie, musiała przecież otworzyć nieznaną książkę tam, gdzie zawsze, na stronie z rokiem swojego urodzenia. Swojego pierwszego urodzenia, bo teraz urodziła się po raz drugi. Może brzydsza, lecz już nie brzydnąca, może bardziej szara, ale nie szarzejąca. Przerzuca kartki.

La Franck utraciła właśnie swojego towarzysza, którego kochała tak bardzo, że dzięki magicznemu wyrokowi niebios jej smutek przemienił się w euforię i jej pragnienie życia stokrotnie urosło[28].

Magiczny wyrok niebios. Bez pistoletu. Bez wykopywania grobu. Tak bardzo. Stokrotnie. W pragnieniu życia porzuca pomarańczową książeczkę i wybiega z księgarni, przed siebie, przed siebie, pod numer dwudziesty czwarty, zastrzyk, weterynarz, pierwszy dobry uczynek w drugim, nowym życiu. Jest. Brama, domofon. Wyciąga rękę... Cholera, musi wrócić się po kota.

ŹRÓDŁA CYTATÓW

[1] Adrian John Loveridge, *400 Dragons*.

[2] Ewa Demarczyk, *Pocałunki,* sł. Maria Pawlikowska-Jasnorzewska.

[3] Krystyna Prońko, *Małe tęsknoty*, sł. Andrzej Mogielnicki.

[4] Franz Lehár, *Miłość to niebo na ziemi*, aria z operetki *Paganini*.

[5] Sława Przybylska, *Ciao, ciao bambino*, sł. polskie Ola Obarska (wersja włoska *Ciao, ciao bambina*).

[6] Ewa Demarczyk, *Grande Valse Brillante*, sł. Julian Tuwim.

[7] Irena Santor, *Miło wspomnieć*, sł. Jacek Korczakowski.

[8] Hanna Banaszak, *Samba przed rozstaniem*, sł. polskie Jonasz Kofta.

[9] Seweryn Krajewski, *Kiedy mnie już nie będzie*, sł. Agnieszka Osiecka.

[10] Magda Umer, *Wszystko skończone*, sł. Krystyna Wolińska.

[11] De Mono, *Kochać inaczej*, sł. Marek Kościkiewicz.

[12] Alfred de Musset, *Spowiedź dziecięcia wieku*, tłum. Tadeusz Boy-Żeleński, Warszawa 1979.

[13] Antoine de Saint-Exupéry, *Nocny lot*, tłum. Maria Czapska, Stanisław Stempowski, Warszawa 1974.

[14] Milan Kundera, *Święto nieistotności*, tłum. Marek Bieńczyk, Warszawa 2015.

[15] Thomas Bernhard, *Zaburzenie,* tłum. Sława Lisiecka, Warszawa 2009.

[16] Testy psychologiczne, Lista cech DDA, 8.08.2017, www.psychologia.net.pl

[17] Tamże.

[18] Tamże.

[19] Tamże.

[20] Tamże.

[21] Tamże.

[22] Edyta Geppert, *A gdy uznamy, że to już*, sł. Jan Wołek.

[23] Edyta Geppert, *Jaka róża, taki cierń*, sł. Jacek Cygan.

[24] Kayah, *Dzielę na pół*.

[25] *Słownik języka polskiego*, red. naukowa prof. dr hab. Mieczysław Szymczak, Warszawa: PWN 1981.

[26] Tamże.

[27] Grażyna Łobaszewska, *Za szybą*, sł. Jacek Cygan, Jerzy Filar.

[28] Milan Kundera, *Święto nieistotności*, tłum. Marek Bieńczyk, Warszawa 2015.